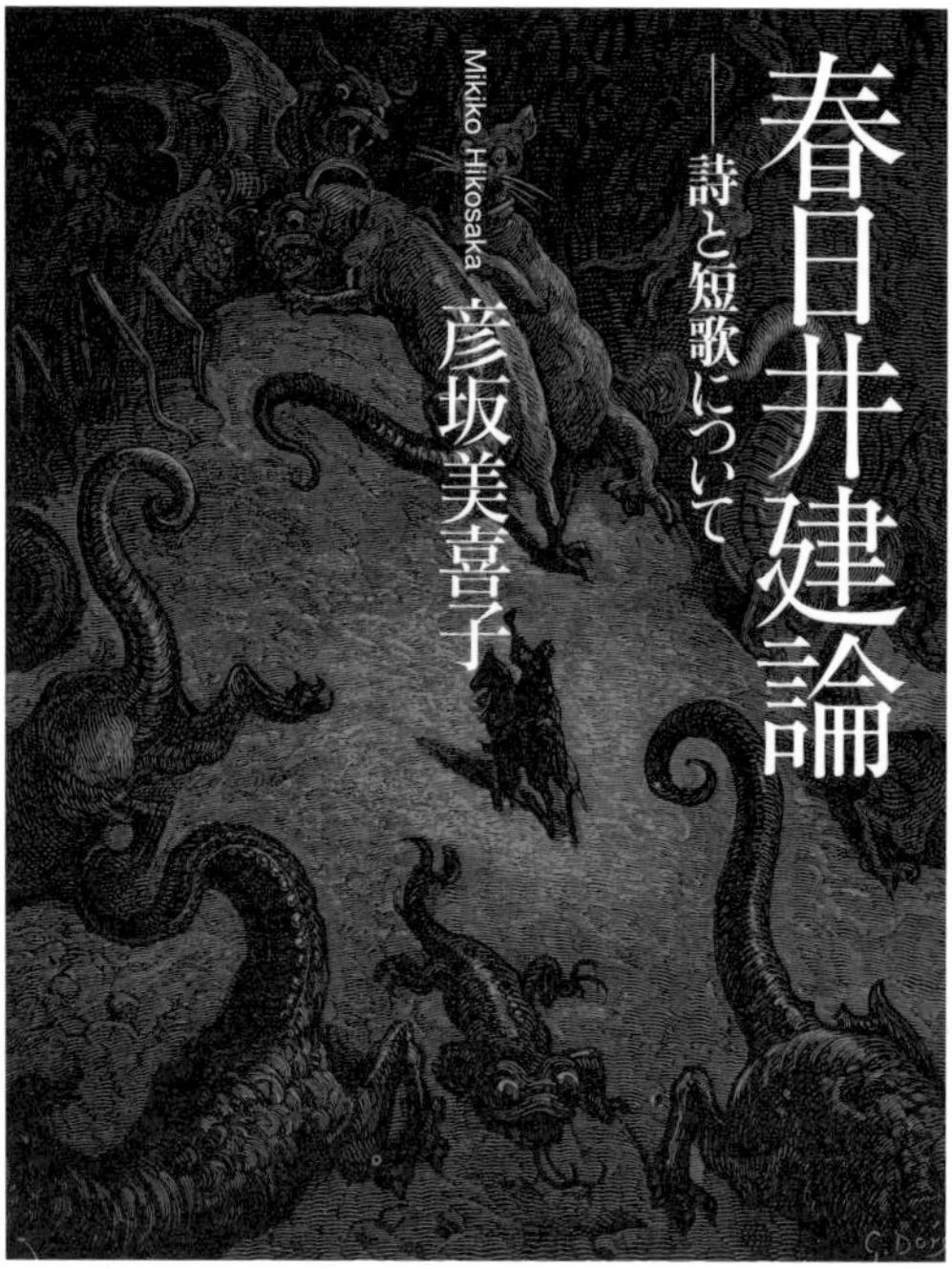

短歌研究社

目次

Ⅰ　春日井建の詩の世界

Ⅱ　春日井建の短歌の世界

装幀　間村俊一

春日井建論——詩と短歌について

凡例

1：詩や短歌作品、引用文などは初出表記に従った。（音便の「つ」は、同人誌「裸樹」の表記に従っている。）

2：詩の表記について、一連が二行以上の場合は、／で一行に表記した。

3：中部短歌会発行の雑誌は「短歌」とし、角川書店発行の雑誌は角川「短歌」とした。

4：執筆に際し、岡嶋憲治氏の作成された「文化のみち二葉館所蔵　春日井建関係資料目録」を参照した。

Ⅰ　春日井建の詩の世界

1 「裸樹」の時代——無題の詩一篇、「火喰鳥の話」

春日井建の詩集『風景』(人間社)が二〇一四(平成二十六)年五月二十二日に発行された。没後十年目の詩集刊行である。歌集については、亡くなる前日の二〇〇四年五月二十一日の午後、新畑美代子さんと私が病室にお見舞いした時、出来上がってきていた『朝の水』を見せていただいていた。「帯の色をこの紺色に変えた」といわれ、「良い色ですね」というような会話(筆談)をした。その時は詩集の話はなかったが、まだ中咽頭に癌が見つかる前に、詩集を出したいという話を、月々の歌会の後の雑談の会話の中で、それとなくお聞きしていた。その詩集の内容については「国鉄旅路」(国鉄・現JRの月刊PR誌、名古屋鉄道管理局旅客課編集/国鉄旅路の会発行)と「いきいき中部」(建設省・現国土交通省の中部地方建設局月刊PR誌)に連載した詩をまとめるということくらいで、詳しいことは知ることもなかった。「詩集にまとめた原稿があるが、それがどこにいったのか、分からない」と言われていたことも聞いていたが、新畑美代子さんも岡嶋憲治さんも私も、それほど気に留めることもなかったのである。

没後、十年目に発行された詩集『風景』を手にして、「ああ、これだったのか」という感慨深い思いを持った。『風景』が発行された時には、すでに新畑さんも岡嶋さんも亡くなっていて、私は、この詩集について語る人を失くしていた。『風景』の原稿や構成については、この詩集の解説で、福島泰樹氏が詳しく書かれている。それによれば、人間社の高橋正義氏が「いきいき中部」発表の作品を年代順に四章に部立した校正刷りを持参したが、春日井建は「他誌発表の旧作を加え（制作年次に寄らない）三章からなる新たなる詩稿」にして高橋氏に返したということである。こういう構成への拘りは春日井建らしい。その改稿された初校が春日井建に届けられ、そのままになっていたのだという。

『風景』を読みながら、一度、春日井建の詩とじっくり向き合ってみようという思いが湧いてきた。春日井建の詩作品は、「国鉄旅路」（一九六八（昭和四十三）年から一九八八（昭和六十三）年まで連載）と「いきいき中部」（一九九三（平成五）年から二〇〇二（平成十四）年まで連載）の作品を除けば、それほど多くない。『風景』の作品は最後に取り上げたいと考えている。年代を追って順に作品と言葉の世界を追っていくことにする。

＊

春日井建の詩作品で、目にすることが出来るもっとも初期の作品は、名古屋市立向陽高校三年の時に発行された高校の文芸同好会の雑誌「裸樹」第一号（一九五六（昭和三十一）年六月二十三日発行）である。この目次の上に二ページにわたって、次のように記されている。

砂丘の／連打音
突風が／裸樹を揺する
湧きあがる／昏　睡
そして目醒めて／逆巻く／嵐の中の
巨木の扉を／あける

三年　春日井建

「裸樹」の創刊に際しての若い情熱を、突風や逆巻く嵐の中に立っている冬の裸木のイメージに託し、その始まりの意識を「目醒め」と「巨木の扉を／あける」と表現する。修辞やイメージは特別なものではないが、表現へ向かう前向きな意志が表わされている。この号に、春日井建は、もう一篇「火喰鳥の話」という詩を載せている。

火喰鳥の話

Ⅰ

火喰鳥よ
砦があつたと／おまえにかたろう
火喰鳥は
僕の恋慕を／喰いつくせそうにない
火喰鳥よ
砦があつたと／おまえに　かたろう
火喰鳥は／ひとりの少女です

Ⅱ

日熊《（ママ）》の重さで／水仙が黒彫りの花弁に／変えられた夜
それは一足とびの接近
私の　途迷い

舌が涼しく／ゴビの熱砂に蒸されてゆき／嘔気が這いあがり
それは始めての接吻
私の途迷い
途迷う私／私の途迷い
月日は前に戻つて／もう二人には思慕はない／君は黒い手に／舌をのせて／へらへらと笑う

Ⅲ

漂泊の冬に／硬く手と手を／捧げあい
冷たい氷結を／愉しんだ僕らは
北風にさらされた／青い南天の実と思う。
氷湖が／ねつとりと溶け／はじめて
春雷の激しさに／驚いていつたのは

雪崩れに吐息する／爛れた思春の私と思う

IIII　（筆者註＝IVの誤りか）

焙られた／終焉の／媚薬

それは／去る人の／憎もうとする

眼

素晴しい／拷問の／没薬

それは／冷たい僕の／思慕を棄てた

胸

「火喰鳥の話」と題されているが、Iの最後の二行に「火喰鳥は／ひとりの少女です」と書かれていて、少女との恋の話だということがわかる。「火喰鳥よ／砦があつたと／おまえにかたろう」という言葉にはさまれて、僕の恋慕が砦に阻まれていたことが、話の導入部分として構成されている。IIでは少女への接近と接吻に僕は動揺する。「途迷い」という語が四回も使われていて、恋する僕の動揺が直接的に表現される。「途迷い」は「途惑い」の誤記かどうか分からないが、「途迷い」の方が若々しい。この連だけが詩の定形を外していることにも「途迷い」の揺れを表現しようとする意識があったのだろうか。Ⅲの冬の季節には、「愉しんだ僕らは」と複数になり、「青い南天の実」は若い二人を象徴する。ねっとり溶ける氷湖、激しい春雷、雪崩に吐息する爛れた思春は、恋の進展による精神や身体の変化を指しているのだろう。そして、Ⅳの別れに。去る人の憎しみの眼や、僕の思慕を捨てた胸も既視感のある表現だ。火喰鳥が僕のメタファにまで昇華されていない不足感、言葉やイメージがむき出しで揺れているところは、恋に揺れる心身を捕まえようとしている青年と重なってみえる。Ⅲの行の三・二・二の定形、Ⅳの行の三・三・一の定形、最後に一字「胸」での終り方がこの詩の話を終りへ向かわせるよう作意されたリズムと言えなくもない。「焙られた／終焉の／媚薬」「素晴しい／拷問の／没薬」に、十七歳の春日井建の表現に入り込んでいる美意識を見る。

この時期の春日井建がどんなことを考えていたか、については、同じ「裸樹」第一号の文末に「1955,5,30」と記されている「手記」が手掛かりになるだろう。

太宰治の〝人間失格〟は私を砕きつけた　主人公に私は自分のモデルを見た　道化てみせる　うすら笑いして　人間が怖い　私もこの汚れた部屋に屈みこんで　明日さえが怖しいのだ　とろとろとめまいして生きたいのだ　明日また帽子をとらなければならない　何の不安もないように授業をきく　澄まして私は本を読んでくる　何という虚偽　私はこの抑圧された暴力がこわいのである暴力は絶対と思う　人はとり澄ました私を見て至純の権化と思つている　なんという道化　私はこ

の湿つた部屋の空気と楽譜の乱舞と友を傷つけることにだけ真の吐息ができる　私は道化たくなんかないんだ　私は堕ちたいのだ（略）

他人と接している時の自分は、本当の自分とは違っている。本当は皆が思うような至純な自分ではない。自分はいつも至純を演じている道化ではないか。道化たくないと思いながら、人前ではいつも虚偽の自分をみせている。自分への懐疑、嫌悪、内側に湧く存在への抗い、そのわけのわからない自他への感情、抑圧された心身の解放は暴力を欲する。他にも浮浪者や自殺者になってみたいとも書かれている。それも含めて堕ちたいという言葉も気持ちが先行して現実感がないし、暴力も観念的である。青年期特有の心的状態と言ってしまえばそれまでだが、それを書く行為に転化したとき、虚偽も暴力も春日井建の詩の世界に再生産されることになる。

ちなみに、一九五四（昭和二十九）年には、三島由紀夫の『潮騒』が発行されベストセラーになっている。また、一九五六（昭和三十一）年一月に石原慎太郎の『太陽の季節』が芥川賞を受賞し、五月には映画化もされている。文学に関心のある高校生にとって、『潮騒』や『太陽の季節』は刺激的な小説だっただろう。

2　「裸樹」の時代――「自画像」、「朝園の小説」、「寓話」

「裸樹」という高校の文芸誌の第二号は、一九五六（昭和三十一）年九月二十八日発行になっていて、ここには、春日井建の詩が三篇掲載されている。もちろん詩だけではなく、小説が「流氷」と「森の挽歌」の二作、短歌作品「秒音」八首、俳句作品「モザイク」十五句も掲載されていて、ジャンルを問わず旺盛な制作意識が見られる。ここでは、詩作品「自画像」、「朝園の小説」、「寓話」の三篇を取り上げる。まず「自画像」について。

自画像　　　　三年　春日井建

僕は放浪の砲座に身を臥して
明日の妊婦のため笛を吹く
無頼の申し子
道標は廃道に立つ裸樹
崩れながら清烈な息吹する

冬の樹の切傷
ジンフイーズやレモネエドの
黒い匂ひを絡ませて
ああマダアム　カツフエの
哄笑に追われて耳朶を染める
羞恥の席の少年
暴風が哭き　瀕死の人が
虚空で手をしぼるのに胸踊らす
感性の掠奪者
落ちた熱を追い廻して孤愁にひたり
幼い日住んだ洋館の石室に
母への愛の遺書を捨てた反抗児

高校三年の春日井建が描く自画像は「無頼の申し子」。それは廃道に立つ裸樹を道標にする放浪者でありながら、切傷に清く激しい息吹を感じる自己であり、一方では大人ぶって酒場やカフェに入りびたるが、マダムに大声で笑われ耳朶を染める少年である。また、瀕死の人をみて胸をわくわくさせるような非道徳的感性の持ち主であり、母の愛を裏切る孤独な思いのなかに棲む自己像である。自分で自分のことを書く自画像は、隠れている内面を洗い出すように書きつけられるが、「無頼の申し子」「感性の掠奪者」「反抗児」は、観念の中で言葉が先行しているように思われる。それは、酒場のマダムの「哄笑に追われて耳朶を染める／羞恥の席の少年」の方に、よりリアリティが感じられるからだろう。「自画像」には、「無頼の申し子」にはなれない知的な自己分析があり、善悪の規範が存在しており、それ故に、表現がそれを超えるまでに到っていない、そんなふうに思うのは私だけだろうか。

太宰治の『人間失格』の主人公に自分のモデルを見たと、一九五五（昭和三十）年の手記（「裸樹」一号に掲載）に書いている春日井建だが、『人間失格』の主人公・葉藏のように道化に徹して、自画像の制作に取り掛かり、「自分でも、ぎよつとしたほど、陰慘な繪が出來上がりました。しかし、これこそ胸底にひた隠しに隠してゐる自分の正體なのだ、表は陽氣に笑ひ、また人を笑はせてゐるけれども、實はこんな陰鬱な心を自分は持つてゐるのだ、」というような陰惨さはない。絵と言語表現の違いはあれ、「自分でもぎよつとしたほど」のものに出会うには、高校三年生では若すぎるだろう。

一九五〇年代、現代詩の世界は「荒地」や「列島」の詩人たちが活躍していた戦後詩の時代。そこに谷川俊太郎の詩集『二十億光年の孤独』（一九五二年六月）が発行された。詩のなかに思想や社会批評を持ち込まない、四季派の抒情とも一味違うこの詩集は、三好達治の詩「はるかな国から——序にかへて」を巻頭に置いているのも、どこか春日井建の歌集『未青年』の出発に似ている。それはさておき、ここで谷川俊太郎の詩を引用するのは、春日井建が「裸樹」に詩を発表する数年前に、同時代的に詩の世界はこういう表現をすでに持っていたことを気に留めておきたいからである。

一九三一（昭和六）年生まれの谷川俊太郎は春日井建より七歳年上であるが、作品は、ちょうど十八歳から二十歳の頃のものであるという。「二十億光年の孤独」という詩はつとに有名になったが、その一部を引用してみる。

火星人は小さな球の上で
何をしてるか　僕は知らない
（或はネリリし　キルルし　ハララしているか）
しかしときどき地球に仲間を欲しがったりする
それはまったくたしかなことだ

（「二十億光年の孤独」第二連）

この谷川俊太郎の詩を、当時の春日井建が読んでいたかどうか分からない。しかし、詩は谷川俊太郎の十八歳の時に書かれている。詩の中には「万有引力とは／ひき合う孤独の力である」という表現もある。孤独がこのような天体の構造で表現されたところに驚く。地球に仲間を欲しがる火星人のネリリ、キルル、ハララという擬音のユーモラスな感じも面白い。同じころの谷川の作品に「十八才」という次のような短い作品もある。

十八才

ある夜
僕はまったくひとりだった

想ひ出をわすれ
本棚と雲に飽き
おさない　いかりとかなしみと
僕はにがく味はった

雨のふる夜
僕はほんとにひとりだった

（谷川俊太郎『二十億光年の孤独』集英社文庫「自筆ノート」より）

十八歳の谷川俊太郎が感じている孤独感が、ストレートに伝わってくる。語彙は少ないが、いかりとかなしみを「にがく味はった」僕の幼さの自覚と、それに伴う「ひとり」の寂寥が詩を覆っている。言葉は発語する「僕」と等身大のようにふるまっている。同じ十八歳頃の春日井建の詩にも孤愁、孤独の思いが自画像の内面の描写へと向かわせていることは理解される。青年期の孤独感は、大方の人の経験するところだろう。同じ孤独が描かれても、詩人によって作品の言葉も質も異なる。作品の差異は個性であり、言葉の選択も詩人の読書経験や時代や環境によって違うことは当然だが、こうして同じ年齢の頃の詩を並べてみると、谷川俊太郎の直接的な言葉に比して、春日井建の詩の言葉が、いかにメタファを駆使し、意識的に構築されているかが分かるのではないか。もう少し言えば、砲座、妊婦、裸樹、マダム、カフェ、洋館の石室、母への愛の遺書など、モチーフが多い。それらが絡まり合って複雑な多面的な一つの自己像に収斂するのではなく、モチーフの一つ一つが「無頼の申し子」、「冬の樹の切傷」、「羞恥の席の少年」、「反抗児」といったそれぞれの物語を含むような場面として提出され、イメージを立ち上げて、まるでオムニバス映画のようにそれらを繋ぎ合わせて「自画像」を創りあげている。こういう構成と方法は、春日井建の短歌作品における連作意識にも繋がっているところである。

小説も詩も短歌も俳句も、ジャンルを問わず創作していた高校三年生の時代の詩は、物語的な要素が多く含まれている。次の詩も題名に「小説」という語が入っている。

朝園の小説

音楽堂より草路が濡れてなだれた園
木椅子の影は風鳴りに遊んでいた。

散歩の少年がみまわす………………
……初恋…………………と

まだ氷塊で包まれている幼い肌が
待ち望む秘唱の香を溶かそうと焦った日
青いカットグラスに琥珀の液汁をついで
ネオンの煙に彼を捨てた女に似て
葉緑の泡立ち多く花　は湿っていた

僕のため燃えあがった女の野火は　花
花の筋は　女の　果てない眠り
葉脈は　女の渦紋の　ひろごり
土地を削って這いまわる　根毛　は
女の　移り気

少年がつぶやく…………

・・・・・・・・・・・・・・・・・・・・・・・と
花苑は複眼の感じに乱れ咲き
酒色の空気の粒と流れを映じはじめた
噴水の飛沫が求めて青く翔けはしり
花軸は享けた水泡の重みに揺れ動いていた

詩は、まるで映画や小説のような創りである。朝の公園の散歩の時に湧き起こった想い。点線で区切られた第三連が初恋の回想に、第四連部分が彼を捨てた女と花のイメージが重ねられて女と花が融合する。その幻想から抜けでた少年のつぶやきは点線のままで、据え置かれている。この点線の役割は、第三連の前の点線が、回想への導入として転調の時間を差し挟み、第四連の後の点線部分が、幻想的場面から現実への転調として、少年の無言の時間を差し挟んでいるといえるだろう。そして最後の連では、幻想から戻った現実の公園の景色、噴水や花々の見え方が変化していることを語っている。大人の女性との初恋と別れを経験した少年の、複雑で甘美な感情が表れている第四連部分の「花の筋」や「葉脈」や「根毛」が女の「果てない眠り」や「渦紋のひろごり」や「移り気」にイメージを拡げていくところに、注目すべき春日井建の表現がある。

ただ、少年と大人の酒場の女性との恋や、女性が彼を捨てる話や、公園の花に女をみる僕の想念は、どこか既視感のあるシチュエーションでもある。しかし、これを映像にしたら、たぶんこんな展開になるだろう。公園の音楽堂から木椅子にカメラをまわし、少年の背後からターンして過去の回想場面を挟み、花の筋や葉脈や根毛と女性をオーバーラップさせる幻想的な画面を入れながら、再び散歩の少年の映像に戻り、最後は丁寧に公園の花と噴水と、飛沫に濡れて揺れている花を撮ってエンド、という映像である。こんな映像のコラージュを想像すると、この「朝園の小説」という詩が、一九六〇年代前半のヌーベルバーグといわれたフランス映画を彷彿とさせるものがあるように思われてくる。もちろん、この詩が書かれた頃にはまだ日本でヌーベルバーグ映画は公開されていないわけだから、春日井建が「朝園の小説」と題したように、これは小説のような構成をもつ詩として書かれたものであろう。春日井建の詩は私が映像に転換したように、場面のイメージが鮮明に浮かぶ特徴を持っている。

高校の文芸誌「裸樹」二号の詩作品には、あと一篇「寓話」がある。

寓話

母は重い倫理の書物の金文字です
母は碧い天空と姦淫して子供を生みました
それが僕の筋骨　僕の肉体
いま僕は透明な回廊に佇んで

拾った怖い死産児にとりくんでいます
それは愛なのです
早熟の肌に針をいっぱい突きさした
僕の　う　め　き
君の微笑が　僕のため流れるとき
僕は苦痛の血脈を空気に震わしています
君よ　僕の存在を知らぬがよかった
しかし　ま　あ
どんなに望んでいることだろう
まだ愛の前に　手さぐりしている君の
暗礁の胸に　　つつまれた
銀色の肋骨の　一本一本に
僕の深い吐息で愛の赤い灯を
ともすことが　できるならばと
君　は
異郷人　清い石女　逞しき美の触手
僕　は

少年は男になるのは望むのよりも
少年は何よりも空気に凍ることを望む
少年はひとすじに燃えつきる事を望む
母　は
愛は理智の密偵だと　声をつつしんで
僕に教えてくれました

「寓話」と題されたこの詩は、なにを私達に語っているのだろう。「母は碧い天空と姦淫して子供を生みました」には、キリスト教の聖母マリアの処女懐胎のイメージがある。しかしこれはキリスト教の愛についての寓話ではないだろう。僕という不確かな存在の認識であり、僕の愛の寓話。まだ君に伝わらない早熟な僕の愛を「死産児」に喩えて、心の痛みを「肌に針をいっぱい突きさした」皮膚感覚で表している。愛の灯を君の胸の肋骨にともすところがシュールである。僕は、君への愛を希求する反面、男になるより「空気に凍ることを望む」「ひとすじに燃えつきる事を望む」少年の鋭敏な感受性を欲する。愛の希求と少年に留まりたいという矛盾。その矛盾した心理を語るために、姦淫、死産児、針を突き刺す、うめき、苦痛の血脈、肋骨に灯をともす、異郷人、石女、密偵などという言葉が並べられる。これらの言葉は僕の寓意でもあろう。この詩は成長する青年期特有の心理を語っている、と分かりやすい大人の解釈を加えると、何か大事なものを見落とすのではないか、という思いになる。

それは、この詩があえて「寓話」と題されていることにある。「裸樹」創刊号の「手記」(1955,5,30の日付が付されている)で、春日井建は「人間の怪奇は私を身震いさせる　しかも人間は生きて死ぬ者誰が何と語ろうと自然の中では寓話にすぎない。」と書いていた。これは若い感受性が探り当てた存在論でもある。春日井建の、人間存在を寓話とする観念が、これらの詩の言葉にも露出している。

春日井建はこの高校時代に、二人の友人の死に出会っている。

私の高校時代にも友人が二人つづけて死んだ。一人は同じ学年の少女で、私たちは小学校時代、私が生徒会長をやり、彼女が副会長をやった。静かなやさしい人で、その後さしてつきあいもなかったが、彼女が行方不明のつづいたあげくに池に沈んでいたニュースが知らされたとき、私は一日部屋にとじこもっていた。もう一人の死は、彼女をまねたようにして起こった。一つ年下の弟の友だちで彼はクスリを飲んだのだった。

(春日井建『未青年の背景』「夕閑――洪水の前」)

この二人の自殺のあと、春日井建の学校では、アンドレ・カイヤットの「洪水の前」という映画の鑑賞会があったという。高校入学は一九五四(昭和二十九)年四月。映画の日本初公開は一九五五年十一月二十九日であるから、高校の映画鑑賞会は、春日井建が高校二年の三学期から高校三年の時期になる。そう考えると、「裸樹」創刊号の「手記」の日付が気になるが、二人の身近な友人の死が高校生の春日井建に、死について深く考えさせる出来事であったことは間違いないだろう。若さと危険が混在する青少年の内面に、高校生の春日井建は「人間の怪奇」「人間は生きて死ぬ者」という存在の本質を見たのではないか。

若い春日井建のこのような観念や、詩の言葉の経験について知りたいと思っていた。小学校時代の読書経験としての『心に太陽を持て』（山本有三）や、ずっと暗誦できたという、母の「令女界」のグラビア・ページの「あおむけになった駒鳥の白い腹に矢がささっている絵」と一緒に掲載されていたマザー・グースの五・七調の訳詩「だれがロビンを殺したの／わたしだわって雀がいった／わたしの弓と矢でもって／わたしがロビンを殺したの」というフレーズなど、折々に書かれた文章の中から拾い出してみたりするが、高校生時代の春日井建の詩意識を決定づけているものがなかなか見つからなかった。そういう中で、興味深い文を見つけた。

私は数あるポーの詩のうちでも「アナベル・リー」が一等好きなのである。夭折した美しい少女アナベル・リーと世の常ならぬ恋をした少年のこの挽歌ほど、子供時代から何度も読んだ詩はめったにない。わけても私が好むのは島田謹二氏のやや擬古的な訳のもので、二人が住んだ土地という「海のほとりのこの王領の」という繰り返し《リフレーン》は、読むたびに哀切な谺となって胸に響く。私にたとえ一人のアナベル・リーなくとも、アナベル・リーの詩を知っているというだけで私は十分慰められる。

（「秋から冬へ」「短歌」一九七一年一月号）

この文章は、一九七〇（昭和四十五）年七月、歌集『行け帰ることなく』を刊行後、渡米し、その帰国後に書かれたものである。アメリカでエドガー・アラン・ポーの詩「アナベル・リー」の生原稿と、ディケンズの女友達に宛てた手紙を見た時のことが記されている。子ども時代から、一番好きだったという島田謹二訳のポーの詩「アナベル・リー」の全文を引用する。

アナベル・リー

ポー（島田謹二訳）

そのかみの、そのかみの昔語りよ
　海のほとりの王領に、
住みにけり、をとめ子ひとり。その御名《みな》の
アナベル・リーに、君、あるは知り給ふらむ。
そのをとめ、その人は、われを慕ひつ、われにまた
思はれむねがひをのみぞねがひつつ、ただ生きにけり。

われは童男《わらはべ》、そのひとは童女《めわらは》なりき、
　海のほとりのこの王領に。
しかはあれ、われらが愛は、世のつねの愛をば越えき、

――このふたり、われとわがアナベル・リーと。
み空《そら》なる翼もつ天使たちさへ
うらやみぬ、ねたむまでふたりが仲を。

さればこそ、そのかみのその昔、
海のほとりのこの王領に、
雲間《くもま》より風吹きおこり、ひややかに凍らせつ、
わが美《は》しきアナベル・リーを。
ゆかりある貴《あて》びとら現はれ来り、
そのひとをわが身より遠く奪ひて
海のほとりの王領の
ある廟墓《おくつき》に葬りぬ。

空に住む天使らも、われらが幸《さち》のなかばさへ幸《さち》ならで、
つひにねたみき、をとめ子とわれとふたりを。
ああさなり、そのゆゑに（海のほとりの
王領の人すべてみな知るごとく）

雲間《くもま》より夜半《よは》に風吹き、凍らせて
　命絶ちにき、あはれわがアナベル・リーを。

しかはあれ、つよかりき、われらが愛は。
　ふたりより年うへの、年うへの
　さかしさのまされる際《きは》の愛よりも。
されぼこそ、み空なる天使たちとて、
　海底《うなぞこ》の魔神たちとて、
いかで裂きえむ、わが魂《たま》をその魂《たま》ゆ、
　――美《うつく》しきアナベル・リーの。

されぼこそ月かげのかがやくごとに、わが夢に、
　面影ぞ立つ、美《うつく》しきアナベル・リーの。
さらにまた群星《むらぼし》ののぼりゆくごとに、われ感ず、
　耀ける瞳《め》を――美《うつく》しきアナベル・リーの。
されぼこそ、よもすがら、いつもわが身は、
いとほしの、いとほしのわが命《いのち》、わが花妻《はなづま》の傍《かたへ》近くに――

海のほとりのかのひとの廟墓《おくつき》の中《なか》、
波さやぐ海のほとりのかのひとのみ墓《はか》の中《なか》に。

（詩人叢書『エドガア・ポオ詩集』酣燈社　一九五〇年）

ポーは、「詩の原理」で、律格《ミーター》や韻律《リズム》や押韻《ライム》の様々な音楽の様式は詩において極めて重大な要素であり、「言葉を用いる詩とは美の韻律的な創造であると定義したい。／詩は義務や真理とは何の関係ももっていないのである。」、「愛とは――（略）――疑いもなくあらゆる詩の主題のなかで最も純粋な最も真実なものである。」（エドガア・アラン・ポオ『詩の原理』阿部保訳）と言い、「創作の哲理」（同）の中でも、一気に読めない長すぎる詩を、印象の統一効果の上から否定し、「美」が唯一の正しい詩の領域であり、「美」の最高の表現の調子は悲哀の詩の調子、憂鬱の調子であり、繰返《リフレイン》と反覆句の効果について言及している。そして「独創」を重んじ、最も憂鬱な主題は死であり、最も詩的になるのは美と密接に結びついているときであるという。「それだから美人の死は疑いもなく世にも最も詩的な主題である、そしてかかる主題をかたるに最もふさわしい唇は情人に死なれた男」だと、自作の詩「大鴉」の制作の思考過程を説明している。

春日井建がポーの『詩の原理』を読んでいたかどうかは分からない。しかし、島田謹二の擬古的な訳はポーの詩の特質を十分捉えて、日本語のリズムや美意識のなかに翻訳されていて、短歌の音数律に親しむ家の子、春日井建にとっては、ポーの詩の原理が自然に受け入れられていったのではないか。春日井建の詩作品に表れる愛や美意識や、憂鬱な主題や死は、子供の頃から親しんだ、ポーの「アナベル・リー」（のみでなく、ポーの詩全般）から多くのものを吸収していたことを思う。ここに春日井建の初期の詩の言葉の経験の一つを見たように思う。

3　一九六〇年代の詩「旗手」の時代――「犬山のモノレール」

向陽高校卒業後、春日井建は南山大学英文科に入学する。この時代、短歌作品を短歌同人誌「核」や角川「短歌」に発表し、荒川晃、浅井愼平らが創刊した「旗手」にも4号（一九五九年十一月発行）から参加している。そこには、短歌「みどりの氷跡」二十六首と「気焰・奇焰」の欄に、自分をコクトーの「オルフェ」の硝子売に重ねて、感動が「短い圧縮された詩にしかならない」と、短歌という様式を選択した理由が書かれている。翌一九六〇（昭和三十五）年一月には短歌同人誌「律」創刊号に短歌作品を、四月の「旗手」5号には小説「舌状花」を発表。六月には、塚本邦雄、寺山修司、岡井隆らと同人誌「極」を創刊する。残念ながら「極」は創刊号のみで次号が発行されなかったが、春日井建は「極」創刊号に「海賊衆」という掌編小説を書いている。そして九月には第一歌集『未青年』が刊行される。十二月発行の「旗手」6号には戯曲「少年指導者」を書くなど、春日井建はこの頃より、短歌だけでなく創作活動の領域を広げていく。

しかし高校卒業後の詩作品について、私が知りうるのは一九六二（昭和三十七）年三月二十五日の朝日新聞に掲載された「犬山のモノレール」についての詩である。これは、愛知県犬山市の犬山遊園駅から日本モンキーパーク内の動物園駅までを結ぶモノレール路線で、日本初の跨座式モノレールとして同年の三月二十一日に開業した。このモノレールの写真に添えて春日井建が詩を書いている。写真がカラー写真であったことは「新聞と私」（『未青年の背景』）に「昭和三十七年の春、私は新聞のカラー写真に添えて詩を書いたが」という一行から推察されるものである。

犬山のモノレール

木曽川堤が
うっすらと緑にけむり
モノレールが白いしじまを走っている

——それは地上十五メートルの光の刃ですよ
小さい時間表がかかった駅の、うら若い駅員
がつぶやくように眺める山腹には、杉林のあ

いだをぬって一本の軌道がつづいている

河原には
鵜《う》の群がおりている。あかるい季節の
なかの黒点、一羽の鵜がわたしを見る

木曽川の水嵩《みずかさ》が増して、泡立つ
水が春にむかって流れている
モノレールの窓から子供たちの眼が日ざしを
映して揺れている

クモザル　フラミンゴ　カンガルー、
アライグマもいるんだって―
風船ガムのようにふくらむ幼い夢をはこん
で、モノレールはすばやく遊園地へ滑りこむ

遠くには城さえ見えて

モノレールが白いしじまを走っている

新聞社の依頼を受けて、写真に添えて新聞に詩を書くということは、作品の内容と言語表現の水準に一定の制約が課されるということである。まず、新聞を読む一般の読者に分かるような表現であること。犬山のモノレールを対象とすると、犬山遊園地や動物園、木曽川、鵜飼いとモチーフが決まってくること。作品掲載時期も関係する。三月末の春の始まりの季節、薄い緑と「水が春にむかって流れている」という親しみのあるポエジーが、子供たち、アライグマ、風船ガムのモチーフが、モノレールに乗ってみたい思いを誘う、やさしい詩だ。モノレールの軌道が「地上十五メートルの光の刃」と表現されたところと、「つぶやくように眺める」と視覚を聴覚の直喩で表すことでわかりやすい直喩に違和を持ち込むところ、日ざしが子供たちの眼に映って揺れているのを、語彙の転倒を使用して子供たちの眼が揺れているところに、さりげなく春日井の詩意識が挟まれている。このように、対象もテーマも決まっている詩も詩であることに変りはないが、やはり自分の書きたい言葉で、自由に書く詩とは自ずと表現が違うことは、言うまでもないだろう。

4　「旗手」7号——ジャン・ジュネ　「卵のジュネ」、「石のジュネ」、「花のジュネ」

この後、発表の日付がはっきりしている詩作品は、「旗手」7号（一九六二年十月十五日発行）に発表された「ジャン・ジュネ」と題された三篇の詩、「卵のジュネ」、「石のジュネ」、「花のジュネ」である。

卵のジュネ

ジュネは卵の心臓をもつている
おせばぐしやりと潰れる
その心は　小便臭い慈善病院の
硬い床の上へ生みおとされてから
もう幾度
ぐしやりと潰れた卵だろうか

貴い卵はありはしない
男に卵はありはしない

一杯やりに　な　ずらかるぜ
三色の旗が　若者のズボンの皺よりなまなましく皺ばんで
いる　裏町で
ジュネは相似たものを憎んでいる
淫売窟の卵
綿花の卵
老いさらばえた卵
お白粉の卵
衣裳の卵
やさしいすべての侵蝕性の恥しい卵

ジュネは一杯やる
悲しい思いで　卵を聖める思いで一杯やる
すると

腐つた卵が醗酵して暗い噯《おくび》にむせかえる
月満ちて流す血のように嘔吐する

フランスの作家、ジャン・ジュネについて、『泥棒日記』の翻訳者・朝吹三吉は解説でその特異な作品世界と稀有な生い立ちについて書いている。それによれば、ジャン・ジュネは一九一〇年にパリのある公立施療産院で生まれた。この施療産院は、無料で貧民が出産できる施設だという。父については一切不明であり、母はすぐに彼を捨てて姿を消してしまった。貧民救済局の管理下におかれた彼は、中部フランスのモルヴァン高原地方の一家に「養い児《やしな》」として送られた。これは正式の養子ではなく、養家は国家から報奨金と引き換えに孤児を十三歳まで養育する義務を負うものである。衣服から食物まで与えられる以外何一つ自分のものを持たなかったジュネは、十歳のころ、盗みをして発見され、十五歳で感化院に入れられた。そこから脱走した彼は以後二十年、数々の牢獄を経つつヨーロッパ各地を放浪し、乞食として、男娼として、泥棒としての生活を第二次世界大戦後まで続ける。その間に詩集『死刑囚』（一九四二年）、小説『花のノートルダム』（一九四四年）、『薔薇の奇蹟』（一九四六年）、『葬儀』（一九四七年）そして『泥棒日記』（一九四九年）と次々に発表する。その『泥棒日記』執筆中か、一九四八年、ジュネは十回目の有罪判決を受け終身禁錮となるところを、コクトー、サルトル、など著名文学者たちの運動によりフランス大統領の特赦を受けた。ジュネの作品は、どれも殺人や男色、裏切り、盗みなど背徳の世界を描き、その世界を知り尽くした者の悪の世界の描写は二十世紀文学の世界を圧倒した。サルトルの膨大なジュネ論『聖ジュネ』がそれを物語っている。

この『泥棒日記』が、朝吹三吉によってはじめて邦訳され新潮社から出版されたのが一九五三(昭和二十八)年六月。三島由紀夫のジュネ礼賛の文章や、坂口安吾のジュネへの共感、その後の堀口大學訳のジュネの小説『花のノートルダム』(一九五三年)、『薔薇の奇蹟』(一九五六年)、サルトルのジュネ論(邦訳名『殉教と反抗』)が白井浩司・平井啓之共訳で一九五八(昭和三十三)年に同じく新潮社から出版される。こうしてみると、一九五〇年代は、日本の文学世界にもジュネの作品の同性愛や感化院、悪の聖性、強烈な反自然、反社会の美学と感性が享受されていった時代ともいえる。

ちょうどこの時期に、春日井建の青少年時代が重なっていて、「旗手」発表の詩「ジャン・ジュネ」は三篇をとおして、『泥棒日記』をテクストにして書かれた作品といってもよい。それは『泥棒日記』を読んでみると、この小説の流れのなかで相即していると思われる部分を見つけることができるからである。

例えば、詩の「小便臭い慈善病院の／硬い床の上へ産み落とされてから」は、ジュネの生まれた産院と重なる。また「三色の旗が　若者のズボンの皺よりなまなましく皺ばんで／いる　裏町で」は、バルセロナで知り合ったスティリターノについて、わたし(ジュネ)が気になっていた点を記した《彼の水色の木綿のズボンの左腿のところに、たった一本ではあったが妙にはっきりと、刻まれていた皺なのだった。》という部分を想起させる。「一杯やりに　な　ずらかるぜ」も「どうだい、一杯おごってくれるかい、ベル・アベスの古参兵に?」と、わたし（ジュネ）にスティリターノが言う場面を想像させる。詩作品と小説は別物だが、『泥棒日記』は、詩の読み方にいくつかのヒントを与えてくれる。

詩「卵のジュネ」は、誕生いらい何度も潰れて、極貧の生活環境のなかで乞食や泥棒や、男娼として暗い裏町や淫売窟で生きなくてはならないジュネを、卵に見立てて若い少年のジュネの心情と存在が描かれている。「ジュネは卵の心臓をもつている」とは、壊れやすい内面の喩であろう。何度も潰れた卵は乞食の群れのなかで生活するようになり、暗い裏町が住処になる。「一杯やりに」行っても逃げてしまう無銭飲食は茶飯事。ジュネが憎むものは、金銭の代償をえて肉体を提供する淫売の集まる場所、白い綿の繊維が花のように見える綿花のような見せかけのもの、よぼよぼの覇気のない老人、白粉や衣裳のように外面や体裁をとりつくろうもので、これらはジュネと相似た存在だからである。「卵」は、ジュネの内面から外部の相似たものの存在までを包括し、作品に統一感を持たせるキーワードである。恥しい卵を聖める思いは、暗いげっぷと嘔吐を引き起こすだけで、卵は卵の存在を受け入れて生きる他ない。詩「卵のジュネ」は、三篇の詩のうちのプロローグのようでもある。

私は、この詩に、ジュネが六カ月一緒に居た醜い乞食のサルヴァドールとの生活で、彼らの服の虱を退治する部分「我々はなるほど虱を退治することはしたが、しかしそうしながら、その日のうちに卵が孵ることを望んでいたのだ。そして、爪で一匹一匹と潰していったが、嫌悪も憎しみも感じなかった。」を思い出す。孵ることを望みながら潰す虱、潰される虱が、ジュネに重なるのである。

石のジュネ

石だつて血を流すのだ
ぼくは　柘榴石のことを言つているのではない
まして赤い煉瓦のことを言つているのではない
薄明の　もつとも深い眠りの静けさが覆いつくすとき
流血の石がごろごろぶつかりあうのだ
モルヴァン地方の砂利に
水いろの唾を吐きかけて遊んだ日から　あの砂利の日から
ならず者のぼくは
メトレ　サンテ　シンシン
そんな石づくりの城から城でくらしてきた
男一匹の貴族
パリ　バルセロナ　アントワープ
そんな石づくりの街から街に巣喰つてきた
男一匹の乞食

ああ兄弟よ　何も言うな
石は
血を流した石は
しっかりと沈黙を嚙んだまま　ごろごろぶつかりあうのだ
血を流した石は
愛しあう心臓のように　性懲りもなくぶつかりあうのだ

血を流す石はジュネのメタファだろう。柘榴石も赤い煉瓦も血の色の象徴として持ち出されている。詩「石のジュネ」には、ジュネの環境を暗示させる、いくつかの言葉が挟まれている。モルヴァン、メトレ（『泥棒日記』では、メトレーと訳されている）、サンテ、パリ、バルセロナ、アントワープなどの固有名詞がそれである。モルヴァン地方は、ジュネが生まれてすぐに送られた養い親の家の場所であり、そこで十三歳まで育てられた。ぶつかり合い血を流す石は、まだ、砂利だったが、十五歳でメトレーの少年感化院に入れられ脱走したころから「ならず者のぼく」は血を流す石なのだ。ジュネは『泥棒日記』の中で、「メトレーの感化院は、わたしの性愛上の嗜好をこそ十分に満足させてくれたが、わたしの感受性を絶えず傷つけていたのだ。」と書いている。自分が卑怯者、裏切り者、泥棒、男色者であると認め、自分が数知れぬ汚穢から成り立っていることを知る。しかし、「それまでに、わたしはどれほど胸が張り裂けるような思いを味わったことか！」とジュネは書く。ジュネの傷つけられた感受性は、血を流しぶつかりあう。サンテはパリ十四区のサンテ刑務所。この刑務所に、ジュネは何度も入獄している。シンシンも刑務所だと思われるが、これはアメリカニューヨーク州オニシングの刑務所であろうか。サンテ刑務所より早くに建設されているが、私の認識不足でジュネとの関係はよく分からない。

盗みと裏切りと同性愛の世界で暮らすジュネの住処は、ヨーロッパ各地を転々とする。が、パリ、バルセロナ、アントワープはジュネにとって思いの深い街といえるだろう。パリは、ジュネの生まれた場所であり、サンテ刑務所もある。バルセロナは、ジュネがメディオディア街、カルメン街に巣食っていたとき、そこでサルヴァドールと恋人になり、素晴らしい体格の片方の腕を手首で切断されたスティリターノに出会い、愛しあう関係となる。アントワープは、ジュネがスティリターノとサン・フェルナンドの近くで別れてから再会した場所であり、アルマンやロベール、リュシアンらと深い関係を結んだ場所である。

そして、もう一つ暗示的な言葉は、「男一匹の貴族」、「男一匹の乞食」の「男一匹」である。男一匹（一人前の男子の意を強めていう語＝広辞苑）という表現は、目新しい言葉ではないが、ジュネの詩の文脈の中に入れられることで、『泥棒日記』の記述との連関が意識される。それは、チェコスロバキアの町ブルノで出会った二十歳くらいの若者ミカエリス・アンドリッチの言葉である。彼は、ブルノの街頭の歌い手の一団にいた。ジュネはこの男の金髪の美しさと、男色者でありながら、態度が男性的で多少乱暴でさえあることに驚いた。「彼は一団中での貴族だった。」というジュネの考えや、《わたしはミカエリスに、盗みのほうが売淫よりもりっぱだということを説いた。すると彼は、「でもおれは男一匹だ《マ・ソノ・イル・ウオモ》」と、昂然と言い放った。》という記述を思い出させる。「男一匹」という言葉を、泥棒と淫売の比較評価の答えに使うことは、どこかそぐわない滑稽さを感じさせる。しかし、その違和を含んだままの詩の言葉「男一匹の貴族」「男一匹の乞食」が、かえってジュネの表象らしく思われる。

「卵のジュネ」が悪の裏側に潰れやすい卵のような心臓をもつジュネの表象なら、「石のジュネ」は固いが血を流す石の存在に似た、本格的な泥棒や男色者へと成長していったジュネの環境を想起させる。ごろごろぶつかりあい血を流す石は、盗みや売淫や裏切り、男色者との恋などを含め、何度も入獄したジュネの経験と心のすべてを表すものでもあろう。

花のジュネ

早すぎる性のめざめを知り
早すぎる心の衰えを知つた
空色の
虹色の
熱色の　繊維組織の少年は
すこしづつ　花蔓で咽喉をしぼるように

すこしづつ　悪癖に神経を馴らしていつた
金雀枝《ジュネ》の
黄になびく花枝の神経は
今わかものの胸から腹の繫みにむかつて
何の音沙汰もなくさまよつていく

わかものよ
硬く　厳《いか》つく　節くれだち　盛りあがつた
年わかい友よ
あなたは知つているだろうか
悪党をつくりあげるのが　あなたの挑発的な肉体であることを
あなたの肉体にふさうために　黄金《こがね》の花枝が富もうとすることを
あなたは知つているだろうか
誰を欺すとしても
誰に姦されようとも
誰から盗みしようとも
ジュネが富まなければならないことを

今あなたは優しい花の独房で　裸検身されている
悪党は真の富裕市民《ブルジョアジー》だ
だらしなく　見栄坊で　悲しみふかく
セックスの蜜を分泌する花
明るくもろい血にすけて咲く

空色の
虹色の
熱色の　植物の家系の
あの面貌で　あの手つきで
誇らかなわかいのにかしずくために
もう百フラン札いくまい掠めたちんぴらだろうか
泥棒稼業にせいだして
ジュネは男色に焦がれる花ざかりの瞳をして
ジュネは他処《よそ》を愛する金雀枝色《えにしだ》の瞳をして

「花のジュネ」は、金雀枝のことをフランス語でgenetというところから、発想されている。金雀枝は五月ごろ、葉腋に黄金色の蝶形花をつける。ジュネ自身も、「えにしだ《ジュネ》の花に出会うとき、それらの花に対して深い共感の情を覚える。わたしは愛情をこめて、それらをしみじみと眺める。そして、わたしの心の乱れは、わたしを取巻く全自然に要請されているように感じられる。わたしはこの世で一人ぽっちなのだ、が、それでいてわたしには、自分がこの花の王、ひょっとしたらその精《フェアリー》でないと言いきることもできないのだ。（略）えにしだの花は自然界におけるわたしの標章なのだ。」（『泥棒日記』）と書いている。自分は、金雀枝の花の王、精（フェアリー）かも知れないと思うジュネがいて、詩「花のジュネ」はジュネを金雀枝の精のように扱っている。少年の繊細な神経は悪癖に馴れ、同性愛へと傾斜していく。若ものの美しい肉体に魅かれ挑発されて、恋愛感情と肉体は不可分に関係を深くする。ジュネの周りで日常茶飯事の裏切りや売淫や泥棒も、すべては「ジュネが富まなければならない」ためであるという。第三連に書かれるジュネの思想が、その意味を語っている。

悪党は真の富裕市民《ブルジョワジー》だ
だらしなく　見栄坊で　悲しみふかく
セックスの蜜を分泌する花
明るくもろい血にすけて咲く

悪党こそ、真の富裕市民であるという。「だらしなく　見栄坊で　悲しみ深く／セックスの蜜を分泌する花」は、一般的には裏側に隠されている負の部分だ。その花を「明るくもろい血にすけて咲く」と美しく描写する。悪の肯定がここにある。『泥棒日記』の冒頭部分には「花と徒刑囚とのあいだには緊密な関係があるのだ。一方の繊弱さ、繊細さと、他方の凶暴な冷酷さとは同じ質のものなのである。」と、ある。この繊細さと凶暴さの同質性こそ、ジュネの悪の意識の根底にある思想であろう。

ジュネを、卵、石、花に擬えた春日井建の詩「ジャン・ジュネ」は悪・負への共感をもって描かれている。

5　「旗手」8号――「サド侯爵」

「旗手」8号（一九六三年五月）に、詩「サド侯爵」が書かれる。すでに一九六〇（昭和三十五）年に第一歌集『未青年』が刊行されていて、菱川善夫は、反社会性、悪への夢想が「思想化され倫理化されている」と評したが、『未青年』以後の詩作品においてジャン・ジュネやマルキ・ド・サドがテーマになることをその延長線上で考えるというよりは、二十代半ばの春日井建の詩の言葉がどこにぶつかっていたかを考えてみたい気がする。

確かに、ジュネの同性愛や悪の聖性を描く作品も、サドの淫蕩や暴力のエロチシズムを描く作品も、これまでの倫理観を覆すほどの衝撃をもっていた。日本では、一九六一（昭和三十六）年には、澁澤龍彦のサド裁判（『悪徳の栄え（続）』の性表現が猥褻罪にあたるというもの）が開かれ、猥褻文書販売、同所持の容疑で澁澤龍彦と出版社社長が起訴され、一九六二年には東京地裁で無罪判決が出たが、検察側の抗告で、東京高裁の有罪から最高裁まで争って一九六九（昭和四十四）年に被告側の有罪が確定した。これより前にも、D・H・ロレンスの『チャタレイ夫人の恋人』を翻訳した伊藤整と出版社に対し、チャタレイ事件の裁判が開かれていて、東京地方裁判所の一審では無罪、高等裁判所で有罪、最高裁は一九五七年に上告を棄却し、猥褻文書頒布罪が確定している。今、読んでみると、それほど猥褻な表現でもないと思われるが、当時の倫理観では許容されなかったのだろう。当時の裁判所は一般社会の良識＝社会通念を判断基準に有罪を確定しているのだが、文学芸術の猥褻性を裁判で判断すべきものかどうか、文学芸術表現における猥褻性の司法の判断に対する、異論も議論も起こったと思われる。当時の作家や知識人も、文学表現の自由の問題として、サド裁判では、埴谷雄高、遠藤周作、大岡昇平、吉本隆明、大江健三郎など多くの文学関係者が澁澤龍彦の弁護側の証人に立っている。

そういう時代の中に、春日井建の表現に対する敏感な感性があったとみてよい。ジュネやサドを詩作品のテーマにしたのも、時代への春日井建の意思表示ともいえるだろう。ジュネやサドの作品は、当時の一般通念を越える衝撃的な内容と表現であった。良識や道徳への批判、自己への懐疑、無頼や悪への憧れ、高校時代に経験した同級生の死、人間の存在に対する肯定と否定、それらは春日井建の表現の基底にあって、深められていったのではないか。詩「サド侯爵」は、春日井建の詩と麻井慎平（浅井愼平）の写真のコラボレーションで掲載されている。

サド侯爵

＊出生

羊水につかつた葬い舟が
行きつ戻りつして
遂に水門を押しひらく時
葬いの鐘が鳴りわたり
母なる河にひびく時
サドは澄んだ目をあけていた
サドは冴えた頭で見つめていた
葬い舟を漕ぎながら
赤裸のサドは笑つていた

＊少年期

半陰陽の股ぐらの太陽の火を灯した蠟燭《ろうそく》が
仄かにゆらめいている
自由よ　自由よ　太陽の火ですべての蠟燭を灯したい

＊青年期

帆柱が立つ　跳ね橋があがる
情欲の河口は潮を待つているがうら若いサドは鬱々として尿を放たない
自由よ　自由よ　一人の肉体の尿ですべての穴ぼこを満たしたい

＊壮年期

サド侯爵よ　水脈の花茎よ

羊水＋少年＝暴力
情欲－意識＝肉体
自由×死＝想像力

自然÷女＝憎悪
タトエ数学ガ壊レルトシテモ
花×血×花×血×花＝暴動

サド侯爵よ
葬い舟の舟主の太つても太つ
ても萎えることのない勃起し
た花茎は黒い海をかいくぐり
否定の倫理数学を記していく

＊晩年

精気の海のただなか
血の数学を書きつづけた城
血の花弁を落しつづけた館
――遠い薔薇窓《ロザーヌ》

あれは瘋癲院の舞台だつたか

あれは倫理の聖院の舞台だつたか
薔薇の花笞《はなむち》を手にしてアルフォンヌ・ドナチアン・マルキ・ド・サドが領した精気の海の視界は

この詩は、出生から晩年までの五つの年代に分けて書かれている。あたかもサド侯爵の生涯(一七四〇〜一八一四)をたどっているようでありながら、詩は春日井建のサドへの知的理解のレベルで描かれている。

塚本邦雄は、詩に含まれる抒情質に注目し〈これは「サド侯爵」即ち春日井の変身譚であり、サドというより残酷趣味をもって彩られたナルシス、とでも言った方がより適切な自画像であることによろう。〉(角川「短歌」一九六三年八月号「ナルシス公爵頌」)と書く。それは、春日井建の美意識のヴェールの中にとじこめた上でのサドであり、サド侯爵というより「ナルシス公爵」だろう、という批判でもある。その上で、ないものねだりとしながら、塚本は、冷徹なサド論、サドの哲学と美学への批評を期待している。私も、塚本の指摘した抒情性に異論はないが、変身譚やナルシスティックな自画像というところまで読み込めない。それは、この詩の言葉が持っている、サドとの距離感に起因する。「サド侯爵」と題されていながら、この詩には『悪徳の栄え』などの作品にみられるような悪徳に対する饒舌さや熱がなく、どこまでも「サド侯爵よ」と呼びかける他者のまなざしを通して言葉が発せられている。出生が「葬い舟」で表されるところから、生は死への道程という想念に導かれて、少年期の性の目覚め、青年期のほとばしる情欲、壮年期の分別のような加減乗除の数式も順当で、「タトエ数学ガ壊レルトシテモ」壊れない理性が言葉を圧している。半陰陽や情欲や勃起した花茎の肉体的感性は、理論的解析的な数学によって相殺され、錯綜する精神と肉体のカオスは数学のように整理されることになる。晩年は、サドの館やシャラントンの精神病院などサドの回想とも重なっているが、「あれは瘋癲院の舞台だつたか／あれは倫理の聖院の舞台だつたか」と、来し方の回想を「舞台」に乗せて、サドの一生を劇の空間に創造する距離を詩の言葉が生み出している。問題はやはり五つの年代に分けたことで、人生の輪郭が限定を受けていることだろう。

澁澤龍彦は、『サド侯爵の生涯』で、サドにおけるサディズムとマゾヒズムの共存、快楽に必要とした美徳と悪徳、小児の性器前的体制の第一段階の口唇愛的、第二段階の肛門愛的な二つの段階が、サドのうちに二つながら永続していることを指摘している。それは、作品上の食欲の饗宴とエロティックな饗宴の描写が同時に描かれるところや、サドが「鯨飲馬食ほど淫蕩に近しい道楽はない」と作中人物にしばしば語らせているところに証明されると、サドの性的な嗜好を分析している。澁澤の分析を踏まえて、もう一度春日井建の詩に戻り、五つの年代を外して読み直してみる。年代という限定を外せば、サドの生涯において消えることのない快楽への固執、あらゆる感覚の混在は、言葉を巻き込んでサドの全体にいきわたるように思われた。「サド侯爵よ」という呼びかけは、サドがサド自身に呼びかける言葉にもなるだろう。それはまた、春日井建をも巻き込む。
この詩「サド侯爵」を書いた「旗手」8号の後記「凱旋門」に、春日井建は次のように書く。

私の裡には少くとも十人のちがつた人間が住んでいる。極端に傲岸なやつや極端に感傷癖のあるやつといつた不良型から、優しい天使型の少年までいる。十人がいつしよに自分を主張しようとする時には、私はあきらめてなんにも言わないことにしているが、他のやつがおとなしく眠つているのに一人だけが目醒めているときには、私はそいつの言うがままになつてしまう。この十人のさまざまな主張をぜんぶ受けいれて生きることができるようになることが、恐らく私の生の目的であり、私の完成であろう。その日まで私はほんとうの自分さえわからない迷子である。

春日井建が意識する「私の裡に住む十人の違った人間」は、様々な側面を持つ一人の人間存在のレトリックでもあるだろう。多重人格はすでにドストエフスキー時代からの文学のテーマでもあった。十人の主張を全部受け入れて生きることができるようになることなど、不可能に近い。それができるようになるときは死だけかもしれない。生きてある時間のなかで、本当の自分が分かることはないだろう。春日井建のこの時の認識は、自分は（人は）一生迷子であるということではないか。
サドの作品の過激な性描写や暴力や淫行や過度な行為が、現実的な事件のスキャンダルを増幅させて伝説を膨らませる。しかし、「彼はあくまで作家であり、知識人であり、彼の探求はもっぱら知的領域に限られていたのである。自己の弱さの補償を空想的世界に求める、社会的弱者の範疇にサドを分類しても、誤りではなかろう。／密室の秘儀、脳髄作用的なエロティシズムのみに、彼は執着した。」と、澁澤龍彦はサドを一個のリベルタンとみる。春日井建の裡に棲む十人の中に、詩の「サド侯爵」も偏在していたのだろうと思う。

6 「旗手」9号――「気ちがい兄弟のランプ」

一九六四（昭和三十九）年四月発行の「旗手」9号に、建は、「気ちがい兄弟のランプ」という、1～5のプロットで構成された全・百五十行を超える詩を書いている。「旗手」7号に「ジャン・ジュネ」、8号に「サド侯爵」という作品を書いたあとなので、この長い作品の発想が何に由来するのか、考えてしまう。「気ちがい兄弟のランプ」という題から思い浮かんだのは、ジャン＝リュック・ゴダール監督の映画「気狂いピエロ」だが、この映画の日本公開は一九六七（昭和四十二）年で、春日井建の詩との関連性はない。とすれば、ジュネ、サドと同じく春日井建が影響を受けた作家のジャン・コクトーだろうか。春日井建は一九五九（昭和三十四）年の「旗手」4号の編集後記に次のように書いている。

コクトオの〝オルフェ〟で黄泉の国との仄青い境界をさまよつていた硝子売、ぼくはあのつめたいシネ・ポエムを限りなく愛している。短歌という様式を選択したのも、あるいは僕の感動があの硝子売のように、生と死とのあいだを振り子となつてめぐることしかできないからなのかも知れない。（略）

この映画の日本公開は一九五一（昭和二十六）年。春日井建がコクトー（＝コクトオ）監督の映画「オルフェ」を観ていることがわかる。黄泉の国との境界をさまよっていた硝子売の映像は、全体のなかではわずかな時間で、ストーリーに気を取られていると、見逃してしまうくらい印象が薄い。その硝子売に目を留めたところは、春日井建の独特の感受性だろう。コクトーもまた、二十歳（一九〇九年）の時、詩集『アラディンのランプ』でフランスの文壇にデビューし、小説や絵画、戯曲、映画製作などあらゆる芸術のジャンルに才能を発揮した多才な作家である。そんなコクトーの在り方と春日井建もどこか似ていると思ったりする。

1　気ちがい兄弟のランプ

アラジンのランプのように
磨いているぼくら兄弟の愛
おたがいに自分より先に相手のランプが
不変になるのを願つている
はじめに逝くのを　光に赴くのを

兄はランプを吊るす
弟はランプを灯す

加護あれ
切りとつた自分の乳首をランプのしんにして
朝な朝な礼拝する　アラジンの孫の孫
れつきとしたジプシーの子に加護あれ

2

たとえ物乞う者を愛するとも
他人をさげすんで満足しているインテリ気取りを見逃さない

たとえ焦燥する色魔を抱こうとも
いんちきやおべつかを見逃さない
ぼくらは気づく
ぼくらがたがいに似ているのを
憐れみを呼吸して女のようにはらむけれど
ぼくらの石胎でじりじりと灼かれるのは
極北の星たち
絶対の純粋に涙する星たち

涯しなく夜また夜
明日の流れ星よ　ぼくらはおまえを呼びだそうと
町々の辻で
指頭が痛くなるまでダイヤルの文字盤をまわす
すると何をしているのかしらんとうさん臭そうにのぞき見する男がいる
にやにやして遊ぶ仲間が欲しいのねと近づいてくる女がいる
かまうものか
ぼくらは背をむける

それでも連中は　可愛い子　優しい子　とお世辞をいい
ぼくらの首すじに唇づけて　そんな遠い星は呼んでも無駄だと電話をひつたくる

女は笑う
ねえ　いつしよに生活しましよう
結婚をして蜜月旅行をして
法則を守つたいい市民
浮気も許してあげましよう
男は笑う
さあ　楽しく酒場へ行こう
生きるなんて軽気球に乗つかることさ
成功するには金持の尻を追うことさ
そういつて設計図を広げてみせる

ぼくらは笑う
あんまり愚劣なので笑いころげながら
星と星とがぶつかる癲癇性の輝きを追つて

沈黙の空へ署名する
そして呼び出す
指頭を血で染めながら
いつまでもいつまでも明日の星を

童話「アラジンと魔法のランプ」のランプは、こすると魔人が出てきて願いを叶えてくれる。しかし、ここでは「アラジンのランプ」は兄弟の愛である。お互いの願いは、自分に対する相手の不変の愛であり、それは「逝く」こと、すなわち死による不変の愛の成就である。ランプの灯は、兄と弟の愛の象徴。この「ランプ」を媒介にして、詩は書き継がれている。1の最後の行の「れつきとしたジプシーの子に加護あれ」という言葉は、ヨーロッパ各地で移動生活をつづけた少数民族の、地域と同化しない個人主義や文化の違いゆえに差別や迫害を受けたジプシーへの親和的な意識ともとれる。ぼくら兄弟は、現在における精神のジプシーという思いでもあろう。

2には、兄弟を取巻くそんな現実の風景と、ぼくらの気持ちが描かれる。一連目は物乞いを愛し、色魔を抱いても他人をさげすむインテリ気取りや、いんちきやへつらいに平気な輩を許さない精神を持つぼくらが、極北の星たちを希求する。絶対の純粋を求めるぼくらが主張されている。

極北の星たち、絶対の純粋に涙する星たち、明日の流れ星など、星はぼくらの理想の精神といってもよいだろう。そういう純粋な精神の対比として置かれるのが、のぞき見する男や、にやにやして近づいてくる女。彼らは生活や結婚や制度を守るいい市民であり、人生の現実的な設計図を持つどこにでもいる一般的な人々、大人たちである。ぼくらにとって、そういう現実は愚劣なものに思われる。希求している絶対純粋の星の輝きは、癲癇性の発作的な痙攣に似て明滅している。その理想の精神（星）を、ぼくらは求め続けている。

現実的な社会制度の枠組みの中で妥協し自分をごまかして生活する人々の在り方と、絶対の純粋という個の理想的な精神の対立的な図式が、ここにある。しかし、実際にこのような現実と理想の対立は、絶対の純粋があり得ないゆえに対立図式は論理的に成立不可能なのだ。だが、春日井建の詩において、なぜこれほど潔癖な対立図式が描かれるのか。それは春日井建の幼年期の経験と密接に関係していると思われる。一九六〇（昭和三十五）年八月十五日の中部日本新聞に春日井建は「幼年期の恐怖」という文章を書いている。

だから終戦後初の小学一年生であるぼくは、価値や真実の転倒した教科書の黒くぬりつぶされたページをふしぎな気持ちで繰りながらも、のびのびとした学校生活を送った。過剰な解放の空気は幼いぼくにも感じられた。それはおびただしい個性を野ばなしにするものだったからぼくは放縦であり、恐ろしいものはなにもなかった。周囲が破壊されてゆくと思われるときには、しっかりと自分にしがみつき、徹底した孤立と単純さを離さずにおくことも学んだ。／おとなは信じられるものだろうか？　政治は信じられるものだろうか？／アメリカの飛行機が火をふいて墜落する絵を描いてほめられた幼稚園児であるぼくは、アメリカばんざいの占領時代の社会で自我をめざめさせ、やがて朝鮮やアルジェリアの戦乱を聞きぶざまな議会政治を見て育った。／ぼくらの世代は決して無傷でも、打ちひしがれてもいやしないけれども、おとなを拒否した三つ児の魂は、ぼくらだけにしか理解できないのかも知れない。

（『未青年の背景』「幼年期の恐怖」）

この「おとなを拒否した三つ児の魂」は、戦中の国体護持の教育から、敗戦後一転してアメリカ占領下での民主主義教育により、価値や真実の転倒を目の当たりに体験した子供たちが持った、大人たちへの不信感だ。それは、春日井建の思想や感受性や表現に決定的な影響を及ぼした。「周囲が破壊されてゆくと思われるときには、しっかりと自分にしがみつき、徹底した孤立と単純さを離さずにおくこと」が、春日井建の生きる思想と繋がっている。だからこそ、現実的な制度を受け入れて妥協して暮らす大人たちに対して、絶対の純粋を対比させることは、不可能であっても春日井建にとって必然だったといえる。

とはいえ、1〜2の詩の言葉は単純明快すぎないか。制度を受け入れて暮らすいい市民にも、抑圧や反発はあるだろう。ジプシーになれない者にはそれなりの複雑な思いがあるだろう。そして絶対の純粋な星を求めるぼくらにも不可能性への疑念もあるだろう。詩の言葉はそこまで射程を届かせて欲しいと思う。詩について春日井建は、次のように書いている。

思えば詩は、地上的な調和の世界になじめない魂により親しいものなのだ。それは時として作者の正常な市民感覚さえ狂わせないではいないものだが、錯乱がまたより人間を知らせることにもなるのだ。

（『未青年の背景』「地上性を超えるもの」一九六三年「日本読書新聞」掲載）

詩は、一般的な社会や制度になじまない、作者の市民感覚さえ狂わせてしまうもので、それがかえってより人間性を語ることにもなるという。詩の言葉の世界は、いつも現実をはみ出し、複雑な人間の表象空間を出現させる力を持っているという詩への認識が、春日井建に詩を書かせる。その表現の基底には、常に「統制され、弾圧されることに反発する敏感な感受性を、ぼくは失いはしないだろうし、またどんなことがあろうとも、捨てたりするようなことがあってはならないと思う。」（『未青年の背景』「幼年期の恐怖」）という強い思いがある。

次は「気ちがい兄弟のランプ」３〜５までについて。

３

その犬歯で
夜ごと欲望をかじつている放蕩息子
頭のおかしい飢えきつたぼくは
緋いろのおしつこをする

おしつこの洪水で夜ごと眠りをさまされた子供のころ
ぼくは無分別な恋をして　額に刃傷をつくつたが
いまでもしみる　その傷あとには欲望のきりのない光が

追放されたのはいつだつたろう
もう覚えてはいない家族たち
ぼくをさげすんだいとしい人たち
ぐつしより濡れた寝床

その日からお兄さんと指を絡みあわせて
町から町を歩きまわつた
忘れることのできない
迷子の旅程を
ランプは
言葉に灯るように沈黙に灯る
出奔の日からずつと

まじめな快楽をたずね
蜃気楼から真実を摑んでくる手品使いに似かよう二人
いつかひとは知るだろう
兄弟のランプの煤のないあかりを
前代未聞の無垢を

そして今ぼくの飢えは思いだす
お兄さん　お兄さん　お兄さん　と
ぼくの訪ねたあらゆる町で
ランプの炎が冴していのを

ランプの灯は兄弟の愛。絶対純粋、無垢を志向する精神は現実的な制度を否定し理想の精神（星）を求めて、ぼくらはジプシーのようにさまよい続ける。それが2までの内容だった。

3になると、「ぼくら」という複数形の主語が「ぼく」という単数表現に変わる。そして詩の内容は、ぼくの子供の頃に戻り、兄との出奔、旅程の追想になる。子供の頃、欲望のままに行動するぼくの満たされない心は、夜尿症になって現れる。「緋いろのおしつこ」の血の色に、その心が託されている。夜尿症には、身体的素因によるものと心因に関するものがあるというが、ここでは心因による夜尿症だろう。夜尿症を引き起こすストレスは、無分別な恋のために傷ついた心。今も痛む額に残る傷あとが欲望を象徴している。家族から追放され、蔑まれ忘れ去られたぼくは兄と出奔する。兄弟の愛は煤のないランプのあかりのように無垢だ。しかし、今、ぼくはひとり。寂しくて二人の旅程を思い出し、兄を求める愛の声が谺しているのを聞く。世界から疎外された孤独感と、真実を求める兄弟の無垢の愛が詩篇を流れる。

こういう兄弟（男友達も含む）の愛や、放蕩や放浪、家族からの追放をテーマとした映画や小説や詩を、一九六〇（昭和三十五）年前後の春日井建は盛んに読んだり、観たりしている。例えば、角川「短歌」一九五八（昭和三十三）年八月号に掲載された「未青年」五十首の中の詞書の一つ、「多くの甘美なもののために　ナタナエルよ　ぼくは愛をかたむけた／それらのものの素晴しさは　ぼくが絶えずそのために燃焼していたが故だつた」（歌集『未青年』では削除されている）は、アンドレ・ジイドの『地の糧』（第一書―一）からの引用だが、この『地の糧』にも、勉強に倦み、拘束されることに怒り、放浪熱に駆られ、家庭や家族を嫌い放蕩する自我が語られている。放蕩は、アルジェリア、ベニス、リドへの旅と結びつき、南の熱い太陽と少年への愛も、ナタナエルへの語りの形式で綴られている。

また、岡嶋憲治著『評伝　春日井建』（短歌研究社）には、春日井建が映画「大人は判ってくれない」（監督フランソワ・トリュフォー、日本公開一九六〇年三月）を観ていることが記されている。この映画の主人公は十二歳の少年アントワーヌ。彼は親友のルネと学校をさぼって遊びまわり、欠席の嘘がばれて父に殴られる。反抗的になったアントワーヌは、作文の宿題でも嘘をつき教師に叱られるが、彼を擁護したルネも停学になる。二人は盗みをして見つかり、父はアントワーヌを警察に引き渡す。少年審判所から鑑別所に移されるが、母は面会に来た時、息子を引き取らないと突き放した。アントワーヌは監視の目を盗んで鑑別所から脱出する。

追放されたのはいつだつたろう
もう覚えてはいない家族たち
ぼくをさげすんだいとしい人たち
（第三連）

この部分は、映画のアントワーヌとも重なっているだろう。他にもジャン・コクトーの『恐るべき子供たち』やコクトーの詩、トーマス・マン『ヴェニスに死す』、ランボー『地獄の季節』、カミュ『異邦人』、ボードレールの詩など、春日井建が読んでいた書物をひもとくと、ある共通するものが見えてくる。これらの作品の時代の生活用品としてのランプや、ジプシーへの関心はもちろん、少年や未成年の男友達との友情や愛情、放蕩、旅、太陽、死、生きていることへの疑問、嫌悪と反抗、不安、などだ。それらは青年期特有の自我の強さの象徴でもある。これらの作品と、春日井建の歌集『未青年』の歌との深い関係をみるが、その検証は別の機会があれば、と思う。

詩に戻ろう。若い欲望、真実を求める純粋さ、家族や社会との隔絶、彷徨うひとりぼっちのぼくの孤独感は、４になって存在を問うような切迫した表白の言葉になる。

4

いちじくも石も
ぼくをしらない
群衆も車も
子供のながす鼻血も
ぼくをしらない
しらないといつてくれ
嫌だ
どうかあなたもいつてくれ
ぼくをしらないと
ぼくは生れてこの方無言でいた
ぼくはなにひとつ書きもしなかつた
ごらん　このふるえている
存在

ぼくはなんと遠く
またなんと近い
うつろうもの
杉の木も娘たちも
時計も苦しい欲望も
ぼくをさけてとおつた
知らん顔して過ぎてつた
醜聞《スキャンダル》だけが
ぼくをつかまえようとおいかけてきたが
ぼくがどこにいるかわからなかつた
眠つてたのか
醒めてたのか
それさえさだかでない
ただただただはるかな沈黙だつた
舌よ
うごいたことのない紅の舌
だれ一人ぼくの声をしらない

言ってくれ
ほんとうにしらないと
あなたよ　舌よ
ぼくはまだ無垢のままだと

「ぼくをしらない」のは、ぼくの外部、周りのものや人だ。あなたはぼくを知っているのだろうか。ぼくは生まれて以来、無言で文字を記すこともなく「うつろうもの」として存在してきた。様々なものから無視され、無関係に生きているぼくの存在に、スキャンダルだけが付きまとっている。みんながぼくだと思っているのは、噂によってつくられたぼくのイメージに過ぎない。誰もぼくのことを分かっていない。「どうかあなたもいってくれ／ぼくをしらないと」は、あなたがぼくだと思って見ているのは、つくられたぼくのイメージなのだ。あなたも本当のぼくを知らないのだという意味だろう。沈黙を続けるぼくにも、ぼく自身がはっきり捕まえられない。ここには、自我の認識、自己の存在についての逡巡、懐疑が書きつけられている。本当のぼくとは、本当の私とは何か、という問いが回っている。

5

思いだしたい

ジプシーの都市
空は砒素で青ざめ
大地は沃度《ヨード》で酸つぱく
河には硫黄が怒号した
なつかしい東方の天の市

日日は波瀾に富み
お日さまは自然の心臓のように明るく
父は母を打ち　母は父を食べつくして
万事おしまいの歓喜を声あげて歌つていた
兄弟よ　その円熟した腹の窪みには
血で血を洗う涙がたまつていた

思いだしたい
たしかに在つたその都市
思いだしたい
ひそかに離別した仲間たち

市を離れてもう幾年
誰かに救いだされ保護された
ただただ生きながらえるため
一陣の風に吹き流されて
誰かのその卑しい風をにくむ
わけ知り顔をかなしむ

麝香のぼく　裸のぼく
知識を戦うための屍衣として
肉体を悦びのための星として
艶やかに呑まれてしまう
満潮の夢の嘔吐へ

ぼくらはジプシーの兄弟
浮浪の日日によごれても
ぼくらの腿のつけ根には
夢のなめらかな塩がのこつている

ぼくらの胸の動脈には
親たちの生爪がくいこんでいる

ぼくらは戻りたい
乳と笑顔と元素と愛と殺意とが仲よく燃えていた慕わしいその天体へ
血の東方へ

「思いだしたい」ジプシーの都市、東方の天の市とは何処か、定かではない。明るい太陽、波瀾に富む日常、終焉へなだれる歓喜の歌声、兄弟の熱い涙などが混然とした思い出の都市は、ぼくらの故郷か。仲間と別れ市を離れて生きながらえている身は、卑しい風や、わけ知り顔を敏感に嫌悪する。ぼくにとって、知識は死体の着物、戦うための単なる手段であり、肉体は悦びの星＝理想の精神なのだ。５の五連と六連で「ぼく」が再び「ぼくら」へと複数に変わる。詩の最初の１・２へ円環する仕掛けが「ぼくらはジプシーの兄弟」である。浮浪の存在としてのぼくらを「夢のなめらかな塩」が浄化する。胸の動脈に食い込む生爪によって噴き出す血潮は、夢見る若さへの矜持ともいえる。ぼくらが戻りたいのは、「乳と笑顔と元素と愛と殺意とが仲よく燃えていた」天体であり、それは、純粋無垢な理想の精神が存する世界であろう。

百五十行を超える作品「気ちがい兄弟のランプ」は、兄弟の愛＝純粋無垢への志向をめぐって、存在の本質を問いかける。その純粋性を残す年齢を少年におくことでひらがな表記の「ぼく」や「ぼくら」が使用されている。それが作品全体のトーンを幼く冗長にする。

ランボー（＝ランボオ）に「少年時」（岩波文庫『地獄の季節』ランボオ作、小林秀雄訳）という詩がある。Ⅰ～Ⅴまでに別れていて、Ⅰ～Ⅲまでは情況の記述、Ⅳ～Ⅴが「俺」という一人称の語りになっている。これを春日井建の詩の「ぼく」と比べてみる。

俺は、矮小な森を貫く街道の歩行者。閘門の水音は、俺の踵を覆う。夕陽の金の物悲しい洗浄を、いつまでも俺は眺めている。

まことに、俺は沖合を遙かに延びた突堤の上に棄てられた少年。行く手は空にうちつづく、道を辿って行く小僧。

「少年時」Ⅳの一部

終に人は、漆喰の条目の浮き上った、石灰のように真っ白なこの墓を、俺に貸してくれるのだ、――地の下の遙か彼方に。

俺は机に肘をつき、ランプは、新聞や雑誌を、あかあかと照らしている。俺は、痴呆のように、またとりあげて読むのだが、およそ読みものには興がない。

俺の地下室の上、遙かに遠く、人々の家が並び立ち、霧は立ちこめ、泥は赤くあるいは黒く、化物の街、果てしない夜。

やや低く、地下の下水道、四側は地球の厚みだけだ。藍色の淵あるいは火の井戸かも知れぬ、月と彗星、海と物語のめぐり会うのもこの平面かもしれぬ。

懊悩の時の来るごとに、この身を、青玉《サファイア》の球、金属の球と想いなす。俺は沈黙の主人。円天井の片隅に、見たところ換気孔のような一つの姿が、蒼ざめるのは何故か。　「少年時」Ⅴ

このランボーの「少年時」と訳されている詩の、棄てられた少年、夕陽をずっと眺めている歩行者の孤独な心情表白、化物の街や果てしない夜や人々など、俺を遠ざけるものたちや社会との隔絶感は、春日井建の「ぼく」の存在と似ている。また、自己を「青玉《サファイア》の球、金属の球と想いなす。俺は沈黙の主人。」と思うところも、春日井建の詩にある青少年期の自我、自己肯定の強さに通じる。しかし、二つの詩を比べてみる時、春日井建の詩には冗長さを感じる。それは、行分け詩と散文詩という形式の違いによるものではなく、思いや情感を詩の言葉がどこまで追い詰めているかの違いのように思われる。

例えば、春日井建の詩では、出奔した都市について「思いだしたい／（略）／なつかしい東方の天の市」と書かれ、「ぼくらは戻りたい／乳と笑顔と元素と愛と殺意とが仲よく燃えていた慕わしいその天体へ／血の東方へ」というように、都市は、どこまでも懐かしさと慕わしさの望郷の的としてとらえられている。が、ランボーは「俺の地下室」（筆者註＝墓）の上の「化物の街」と描写する。また、沈黙について「ぼくは生まれてこの方無言でいた」「ただただはるかな沈黙だつた」という春日井建の詩の言葉と、ランボーの「俺は沈黙の主人。」という言葉を比べてみれば、生み出される言語空間の緊密度の差異が明らかだろう。

春日井建はこの詩が掲載された「旗手」9号の後記「凱旋門」に次のように記している。

加納光於、美年子夫妻とゾンネンシュターンという、色鉛筆で描くふしぎな画家の展覧会を観た。（略）知的な才能に恵まれた芸術家とはちがつた、彼ら——一つとしてごまかさなかつた、一つとして妥協しなかつた頑固で熱狂的な愚か者を、私は好きだ。人間の言葉では語れなくなるほど遠くへ行つてしまい、独自な生を営みはじめる生真面目な破廉恥漢だけが、ほんとうには現実をあばくことができるのだろう。

このゾンネンシュターンの展覧会は、一九六四（昭和三十九）年に銀座の青木画廊で開催されたものを観ているのだと思われる。しかし、この特異な画家から直接影響されるような詩が書かれたわけではない。この後記からは、この年代の春日井建が、妥協しない「頑固で熱狂的な愚か者」、「独自な生を営みはじめる生真面目な破廉恥漢だけが、ほんとうには現実をあばくことができる」という思想を持っていたことが分かる。しかし、この言上げでは、愚か者も破廉恥漢も生真面目すぎる。それが春日井建だと思う。そこを考え併せて百五十行を超える長い詩「気ちがい兄弟のランプ」をもう一度読み返せば、ランボーの詩との違いも分かる気がする。

7　『証言 佐世保 '68・1・21』に寄せた詩

一九六八（昭和四十三）年五月二十五日、編者・松田修で、創言社から『証言 佐世保 '68・1・21』という本が発行されている。この本は、当時、福岡女子大学助教授だった松田修が各地の歌人や俳人、詩人、市民らに協力を要請して編集し、発行された本である。その発刊協力依頼には、「佐世保問題を核として、短詩形文学に於いても問題意識を深く掘り下げ、そのことが同人誌や結社誌にも強く反映することを目的とする。作品は広範なる市民全域より寄せられることを希望する。特に編集発行にはイデオロギーを持たず、白紙でのぞみたい。」（筆者註＝参加原稿の締切は三月十日となっている）と趣旨が書かれていて、協力者に岡井隆他と記されている。本の序によれば、短歌と詩については松田修が、俳句については穴井太が各人に協力の要請を依頼したものと思われる。結果、俳句二十四人（百句）、短歌百五人（五百九十二首）、詩十二人（十二篇）が収録されている。高橋和巳が「常民の精神」という跋文を書いている。

ちなみに「佐世保問題」とは、アメリカの原子力空母エンタープライズ号が一九六八（昭和四十三）

年一月十九日、ベトナム海域出動の前に、長崎県佐世保港に立ち寄ることに対する寄港反対闘争のことで、三派系全学連の学生や社会党、共産党、公明党など野党も参加して、反戦、反核、反米の性格を持つ大規模な抗議集会、抗議行動が行われたことを指す。

この本には、岡井隆、石川不二子、鏑木正雄、前田透、当時大学院生だった三枝昂之、福島泰樹、安森敏隆らも短歌を寄せている。参考までにそれぞれ一首を抜き出してみる。エンタープライズ号は一月二十三日に出港しているので闘争の後に詠まれた作品ということになろうか。

警棒の痛さ知りゐるわが夫と視てゐるテレビ声なくうごく　石川不二子

そのあしたひととありたり沸点を過ぎたる愛に佐世保が泛ぶ　岡井隆

投光器のひかりに濁る空間の見えざるさかひは権力といふ　鏑木正雄

警棒に打たれ倒るるわかものをいたましき日本の良心とせん　前田透

〈佐世保橋〉きしむさまみゆ　わが未知に架けし論理のひとひらもみゆ　三枝昂之

連帯に初めて泣いた　まなうらを茫茫として佐世保は煙《けぶ》る　福島泰樹

権力のめばえゆくときよみがえる夕映のなか黒きエン・プラ　安森敏隆

春日井建は、短歌ではなく詩作品を寄せている。題はなく、佐世保もエンタープライズも出てこないので、他の本に収録されていたら、どの戦争について書かれた詩かも分からない。

戦地から

息子はいつも楽しい手紙をくれました
弾丸がツバメのようにとんでいます
スイッ　スイッと宙がえりして
ぼくの心臓のまわりをまわります
春なんですよ
おかあさん――と
そうなんです　閣下
息子は新兵さんなんです
いつも口笛を吹いて
前哨地点でもビクビクしたりするものですか
息子はある日
心臓に一発の弾丸をぶちこみました
おやあなた
むろん自分の手でですよ
息子は心の中にツバメをとじこめたんです

あのスイッ　スイッととぶやつを
息子は最後の手紙に書いていました
おかあさん
戦争の血がべったり流れて
ぼくの心には春がなくなりました
春はとりもどせないのでしょうか
心の中にツバメがとぶ自由はないものでしょうか――と
そりゃあひどい冗談だっておっしゃるのですか
閣下
なんてふぬけの兵隊だっておっしゃるのですか
政治のオエラ方
あなたは行進していく息子に喝采してくれましたね
でも　あなたは決してわかりません
わたしの息子の若さと笑いがやすやすと歩いて
いったあの明るい地獄のことは

この詩は、戦地で自ら命を絶った若い兵士の母親が、閣下に語りかけるスタイルを取っている。

弾丸がツバメのようにとんでいます
スイッ　スイッと宙がえりして
ぼくの心臓のまわりをまわります
春なんですよ
おかあさん――と

戦場で飛び交う弾丸を春のツバメに喩えるところが、春日井建らしい。「春なんですよ／おかあさん――と」が母と息子の抒情を誘って、反戦の物語を普遍的な情の世界に描く。戦場の最前線で戦う殺戮の恐怖は、閣下には分からない。母親の怒りは「政治のオエラ方」という言い方に込められている。詩は、戦場へ行った息子の自死、息子を失った母親の気持ち、戦いに駆り出される若者と、後方でのうのうとしている政治家や閣下という構成の物語になっている。母と息子、弱者と権力者の対比は、受け入れられやすい普遍的な物語の反面、既視感が付きまとう。イデオロギーから離れて、とても個人的な場所から戦争を批判する詩と言えるだろうが、私は、母親の情を介して戦争批判を訴えるところに最後まで違和感が残る。先の大戦の翼賛詩も国民の情に訴えたことを思うと、庶民感情に訴える詩の表裏を思わずにはいられない。

しかし、なぜ政治闘争に遠い春日井建がこの依頼に詩を寄せたか、その理由が今一つ分からない。ただ、その後の一九七〇（昭和四十五）年七月に発行された浅井愼平の写真集『STREET PHOTOGRAPH』（深夜叢書社）に春日井建が「燕と島とアメリカと」という長いエッセイを書いている。そこにこの詩が全文引用され、「原子力空母が佐世保にやってきたとき、何か詩を寄せてくれと言われて書いた私の即興詩である。」と記されている。この本にはグアム島の四十五枚の写真が収められていて、それに寄せた春日井建のエッセイは、アメリカの軍事基地としてのグアム島が意識されている。

リチャード・ベイリー／マイケル・アントニー・リンドナー／クレイグ・ウイリアム・アンダーソン／ジョン・マイケル・バニラーこれは、ベトナム帰りの四人の脱走兵の名前である。

彼らが現在どうしているのか、私は知らない。ただ、私はあのイントレピット号のアメリカ兵の脱走事件があった時、ノートにこの四つの名前を書いておいた。

「政治」に遠い私がなぜそんなことをしたのだろう？　時代の「劇」を生きた青年への興味からだろうか。

現代という時代は個人の名前を必要とはしない。ましてアメリカという巨大な怪物《マンモス》は、個人の名前など呑み込んで平然としている。四人の存在に遠い私が彼らの名前を書き留めながら胸に思い浮かべていたのは、「われ反抗す、故にわれら在り」という言葉だった。

（「燕と島とアメリカと」より）

この時代、アメリカは、一九六四年のトンキン湾事件をきっかけに、北ベトナムと南ベトナムの戦争に介入し、南ベトナム国家に加担して大量の米軍を投入していた。一九六六年に、ベトナム戦争が激化して、六七年には南ベトナム駐留米軍兵力は三十八万九千人にも達していたという。春日井建が書いている「イントレピット号のアメリカ兵の脱走事件」は、一九六七年の十月に日本の横須賀に米空母イントレピット号が寄港した時、ベトナム帰りの四人の水兵が脱走した事件のことである。四人の脱走兵の名前をノートに記した春日井建が、この時期、大きなものに呑み込まれていく個人の存在を、そういう時代を、意識していたことを確認する。

春日井建が心に思い浮かべていた「われ反抗す、故にわれら在り」はカミュの名言と言われている。アルベール・カミュ『カミュ　不条理と反抗』（佐藤朔・白井浩司訳　人文書院）の中の「形而上的反抗」という論文の「ニヒリズムと歴史」の部分の最後に書かれている言葉が、この「われ反抗す、故にわれら在り」である。

カミュの「反抗」は二重の否定を含むものである。カミュは、神という絶対者を否定するが、神に代った人間の絶対者の出現も反抗し否定する。「反抗は原則的に死に反対する」（『反抗的人間』）というのがカミュの根本的な態度である。だから、カミュは、自殺、殺人、死刑など人為的な死を否定する、と同時に戦争、革命のために人間が多量に命を失うことに反対する。全体主義思想にも、革命的手段による恐怖政治にも反対する。

カミュのいう反抗的人間は、いかなる場合でも人間性を尊重し、人間の尊厳を失わずに、許されるかぎりの自由と幸福を手に入れようと努力する。(略)反抗的人間が大義名分のもとに殺人を犯すとすれば、みずからの命を絶つことによって、人間の尊厳をまもるべきだとする。

(『革命か反抗か』「解説」より　佐藤朔訳・講談社)

ここに示されるように、カミュの思想には矛盾が潜んでいる。反抗し拒否すると同時に受容するという不条理は、カミュの作品に流れる大きなテーマでもあった。

春日井建が、カミュの思想にどれほど傾倒していたか、これらの本を読んでいたかどうか、分からないが、カミュの小説『異邦人』や『ペスト』を読み、早くから、不条理について共感を持っていたことは、歌集『未青年』の歌を読めば理解されよう。

横須賀に寄港したアメリカの空母、イントレピット号から脱走したベトナム帰りの四人の兵士の名前を書き写しながら、春日井建が思い浮かべた「われ反抗す、故にわれら在り」というカミュの言葉は、反抗を絶え間なく繰り返すことで、絶対的な権力を否定していく春日井建の根本的な態度と重なるものがあったのだと思われる。一九六七年の秋に起こったアメリカ兵の脱走事件、その翌年の一月の佐世保のエンタープライズ号寄港、ベトナム戦争は嫌でも意識に上る。そこに『証言』への寄稿依頼があった。春日井建が『証言』に寄稿した題名のない詩の中の、戦場で自死した兵士は、あの脱走した兵士だったかもしれない。

一九六八年三月にはアメリカ軍兵士が非武装のベトナムソンミ村住民、男女、妊婦、乳幼児を含む子供ら、五百四人を無差別に虐殺した。これが、米国内外でベトナム反戦運動の引き金になり、六九年に米軍は南ベトナムから撤退を開始する。

8　一九七〇年―一九八〇年代の詩について

◆歌集『夢の法則』の中の詩――「履歴書」、「ジイド論」、「首しめ男」

アメリカの原子力空母エンタープライズ号が長崎県佐世保港に立ち寄ったことを契機として刊行された『証言』に、春日井建が詩作品を寄せたことは、珍しいことだった。政治闘争とは無縁のところにいた春日井建に詩を書かせたものは、ベトナム戦争を背景にした時代の作用が大きいと思われる。春日井建は、政治闘争を主題にした作品は書かないが、社会状況に無関心だったわけではない。「アメリカという巨大な怪物《マンモス》は、個人の名前など呑み込んで平然としている。」という自分の認識を確かめるように、一九七〇（昭和四十五）年七月一日、第二歌集『行け帰ることなく』（深夜叢書社）を刊行後、七月十七日に渡米して、九月末に帰国する。

帰国後の十一月二十五日、三島由紀夫が自衛隊市ヶ谷駐屯地で割腹自殺するという事件が起きる。三島由紀夫について、春日井建は、歌集『青葦』（書肆風の薔薇・一九八四年十一月刊）の最終章「春の餞」が、「これは現在における私の短歌による三島小論である。」とあとがきに書いている。同歌集中の「現代伊勢物語」も、東下りの段のパロディとして「昔男ありけり」に三島を登場させている。こちらは「ジャーナル涯」（現代短歌・北の会、一九七九年春発行）に掲載されたもの。どちらも、三島由紀夫の死から随分の年月を経て作品化されたもので、三島との関係も相対化され作品として昇華されている。

時間を戻そう。私が知りうる七〇年代の詩作品は、一九七一（昭和四十六）年、月刊「中日文化センター」九月号の「風の又三郎」（『未青年の背景』所収）というエッセイの中の小詩である。

青い木が
空を支えている峠
ここでかならず人は佇む
ここで偶然人は出会う
言葉をかわして別れる人を

風の又三郎のように見送る
もう一人の人
山雀が啼く
静まりかえった峠

エッセイは、「九月になるときまって風の又三郎を思い出す。／（略）／今日は九月一日、風の強い日である。」というように、宮沢賢治の短編小説「風の又三郎」を下敷きにして、季節の変化を風の気配で感じる感性を、芭蕉の句やヴァレリーの詩の一行を引用して説明した短いものだ。その文章中に挿入されているのが前掲した作品である。「いつかの秋口　私は峠で休みながら、こんな詩をスケッチしたことがある。やはり今日のように風が強かった。」と書かれている。「いつかの秋口」と書かれているが、いつ書かれたものかは定かでない。「風の又三郎」は、九月一日に谷川の岸の小さな小学校に高田三郎という五年生の男の子が北海道から転校してきて、村の子供たちからは、風の又三郎と思われてしまう。村の子供たちと仲良く遊ぶが、父の仕事で一週間余で友達に別れも告げないで、また転校してしまう物語だ。「九月一日」も「山雀」も「風の又三郎のように」も賢治の小説と符合するので、詩は、むしろこのエッセイのために書かれたもののように思われる。詩の言葉はすべて短編小説「風の又三郎」に還元されてしまう。それが、エッセイに挟む詩として春日井建が意図したものだった、ともいえる。

しかし、峠という場所、坂を上り切り下る境の場所、そこを行き交う人の気持ちを、出会いと別れの境界の場所としての峠を描いた、独立した詩としてあってほしいと思う時、やはり「風の又三郎のように」という言葉は余分なような気がするのである。

さて、年代順からいえば、この後、歌集『夢の法則』（湯川書房・一九七四年二月刊）が限定三百部で出版されている。この歌集は、詩「履歴書」と歌二十首、詩「ジイド論」と歌二十首、歌「海・十首」、歌「山・十首」、詩「首しめ男」と歌二十首、解題・塚本邦雄、という構成で、短歌は総数八十首、三十八頁の薄い本である。目次も、春日井建のあとがきもなく、塚本邦雄の解題の中に【『夢の法則』は春日井建の未刊歌集ともいふべきものである。『未青年』と重なりつつそれに先立つ詩篇、歌群は、彼のこの頃すでに鎖された瞼のうちに醸される幻影の美酒、瞳孔に閃めくあやかしの影に充ち満ちてゐる。】と書かれていることから、ここに所収されている作品が『未青年』に重なる時期かそれ以前に書かれたものである事が知れる。歌集『未青年』は「十七才から二十才までの作品三百五十首を採録」とあるので、『夢の法則』の作品も一九五五年から一九五八年の作品か、それ以前ということになる。

しかし、ここで取り上げる『夢の法則』の詩作品については、現在私自身が、制作年や初出との異同を確認できないので、そのまま刊行年の七〇年代において語ることとする。

薄明の松にもたれて
父は母を犯した
薄明の菊の畑で
母は私を生んだ

薄明の松にもたれて
父は母を打擲した
薄明の菊の畑で
母は私を抱いた

薄明の古里の家よ
滲《し》みいでる枯れ松の脂《やに》
父なる暴力をあがめて
私は生きる決心をした

薄明の廃園の菊よ
乱れ咲く欝金の香り

母なる優しさを慈しんで
私は詩を書いた

二行八連の対句的な形式をとった作品である。松（樹）と菊（花）が、父と母を象徴する。乱暴な父と優しい母との間に生まれた私。四連目の「母は私を抱いた」に父と母と私のエディプス・コンプレックスも想定されているだろう。脂が染み出ている枯れ松と、廃園に乱れて咲く菊は、時経た父母の未来を見てしまう目か。父の暴力的な力を生きる力にし、母の優しさを言葉に変えて詩を書く私がある。一連と三連、二連と四連、五連と七連、六連と八連が対句になっていて、対句が入れ子形式になっている。素直に読めば、対句的表現は同じ語韻やリズムを持つので、作りやすく読みやすい。暴力的な父と優しい母と私の物語は一般的で受け入れられやすい。そこが物足りないということはいくらでも言える。

だが、何度も繰り返し読むうちに、その規則的な対句の表現形式が、逆に形式に対する嫌悪を生む。「薄明の」繰り返しと、そのぼんやりした背景が「私」の履歴の全体を朦朧としたもので覆っている。形式への嫌悪と「履歴書」への不信、それをこの詩に読み取るのは読み過ぎだろうか。形式への嫌悪はおいても、「履歴書」への不信はあるだろう。まことしやかな「履歴書」ほど疑わしい。書かれた詩は作品であり、履歴の真偽など問題外なのだ。

春日井建は、「故郷について」（現代歌人文庫『春日井建歌集』国文社）という文章に次のように書く。

私の故郷は中国の江南である。

いや私には中国の江南を故郷にした短歌の連作四十首がある。「血忌」という題で、誕生の日にはじまる私の子供時代を書いたものである。

その履歴書によれば、私は大陸性の熱風《フェーン》の吹く街で生れ、太陽牌《タイヤンパイ》（阿片）を吸う友だちを持ち、馬賊子《マホーズ》を見たりしたことになっている。育ったのは周口店、北京原人・シナントロプス・ペキネンシスの発見された土地である。江南で生れ、人類発祥の地で育ったのが私なのである。

しかし、現実の私の生れたのは、実は愛知県の江南市である。（略）私は江南という一つの名前に導かれて、いかさまの、ぺてんの履歴書を書いたわけである。

「血忌」という作品は、歌集『未青年』に所収されている。「いかさまの、ぺてんの履歴書」を書いた理由については、自分では変えられないもの、初めから決められてしまっている不条理を乗り越えようとして、または、それに居坐るために、自分の心の丈にぴったりだと思う故郷を創出したのだ、という。「いかさまの、ぺてんの履歴書」といっても、それはあくまで作品世界のことである。短歌であれ、詩であれ、想像の世界はいくらでも現実を超えて仮構することが可能である。物語はどのように創られてもいい。

詩について、春日井建の若い頃からの基本的な考え方がよく表れている文がある。二十代半ばに書かれた「地上性を超えるもの」（日本読書新聞、一九六三年六月三日）の次のような部分だ。

詩人とは人間の魂への洞察力をもった見者であるはずだが、それはたとえば絶対を求めようとするような激しい精神で生きなければ生まれてくるものではない。

（略）

思えば詩は、地上的な調和の世界になじめない魂により親しいものなのだ。それは時として作者の正常な市民感覚さえ狂わせないではいないものだが、錯乱がまたより人間を知らせることにもなるのだ。

絶対を求めようとする激しい精神で生きなければ、という強い意識、地上的な調和の世界になじめない市民感覚を逸脱した世界、錯乱を持ち込む表現に、詩の本質に近く、より人間的なものを見る考え方は、この頃からはっきり示されている。人間の本質への接近、春日井建は、短歌にも詩にもその意識を終生持ち続けた一人だった。

ジイド論

茫々と果てしなく
私の残年にふる霧よ
私は山上の椅子の背に靠《もた》れて
近くに落ちる水楢の雫を聴いている
私がかつて愛し今はその顔さえおぼろな
侍童が一人紅茶を運んでくる
私は目を閉じているが
紅茶に浮くレモンの香りでそれがわかる
私は低い　年老いた山鳩よりも低い声で云う
ナタナエル　私の知恵をおまえにあげよう
素脚の侍童は首を振ったと思われる
いや言うことが呑みこめなかったと思われる
水楢の雫がふっている
霧が時をきざんでいる
私は記憶の剝げた顔をあげる

物忘れして表情を失《な》くした顔で
それでも霧の向こうのひとを見る
エマニュエル　マドレーヌ　いいえそれは
やっぱり私の恋だった私自身のナタナエル
そのひと　素脚の光る遠いひとにむけて
私はいう
さようなら

ここで「ナタナエル」と呼ばれているのは、アンドレ・ジイド（一八六九〜一九五一）の作品『地の糧』の登場人物の名である。角川「短歌」（一九五八年八月号）に掲載された「未青年」五十首の詞書に『地の糧』の一節が引用されていることと、『夢の法則』の塚本邦雄の解題を考え合わせると、この詩もほぼ同時代に書かれたものと想像されるが、確証はない。

『地の糧』は、ナタナエルに呼びかける調子で書かれた、散文詩のような作品である。メナルクという名前も出てくるが、ナタナエルもメナルクも、会ったこともない実在しない人物である、とジイドはその端書きに書いている。ジイドは、一八九三年と一八九五年にアルジェリアに旅行している。この時、アラブ少年との同性愛や英国の作家オスカー・ワイルドと遭遇していて、その経験が『地の糧』の背景にあるだろうと思われる。

春日井建の詩「ジイド論」の主体「私」は、年老いた余生の中で記憶が薄れて物忘れする老人である。霧のなかにあるようなぼんやりとした記憶を、呼び覚ますように水樁の雫が落ちる。かつて愛した侍童が私に紅茶を運んできてくれても、それが昔の恋人と同一人物だということが、顔をみても思い出せないくらいだ。

「ナタナエル　私の知恵をおまえにあげよう」というフレーズは、『地の糧』の中で、「ナタナエル、君に情熱を教えよう。」「ナタナエル、君に期待の話をしよう。」「ナタナエル、私はもう罪を信じない。」など、あらゆることがナタナエルに向かって語られていることを暗示している。侍童に私の言葉が届いたのかどうか、分からない。

ぼんやりした記憶の中で、思い出すのはマドレーヌである。マドレーヌは、実在のジイドの二歳年上の従姉で、ジイドが強い恋愛感情を持ち、結婚した相手である。が、清純な女性に肉体的欲望はないというジイドの思い込みや、マルク・アレグレとの同性愛もあり、夫婦は愛し合いながらも、マドレーヌは最後まで処女妻として世を送ったと言われている。その現実を下敷きにしたジイドの作品『一粒の麦もし死なずば』や『アンドレ・ワルテルの手記』で、マドレーヌは「エマニュエル」となっている。しかし、私が最後に見ているのは「私自身」。不在のナタナエルは、あなたであり、「私」自身なのである。

詩は晩年のジイドを描いて、ぼんやりとした記憶のなかを彷徨う老人のイメージを表し、「さようなら」という別れの言葉で終っている。「ジイド論」というには、中心が欠落したような感じを持つ。

ジイドに関する様々な出来事や思想が語られていないではないか、と。
この詩の後に短歌が二十首続いている。歌と合わせて読むと、詩「ジイド論」の必然が分かる。詩はプロローグの役割を担っている。ジイドの晩年から、終わりから始まるプロローグである。いかにも春日井建らしい。

朝を吹く風の諧調みづみづしジイドの青春たるわれのため
命への門窄ければ力つくし入れと昧爽に読みし書を置く
一粒の麦わがために蒔かれあり肉欲はいやさらに清しきものを
水楢の雫になぐさみ死なずをれば若さの漏泄ほしいままなる
珈琲いろの少年熱砂に組み伏すと一度も嘘をつかぬくちびる
夏の嵐に暗く肉感目ざめつつ誠実《まこと》に執する日記をひらく

二十首から数首引いた。「ジイドの青春たるわれのため」は、ジイドの青春と「われ」が重ねられている。歌は、ジイドの作品を読み、ジイドの生き方や考え方に共感して書かれていることを明かしている。「命への門」はジイドの『狭き門』に関係する。『狭き門』には、「――力を尽して狭き門より入れ　ルカ伝第十三章二十四節」というエピグラフがあるが、この「狭き門」についてはマタイ伝第七章に「狭き門より入れ、(略)生命にいたる門は狭く、その路は細く、これを見出すもの少なし。」という言葉がある。春日井建の歌は、この二つの章を踏まえて作られているものだと推測する。『狭き門』には、神への信仰のためにジェロームとの愛を遠ざけて死んだアリサの自己犠牲が描かれているが、このアリサのモデルもマドレーヌだと言われている。作品の背後にはジイドのキリスト教への批判も含まれているだろう。春日井建は、「読みし書を置く」あとに、どのような思いを持ったのだろう。

「一粒の麦」の歌は『一粒の麦もし死なずば』が意識されている。ジイドの自叙伝ともいうべき作品で、自分の欠点や悪癖、自己愛や同性愛などがためらいもなく語られている。「肉欲はいやさらに清しきものを」は、生を直視する春日井建のジイド論である。「水楢の雫」は春日井建の詩「ジイド論」と呼応し、「珈琲いろの少年」は、ジイドのアルジェリア旅行の時のアラブの少年との恋愛か。ジイドの日記は、『日記一八八九年―一九三九年』（七十歳）、『日記一九三九年―四二年』（七十七歳）、『日記一九四二年―四九年』（八十一歳）と出版されていて、二十歳から八十一歳まで書き続けられたことになる。この日記の膨大な量と時間には、ジイドの思いが率直に書かれていて、建は自身の肉感のめざめとジイドの日記に触発される自己との相似性に思い至り、そこに誠実を読み取る。春日井建の詩「ジイド論」は短歌二十首とセットにして読まれることで、ジイド論を完成させるものなのだと思う。

次に詩「首しめ男」について。

首しめ男

首しめ男は
動物園の近くに住んでいる
獣の吠え声で腹をふくらませる

首しめ男は
からかい半分首をしめて歩く
慇懃にほほえんで　やる

首しめ男は
夜になるとそぞろひとり歩く
ひと恋しさでにっと笑って　やる

首しめ男は
約束のようにうしろ首をしめる
獣の血がくすくす笑いだす

首しめ男は
やると　大きな安堵でほっとする
一杯召しあがったようにふらふら歩く

首しめ男はずいぶん薄なさけ
昔はあれでも恋人があったというけれど
どんな深傷を負ったのか

首しめ男は
実のところ　とても美男子いい男
寝ろよ首しめ男　朝がくる

三行、七連の詩。どの連も最初の行に「首しめ男は」という言葉があり、それがリズムを生み出すと同時に「首しめ男」の動作や表情の一つ一つを映し出す。

首しめ男は、動物園の近くに住んでいるらしい。獣の吠える声に内なる獣が呼び覚まされるのか。からかい半分で首を絞めるという行為はふざけている。しかも丁寧に親しみを込めて微笑んで実行する。「やる」という単純な語が、死を軽く扱う。

夜、一人でそぞろ歩きながら、人が恋しくなると不気味な笑い顔で、首を絞める。犯行はいつも首の後ろ側を絞める。体の奥に隠されている獣の血が満足そうに騒ぎだす。犯行を行うと満足して、酔っ払いのようにふらふらしながら歩く。

そんな薄情な首しめ男にも、昔は恋人がいたと聞くが、その恋人との間にどんな経緯があったのか。どんな心の傷を負ったのか。第六連では、犯行を重ねる首しめ男の過去に思いを馳せる。首を絞める犯行の動機を過去の恋愛の失敗に求める。ありきたり過ぎて設定が甘いのではないか、首しめ男の不気味さが半減する、と思う。

さらに、第七連で、首しめ男の容貌に言及している。「とても美男子いい男」ということだ。殺人者が悪人顔なら、想像通りだが美男子だという。殺人者のイメージを転換したかったのだろうか。最後の「寝ろよ首しめ男　朝がくる」に、友達感覚が入り込んでいる。近くに一緒にいる男への言葉のようだ。

こうして第六連、第七連の平板な明るさを加えて作品を再読すると、「首しめ男」という名は何処かユーモラスに響く。首をしめて歩く男は危険な犯罪者であるが、現実感も残虐性も乏しい。動機も簡単すぎる。しかし、犯行というものは、至極単純に行われるものかもしれない。首しめ男は、誰の心にも潜んでいる殺意の様相ともいえる。そう考えると、「朝が来る」は、夜をかけて首しめ男の想念に取りつかれている男（＝私自身）への言葉と思われてくる。想念の世界の詩。

◆その他の詩――「雪男」、「ペルソナ」、「パゾリーニ小論」1・2・3・4、「Sへのメッセージ」、「肖像」

「雪男」という詩がある。この詩は春日井建が中日文化センターで、短歌と詩について教えていた時のテキストに使われたものである。そう言えるのは、この詩の他に入沢康夫の詩集『倖せ　それとも不倖せ』の「失題詩篇」という詩と、ジャック・プレヴェールの『パロール』抄　プレヴェール詩集』（北川冬彦訳）の「朝の食事」という詩と一緒にプリントされているもののコピーが私の手元にあるからだ。ただ、このテキストがいつ使用されたものか、「雪男」という詩がいつ制作されたものか、はっきりしない。大体一九七四（昭和四十九）年前後ではないか、というのが私の推測である。

それは、私が大熊桂子さんから頂いた春日井建歌集『夢の法則』に、春日井建の「雪男」の直筆が挟まれていたことからの類推である。大熊さんの話によれば、一九七四（昭和四十九）年二月まで春日井建の教室に出席していたが、「雪男」の詩の講義はなかった、という。大熊さんは、三月は足の怪我で教室を欠席していて、四月には札幌に引っ越した。その引っ越し荷物を送りだしたとき、春日井と新畑美代子さんが津市の家に訪ねてきてくれた、という。私の手許にある『夢の法則』の扉の前のページには「大熊桂子様　恵存　春日井建」の署名がある。その本に、春日井建の詩「雪男」が清書された用紙が挟まれてあった。この『夢の法則』を頂いたのは、札幌に引っ越す直前だったように思う、と大熊さんはいう。大熊さんの話と『夢の法則』の刊行時期を考え合わせると、「雪男」の詩のプリントは大熊さんが春日井建の教室を欠席していた一九七四年三月頃にテキストとして使用されたものではないか、と推測される。それで、ここに取り上げることにした。

雪男

彼は古風である
彼は人見知りである
雪ふかいヒマラヤの奥に住んで
つつましく純潔の影を背負っている
彼が常に見ているものは
長い灰色の雪線
雪渓をすべる光
常闇の岩裂溝《ルンゼ》
そこにはまだ残酷な文明はない
哲学という虚無にいたる学問もない
彼は毛むくじゃらの胸で
ミヤマウスユキソウの

白い小さな花を恋慕している

（＊これは教室で使用されたテキストのコピーであり、確実に現存するものはのちに清書された春日井建直筆の「雪男」の方である）

中日文化センターの教室で使用されたテキストは、いつも新畑美代子さんが書き写して作成していた。大熊桂子さんに渡された春日井建直筆の詩は、一か所だけ表記が変えられている。テキストの「岩裂溝《ルンゼ》」が、「ルンゼ」とカタカナのみの表記に直されている。ルンゼ（ドイツ語）は登山用語で非常にけわしい岩溝のことをいうそうだが、岩裂溝という言葉は広辞苑や大辞林を引いても出てこない。岩溝というより「岩裂溝」という表記の方が険しさを感じさせるので、漢字表記にルビの形でテキストが作られたと思われる。が、後になって直筆で清書するときに、全体の表記のバランスを考えて、カタカナ表記のみにしたのではないかと思う。それで、第一稿と思われる「岩裂溝《ルンゼ》」使用の詩をここで扱う。

さて、詩「雪男」についてであるが、ここでも春日井建の理想とする「純潔」がヒマラヤの雪男に仮託されて語られている。ヒマラヤの奥に住む全身毛に被われた雪男は、古風で人見知りな彼として、現代人と対立した存在とされている。

雪男が見ているものは、万年雪がある雪原の下限の雪線であり、夏になっても溶けない雪が残った高い山の斜面の窪みや谷の根雪に反射する光、深く亀裂が入った岩の溝の暗闇だったりする。それはヒマラヤの自然である。それに対比されるのが、現代の文明や高度な哲学＝学問である。それは残酷なもの、空虚なものとしてとらえられている。自然（純潔）対文明（残酷・虚無）という二項対立による文明批判がここに在る。そして雪男は毛むくじゃらの胸で白い小さな花を恋慕する純粋無垢な自然性を象徴する。しかし、雪男の見ている岩裂溝には自然の残酷さが共存する。そこまでこの詩の言葉が届いているか、それが気になる。ヒマラヤの雪男は伝説の未確認動物であり、誰もそれを見たことが無い。雪男は一つのロマンである。純潔もまた夢見られるロマンといえよう。

この詩のあと、一九七六（昭和五十一）年に「ペルソナ」という詩が書かれている。これは、春日井建の歌集『青葦』（一九八四年十一月刊）のあとがきに紹介されている作品で、「昭和五十一年、山本美智代氏のオフセット版画集『銀鏡』に載せたものである。」と説明されていて、「ペルソナ」という詩が引用されており、出典が明らかである。

ペルソナ

おまえ　遙かな日の反響《こだま》
微笑のむこうにひっそりと
裸身でいる恋の少年

私は幼いおまえに接吻しよう

だれも断ち切ることのできない
燃える欲望でもって
詩が死に裏打ちされて
はじめて映像が見えてくるように
おまえは私に抱かれて
はじめて自分の姿を知るだろう

光に溺れた雲雀　鶸《ひわ》　鵯《ひよ》
風切って翔ぶ恋に狂った燕
八月の雪を蹴立てる雷鳥
できるなら　いつまでもおまえには
夢を見させておいてやりたいが
おまえの若さは私を苦しくさせる
おまえの無疵は私を怖れさせる
失われた空を覆う俤よ

なんと潑溂と時は逝くものか

逝きながら精気の澄むものか
膝を折って抱く愛撫の
熱い水照りに喘ぎながら
恩寵が季節の影を扼殺する
羽搏く記憶の
喉首を絞める

少年の唇が
夢のなかで冷たくなる

（＊これは、版画集『銀鏡』のものである。歌集『青葦』掲載時は、一行目の「反響《こだま》」が「谺」に書き直されており、「若さ」は、「夭さ」になっている。ルビはすべて無い。その他は同じ。）

「ペルソナ」は、もとの意味は仮面だが、その奥にある実体、個的人格を指すという。この詩は、「おまえ」と呼ばれる一人の少年への愛のうたである。「失われた空を覆う俤よ」と書かれる「俤」について、春日井建は『青葦』のあとがきの中で触れている。

「俤」についてはどう語ったらよいのだろうか。モンテビデオ出身の詩人におけるジョルジュ・

ダゼットのように、私はある俤と怖るべき邂逅をした。それなくして私の青春はなかった、とも断言できる体験であった。しかし今、俤は時経てさらに鮮かながら、あれはかつての私自身ではなかったか、と思われるほどに対象としての存在感を失って私の身近なものである。このことを主題にした詩を一篇左に記しておこう。

（『青葦』あとがきより）

モンテビデオ出身の詩人とは、イジドール・デュカス＝ロートレアモンであり、ダゼットとはロートレアモンが寄宿舎で知り合った年下の少年のことである。ロートレアモンとダゼットの関係のように、春日井建が邂逅した俤は、「それなくして私の青春はなかった、とも断言できる」ほど、春日井建の青春と密接な関係を持つ少年であったようだ。『青葦』の「俤」の章には百十四首の歌が収録されている。

言葉清くつつしむ汝と佇つなれば抱くほかなし砂とぶ丘に
わが生のまらうどたりし友の訃を聞けり薄雪の降れるまひるま
投げだされし少年の四肢なぞりたる白墨の上をわが轍《わだち》過ぐ

歌を読むと、掛けがえのない稀人だった少年は、バイクの事故で亡くなったことが分かる。歌は、少年が亡くなった後のもので、時経て俤は私と同化してしまったようだ。詩は、春日井建、三十代後半の制作だから、歌より随分前のものである。少年を恋する私の熱い思いが、語られている。しかし、冒頭の「おまえ　遙かな日の反響《こだま》」は少年の存在がすでにそこに無いこと、を暗示する。少年に対する断ちがたい欲望は、「おまえは私に抱かれて／はじめて自分の姿を知るだろう」という所有と、「できるなら　いつまでもおまえには／夢を見させておいてやりたいが」という庇護する愛との間で揺れる。しかし、若く無疵な少年は、私を苦しくさせる。私が失くした空に少年の俤が広がる。ある日、突然にふっつりと時間が途切れるように逝った少年。愛し合った熱い時間が思い出されるが、それは季節の影を手で首を締めて殺すように苦しく、溢れてくる思いや記憶を否定してやまない。どんなに思っても、すでに少年はいないという現実の前で打ちひしがれる苦しい気持ちが、「羽搏く記憶の／喉首を絞める」と表現される。「少年の唇が／夢のなかで冷たくなる」のは、少年の死を表すが、夢の中の出来事のようでもある。

春日井建が邂逅した俤は、春日井建にとって永遠に忘れられない存在として残っている。歌集『青葦』に「ペルソナ」を再録したこともそのことを物語っているだろう。長い時間を経て、「あれはかつての私自身ではなかったか、」と思われるほど、俤は春日井建にとって大事な稀人であったことは確かである。

◆「パゾリーニ小論」1

「パゾリーニ小論」という詩は、「雁　映像＋定型詩」第十号（一九七六年三月）に発表されている。この雑誌は、冨士田元彦の個人誌として一九七二年から発行されていたものである。冨士田元彦（一九三七〜二〇〇九）は「季刊　現代短歌雁」発行人、書肆雁書館の代表でもあった。映画への関心も深く短歌評論とともに日本映画史に関する著書もある。この「雁　映像＋定型詩」という雑誌は、そんな冨士田の意識を反映して編集、発行されたものだったと思われる。この号には、岡井隆、塚本邦雄の短歌や金子兜太の俳句、関根弘の詩、菱川善夫の評論や冨士田の映画監督・吉村公三郎論、深尾道典の「早老息子」のシナリオも掲載されている。文字通り、映像と詩の世界に開かれた場であった。これに、春日井建は短歌ではなく、詩「パゾリーニ小論」を書いている。1〜4に分けて、全百二十七行の長い詩である。

同誌の「本号の執筆者2」には、【春日井建　詩人。「現代の悪を負う少年ジャン・ジュネの歌」といわれた『未青年』の鮮烈な印象は今なお新しい。全歌集『行け帰ることなく』を挿み、ほぼ十年ぶりの新作発表である。近くエッセイ集を出す予定という。】と紹介されている。同じ雑誌の執筆者紹介では、岡井隆や塚本邦雄が歌人とされているなかで、『行け帰ることなく』を境に歌と別れ、ドラマの台本や演劇活動に向かっていた春日井建が、短歌、俳句、詩、評論とジャンルをクロス・オーバーした雑誌に、詩人として詩「パゾリーニ小論」を書くところに、この時の春日井建の意識の在処と意欲を見るような気がする。

パゾリーニ（＝ピエロ・パオロ・パゾリーニ、一九二二〜一九七五）はイタリアの詩人、小説家、映画監督で、詩集に『グラムシの遺骨』、映画に「奇跡の丘」、「アポロンの地獄」、「王女メディア」、「豚小屋」、「ソドムの市」などがある。では、なぜパゾリーニなのか。それには、春日井建の豊富な映画鑑賞が手掛かりになるかもしれない。春日井建がどのような映画を観ていたのか、を知る一つに、『未青年の背景』がある。その中に書かれている映画の題名だけを拾い出してみると随分多い。

「酔いどれ天使」、「七人の侍」、「椿三十郎」(黒澤明監督)、「ローマの哀愁」、「悪徳の栄え」、「戦艦ポチョムキン」(エイゼンシュテイン監督)、「人間の運命」、「静かなるドン」、「僕の村は戦場だった」(アンドレイ・タルコフスキー監督)、「楽天的な悲劇」、「君は孤児ではない」、「娘たち」、「アラビアのロレンス」、「最後の世界大戦」(アメリカ制作の記録映画)、「第七の封印」(イングマル・ベルイマン監督)、「イグアナの夜」、「日本の夜と霧」(大島渚監督)、「両面の鏡」、「別離」、「ベリーナイス・ベリーナイス」、「やぶにらみの暴君」(漫画映画)、「真夏の夜のジャズ」、「ウッドストック」、「バニシング・ポイント」。この他にも『評伝 春日井建』には、「大人は判ってくれない」(フランソワ・トリュフォー監督)、「長距離ランナーの孤独」、「緑の館」、「シベールの日曜日」、「日曜はダメよ」などが挙げられている。

アトランダムに拾い出したこれらの作品は、ほとんど一九六〇年代に上映されており、春日井建の二十代と重なる時期でもある。映画については、作品名だけが挙げられているもの、感想や批評が書かれているものもある。その中で、春日井建が「戦艦ポチョムキン」については、シナリオまで読んでいて、【これがまたすばらしい、有名なあの「オデッサの階段」のシーンの群衆把握などはきわめて力強く簡潔で、ピカソの「ゲルニカ」などにも比すべき戦いのパトスが集約した気息で書かれていた。】（「映画の魅力」毎日新聞、一九六三年十二月十五日）と絶賛している。春日井建の映画への関心の深さはこういうところにも表れていよう。

詩「パゾリーニ小論」が発表されたその前年、一九七五年十一月二日に、パゾリーニが、ローマ近郊のオスティア海岸で激しい暴行を受けた上に自分の愛車アルファ・ロメオで轢殺されるという事件が起こった。享年五十三歳。このとき、パゾリーニは映画「ソドムの市」の撮影を終えた直後であったという。このパゾリーニ殺害事件は、映画「ソドムの市」に出演していた、十七歳の少年、ジュゼッペ・ペロージが殺害を供述して彼の刑（懲役九年七カ月）が確定した。しかし、殺害の真実はよくわかっていない。最初は、同性愛者のパゾリーニがローマ市内で拾った男娼の少年を海岸につれていって、その少年に殺されたといわれていたが、ジュゼッペ・ペロージは俳優だったとも言われる。動機も車が欲しかった、同性愛行為を要求されて逆上したというものなど様々な憶測が飛び交い、パゾリーニの映画の鋭い政治批判に敵対する勢力の政治テロではないか、という見方もあった。服役を終えたジュゼッペが、出所後「犯人は別にいる」と証言したりして、いまだにその真相は謎に包まれている事件である。春日井建の詩「パゾリーニ小論」は、事件が起こった翌年に書かれているので、その時代の風聞を下敷きに書かれているものであろう。

パゾリーニ小論

1

千の夢が
ひとつの夢にひとしいのなら
像素《キネーム》のちらばる現実を
ひとつの映像で見ることもできよう

たとえばそれは少年
十七歳のジュゼッペ・ペローシ
おれはジュゼッペを
ローマ中央駅で拾ったが
愛の定理《テオレマ》にしたがって
おれの光源が少年を攻撃し
ジュゼッペはすでに無名《アノニム》の影
アルファ・ロメオは疾駆する

欲望の鉄砲水となって
せきとめる力はもはやなく
少しずつ罅《ひび》われていく時間
押しよせる水圧に潰されて

時間だって虹のように裂けるのだ

オスティア海岸が展ける
若い手に交叉するもう一つの手
平手打ちをうける真夜中の空

男こそ虹となって架かるのだ

棒切れをもって
青む角膜でもって
おれと少年　対峙して
凶暴な影がしんしんと濃くなる

光源をもたぬ影などもとよりない

おれは喝采する
求めたのはおまえだ
血を見るぞ　おまえ
おれはあいつにこう言わせてもよかった
父親殺しはなんと楽しいのだろう　と

そのとき無蓋の天は涯しなく
夢の褥《しとね》は鮮しかった

（筆者註＝Pelosiは、ペロシ、ペローシ、ペロージとも訳される。）

先のパゾリーニ殺害事件を念頭に、この詩を読むと大まかな枠組みと流れが見えてくるだろう。詩は、1でショッキングなパゾリーニ殺害事件のことが書かれる。最初の四行では、パゾリーニが映画に関係していることを暗示させるように、像素《キネーム》を集めて現実を映像の世界に転化させる。「ひとつの映像で見ることもできよう」は、現実の殺害事件を画素を集めた映画の画面のように詩の世界に構成しようとする導入部だ。ここからパゾリーニと十七歳の少年ジュゼッペ・ペロージとの関係が描かれていく。ローマ中央駅で拾ったジュゼッペとおれの関係は、光源と影、すなわち愛の定理に照らせば、愛する者と愛される者。おれの強い思いにジュゼッペは名もない影と化している。

第三連のイタリアの高級スポーツカー、アルファ・ロメオは実際にパゾリーニの愛車だったと言われている。その車にジュゼッペを乗せて疾駆する。おれの欲望は膨らみ、鉄砲水のように堰を切って溢れ出す。押し寄せる水圧は、限界を超えた欲望だろう。次第に関係は罅割れていくほかない。「時間だって虹のように裂けるのだ」は、虹が空を大きく分断するように、時間の連続性を断つ。それはパゾリーニの来たるべき死を意味している。

谷川雁の詩「破船」の中の「男だって虹みたいに裂けたいのさ」という一節を思い出す。が、谷川の詩は、裂ける事象が虹の色彩の美と交換される。ここにみられる美意識はむしろ一連あとの一行「男こそ虹となって架かるのだ」と同質と思う。裂けると架かるは一見正反対のように見えるが、男が虹の色彩の美に象徴されるところは同じである。春日井建が、一九六〇（昭和三十五）年に発行されている『谷川雁詩集』（国文社）を読んでいたかどうか分からないが、同時代的に話題を呼んだ詩集であった。

オスティア海岸は、損傷の激しいパゾリーニの遺体が見つかった海岸である。そこで何が起きたのか。「若い手に交叉するもう一つの手」は、少年とおれの手だろう。交わる手が一瞬にして平手打ちをする手に変わる。真夜中、棒切れをもった少年の凶暴さが増してくる。この凶暴な影をつくり出しているる光源はおれなのだ。だから、喝采してこの事態に向き合っている。光源と影を父と子の関係に還元し、その心理にエディプス・コンプレックスを関連付けてみる。「父親殺しはなんと楽しいのだろう と」。最後の二行「そのとき無蓋の天は涯しなく／夢の褥は鮮しかった」の「そのとき」は、おれの死の時だろう。死の間際、おれが見ているのは暗い果てしない空であり、夢のようなふわふした意識のなかの、はっきりとした死の予感だった。

実在のパゾリーニと少年ジュゼッペをモチーフに、詩は物語のように再生されている。おれと少年の関係を光源と影に喩えるのは、像素や映像を意識した春日井建の方法だろう。詩では、少年の暴行とされているが、実際には、パゾリーニの遺体の損傷の激しさから単独犯ではないという見方が強かったようだ。

◆「パゾリーニ小論」2

映画「ソドムの市」の日本公開は一九七六年九月だから、詩「パゾリーニ小論」が発表された時点ではパゾリーニの遺作になった映画は、春日井建は観ていない。詩とはいえ「パゾリーニ小論」を書くとすれば、パゾリーニに関する相応の知識を持っていたのだと推察される。しかし、パゾリーニのどのような小説や詩を読んでいたのか、どのような映画を観たのか、現在の私には実際のところはほとんど分かっていない。

生前、私が聞いたことがあるのは「王女メディア」と主演のマリア・カラスのことくらいである。

ただ、この「パゾリーニ小論」の1に「愛の定理」という言葉があり「定理」に「テオレマ」というルビが付されていることから、パゾリーニの映画「テオレマ」（日本公開一九七〇年）や、同じところの「父親殺しはなんと楽しいのだろう　と」という一行にオイディプス王を自伝的に映画化した「アポロンの地獄」（日本公開一九六九年）を観たのではないか、と思う。また、最後の4にある「処刑の丘」という言葉から映画「奇跡の丘」（日本公開一九六六年）や「豚小屋」という言葉から映画「豚小屋」（日本公開一九七〇年）などを、春日井建は観ていた可能性があると推量する。時間をかけて、名古屋の「文化のみち二葉館」に寄贈された春日井建の蔵書や遺品を精査すれば、その中に関連する資料も見つかるかも知れないが、その時には新しい見解が加えられることを願うばかりである。ここでは、この詩のみを手掛かりに、読み進めていきたいと思う。

前の「パゾリーニ小論」の1では、パゾリーニの殺害事件をテーマにして、実在のパゾリーニと彼を殺害した少年ジュゼッペをモチーフに物語が再生されていた。

次の2は、パゾリーニが六歳の頃から一年間在住した母の出身地であるフリウリ地方のカザルサでの経験や培われた思想の一端が語られている。フリウリ地方はイタリア北東部のアドリア海に面した地帯。パゾリーニについて書こうとする時、カザルサを抜きにすることはできない。フリウリ地方のカザルサがパゾリーニにとってどれくらい関係が深いかは、『世界文学全集102　モラヴィア／パゾリーニ』（一九七〇年刊・講談社）に付された「パゾリーニ　年譜」に詳しい。それによれば、パゾリーニの母スザンナはフリウリ地方カザルサのかなり富裕な農家の出身で、小学校の教師だったという。パゾリーニは六歳から一年間カザルサで過ごし、その後も父の転勤（父は職業軍人で任地を頻繁に移動）で転居が多かったが、夏休みには毎年カザルサで過ごしていたという。その後、ボローニャに移住。高校、大学ともボローニャの学校だった。一九四二年、パゾリーニ、二十歳の時、カザルサの方言で書かれた詩集『カザルサ詩集』を出版。その年、内戦の激化によって、パゾリーニ母子はカザルサに疎開する。一九四三年、召集を受けて入隊するが、一週間後には休戦になりドイツ軍の手を逃れてカザルサに帰る。一九四五年、パルチザンに加わった弟がチトー派のパルチザンに殺され、衝撃を受ける。パゾリーニはカザルサに一九四九年まで居住する。その間に、フリウリ地方に拡がる日雇い農民の不在地主に対する闘争に接し、共産党に入党するが、一年ほどで離党。一九四九年に母とともにカザルサを離れてローマに移住する。最初の住所は〈ゲットー〉と呼ばれる広場であり、その後郊外のスラム街に移りほとんど無一文の生活が続く。ここでローマの下層プロレタリアートの生活にふれる。

この共産党からの離党に関しては、一九四九年の秋、中学校教員であり共産党の活動家でもあるパゾリーニ氏が少年を誘惑して堕落させているという匿名の告発によって、刑事事件として起訴され、共産党からも追放されたことによる。しかし、事件はその後、無罪が確定している。一九五〇年か翌年に、パゾリーニはローマ郊外の私立学校の教師の職を得て、スラム街に住む最底辺民衆の青年たちの生態を描いた小説『生命《いのち》ある若者』を書き始める。この小説が米川良夫訳で冬樹社から最初に発行されたのは一九六六年だという。その後、前掲した『世界文学全集』にも加えられているが、この小説を春日井建が読んでいたかどうか、これも分からない。しかし、この『生命ある若者』は、スラム街に住む青少年たちの、生の衝動に突き動かされるままに行動する生態を、彼らが使う方言や隠語を使ってあるがままに描いたもので、訳本もそういう言葉が使用されている。もし、春日井建がこの小説を読んでいたら、〈純粋な「生」の衝動〉に従って行動するスラム街の青年たちの在り方に、共感したのではないだろうか。「かの市は泥棒市と呼ばれをりパゾリーニの若者混りゐるべし」（『青葦』「ローマ行」）という春日井建の歌を思った。

パゾリーニにとって、カザルサでの年月と体験を抜きにはできないだろう。また、パゾリーニが育った時代背景は、一九二二年からイタリアが、ムッソリーニのファシスト独裁体制下にあり、第二次世界大戦の勃発、内戦、パルチザンとの攻防もあり、世界は揺れ動いていた時代であった。そういう社会背景も考慮しつつ、2を読んでいく。

2

村の息子たち　何をひるむのか
刃鎌の月が夜っぴて照らす
樽に入れた光をぶちまけて
本能にずぶ濡れになろう

浄らかな睾丸のうちには
迅《はや》い光よりさらに迅いものがある
情欲に腫れた山には
車座になって生え揃った杉生
若い思想の分隊のような
伸びやかなその一本一本へ
したたかに地酒をそそごう

おれは労役する同志にかけて
独裁の命令書を焚く火に接吻した
峠から吹く自由の風の腰を抱いた

村の息子たち　愛しあおう
抽象の文化を蹴ちらかして
草刈場で　草の臭いにまみれて
フリウリ地方の方言で朝を語ろう
おれは一度は村を捨てた男だが

ふたたび自然と握手した
草木の茂る地平線は
永遠を飲みくだす前線である

「村の息子たち」の村は、フリウウリ地方のことだろう。それは第四連の「おれは一度は村を捨てた男だが」というところからの類推だが、パゾリーニがカザルサを離れてローマに移住したことを指すのではないだろうか。刃鎌の月、三日月のひかりの下、「樽に入れた光」の樽は閉じ込められ、抑圧されている情動の喩。「本能にずぶ濡れになろう」という呼びかけは、〈純粋な「生」の衝動〉の肯定ともいえる。ここに春日井建のパゾリーニへの共感が表れている。

「浄らかな睾丸」「迅《はや》い光よりさらに迅いもの」「情欲に腫れた山」はすべて若い青年の肉体の喩として読める。一方に、伸びやかな思想を持つ若者が杉生に喩えられ、そこに地酒を注ぐという行為は青年の若い肉体と思想への賛辞だろう。

三連目は、パゾリーニの思想を取り入れた言辞が並ぶ。「労役する同志」は、共産党入党のきっかけにもなった、フリウウリ地方の日雇い農民の不在地主に対する闘争と関係することだろう。「独裁の命令書を焚く火に接吻した／峠から吹く自由の風の腰を抱いた」には、イタリアのムッソリーニの独裁体制下における、パゾリーニの思想の一端が表れている。独裁政権下におけるパルチザン同士の抗争で亡くなったパゾリーニの弟への気持ちも込められているように思われる。「火に接吻した」「腰を抱いた」という表現が思想にエロスを加味して春日井建らしい。

第四連は、第一連と結び合う形で、「村の息子たち」が繰り返され、「ずぶ濡れになろう」と対句的に「愛しあおう」が置かれて、一連の内容をまとめている。「抽象の文化」については、「フリウリ地方の方言で朝を語ろう」という部分から考える必要があろう。フリウリ地方の方言で書かれたパゾリーニの詩集『カザルサ詩集』や、方言や俗語を使用してスラム街の若者をあるがままに描いた、小説として、主人公もストーリー展開もない、映画のドキュメンタリーに近い手法で書かれている『生命ある若者』は、その時代の《ネオ＝レアリズモ》の作品といえる、と翻訳者・米川良夫は「パゾリーニ　解説」で述べている。「抽象の文化」はそれ以前の文学表現を指すと考えられる。一九五〇年代、第二次世界大戦後のイタリアの文学史において、民衆の目線で現実に忠実に描く《ネオ＝レアリズモ》の方法を、詩句では「草刈場で　草の臭いにまみれて」という具体で表す。

小説『生命ある若者』は、方言や隠語、会話の多様な言語と文体で構成されているといわれる。パゾリーニの言葉の手応えを、春日井建は「草木の茂る地平線は／永遠を飲みくだす前線である」と表現する。「草木の茂る地平線」は、パゾリーニの言語表現、《ネオ＝リアリズモ》を喩えているだろう。その方法を「前線」という詩句で形容するとき、永遠を飲み下す未来へ視線が向けられている。次の「パゾリーニ小論」3では、映像の世界へ入っていくパゾリーニ像が描かれることになる。

◆「パゾリーニ小論」3

「パゾリーニ小論」の3に入る。1では、殺害されたパゾリーニと犯人の少年ジュゼッペをモチーフに物語が再生されていた。2は、パゾリーニにとって原郷ともいうべきフリウリ地方のカザルサでの経験や培われた思想の一端が語られていた。そしてこの3では、映像の世界に対するパゾリーニの思想が描かれる。

3

おれの目は写真銃だ
次々と映像を撃ちおとす

若者が落ちる
神話の鳥が落ちる
雲とはどういうものか
その柔い組織が落ちる
ブルジョアジーの皮膚呼吸が落ちる
さてまたしてもそそり立つ
老いぼれた倫理が落ちる

ショットはさらに切断せよ
きれぎれの像の片々を連続させて
生命ある映画言語を創るのだから
夢は虚構の上に成立するのだから

おれの目は撃ちつづける
アスファルトの上の白墨の人型
投げだされた肉体の輪郭をなぞって
印《しる》された白線のあたりから立つ陽炎
あれは何だ
発《た》っていったのは誰だ

外部の映像を撃つ目は
同時におれの内を撃つ
——精緻なダブル・フレーム

薄い光が落ちる
フィルム感度が増加されて
ひったりと映しだされた忘却の河が落ちる
おれはものを手に入れたか
おれはものから解放されたか
ワン・ショットの夢に生命を刻むおれ自身が
落ちる

冒頭の「おれの目は写真銃だ」の「おれ」という一人称は、パゾリーニであり、またパゾリーニに同化する作者でもあるだろう。映画監督としてのパゾリーニを、写真銃＝映像を撃つ目として作品との関係が語られている。パゾリーニにとって、映像は「おれの目」の銃によって撃ち落とされるものであり、「落ちる」という語が映像化によって定着される対象を統べていく。

第二連の「落ちる」もの、「若者」「神話の鳥」「柔い組織」「ブルジョアジーの皮膚呼吸」「老いぼれた倫理」とは何を指すのか。パゾリーニによって映画化された作品を一つ一つ思い出して当てはめて考えられないこともない。例えば、「若者」は映画「テオレマ」でもいいだろう。映画「大きな鳥と小さな鳥」もあり、映画「雲とはどういうものか」（オムニバス映画「イタリア式浮気」の一篇）もある。「神話の鳥」は映画「奇跡の丘」や「アポロンの地獄」や「王女メディア」など、神話を母体にしながら悲劇を現代イタリアによみがえらせることを意図した映画を指しているかもしれない。しかし、これらは、映画と関連させながら、映画表現の根底に流れる思想を象徴しているものだろう。それは「若者」への視線も、「神話」の否定と肯定も、「ブルジョアジー」も「老いぼれた倫理」も、パゾリーニの映画に、中心的なテーマとして、かたちを変えて絶えず表れているのを目にすることが出来るからだ。

それについて「パゾリーニ全自作を語る」〔訳・編〕田山力哉（『世界の映画作家 1』、キネマ旬報社、一九七四年五月第三刷）から、パゾリーニの言葉を拾ってみよう。例えば映画「奇跡の丘」について、パゾリーニは次のように語る。

マタイ伝の映画化であるこの作品を撮るときに、私は次のような問題に直面した。私はこれを古典的な話として語ることはできなかった。なぜなら私は、キリスト教信者ではなく、無神論者であるからだ。だが他方、私はこの映画が撮りたかった。つまり、神の子であるキリストの物語が描きたかったのである。私はだから自分の信じていないことを語らなければならなかったのだ。（略）聖書を語りうるために、私は信者のだれかの心の中に入りこまねばならなかったからだ。そこに間接的な自由な語り口が生れる。一方で物語は私自身の目で見られている。それがスタイルの重層性の原因である間接的自由話法の使用なのである。

このほかにも、パゾリーニは「アポロンの地獄」のときは「砂漠を舞台とした歴史物語であり、神話の熱っぽく生き生きした色彩をそこに使った」と語っており、神話を重層的な間接的自由話法で語るということを含めて、「神話の鳥が落ちる」という詩語の意味を解することが可能だろう。写真銃で撃ち落とした映像には、神話が用いられながら重層的な語り口の物語が描かれる。

「ブルジョアジー」についても、映画「豚小屋」について「砂漠の中の孤独の男と、近代都市のブルジョアジーの生態と、この二つを交互に語るというところに、私の意図があるわけだが」と語っているし、映画「テオレマ」について、「もし、もう民衆というものがないとしたらだれのために国民大衆的物語を語るというのか？　これからは、民衆とブルジョアジーは唯一の、そして同じマスの概念の中に混同されるのである。（略）ある意味で、私のイマジネイションは、ずっとリアリスティックでなくなった。だからこそ私は「テオレマ」のような一つの寓話を考え出したのである。」と語っている。民衆とブルジョアジーは、イタリアの哲学者・政治家グラムシを愛読し、『グラムシの遺骨』（一九五七年）という詩集まで出したパゾリーニにとって映画以前からの課題だった。グラムシはイタリア共産党創立者の一人。西欧マルクス主義の祖ともみなされている。一九二六年にファシスト政権によって逮捕され、獄死している。パゾリーニは、一九四七年に共産党に入党しており、その頃からグラムシを愛読していた。それが六〇年代後半の状況が転換をもたらした。パゾリーニは、グラムシから遠ざかった理由について「グラムシの前にあったような客観的世界が私の前にはもうなかったからである。」と述べている。民衆とブルジョアジーの区別がなくなりすべてがプチブル意識に浸り始める状況にパゾリーニは気付いていただろう。「民衆とブルジョアジーは唯一の、そして同じマスの概念の中に混同されるのである。」が、それを証している。
第三連のショットの切断、像の片々を連続させて「生命ある映画言語を創るのだから」という言葉は、映画「戦艦ポチョムキン」のエイゼンシュテインのモンタージュの方法を取り入れたパゾリーニの映画についての言及だろう。「奇跡の丘」や「アポロンの地獄」ではモンタージュの方法が駆使されているという。
また「アポロンの地獄」について、「この映画では、私は自分自身のエディプス・コンプレックスを語ったのである。プロローグの少年、それは私だ。彼の父、それは私の父だ。そして母親は私自身の母親なのである。私はエディポの伝説を借りて、もちろん神秘化しながらではあるが、私の人生を描いたのだ。」ともいう。このパゾリーニの言に照らされるように、第四連の「アスファルトの上の白墨の人型」は、書かれてはいないが、春日井建の「わが生のまらうどたりし友」のことである。

投げだされし少年の四肢なぞりたる白墨の上をわが轍《わだち》過ぐ
昇りゆくいのちと誰も言ふならねひとがたの跡ゆ陽炎は発《た》つ
『青葦』「路上」

パゾリーニが映画で自分自身を語ったように、春日井建もまた第四連でかけがえのない友の死を語る。外部と内部の相関は、ファインダーを通して二重化される。「精緻なダブル・フレーム」なのだ。

最後の第五連は、映像、映画に対するパゾリーニの思想のまとめと受け取れる。薄い光、淡い光のなかの像はフィルム感度を増加すると、弱い光にも感応して暗い場所でも撮影が可能になり、忘れ去られていた「忘却の河」がぴったりと映し出される。「おれはものを手に入れたか／おれはものから解放されたか」という自己への問いのフレーズの「もの」について、米川良夫は、『生命《いのち》ある若者』（講談社文芸文庫）の解説で、パゾリーニにとって、〈「現実《リアリティ》（性）」（すなわち、モノがそのモノとして、そのモノのままに存在すること）〉の関係性が重要なのだ、と指摘する。それは映画の手法にも表れているし、拘りは、パゾリーニ自身の評論にも書かれている。パゾリーニの評論集『異端的経験論』（一九七二年）のなかの小品の評論に次のようなくだりがある。

　映画の実質は自然主義だ、とだれもがいう。じっさい、ぼくはあえていう、「もしも映画言語を通じてぼくがひとりの赤帽を表現しようとするならば、ほんものの赤帽をつかまえて彼を再生する、その声も肉体もだ」（略）

　映画は、すでにいくどとなく述べてきたように、際限のないひとつの長いショットによるシークェンスであり、ひとりの男が生まれてから死ぬまでのあらゆる仕草、行動、ことばをあるがままに再生する不可視のマシーンによる理想的かつ現実的な無限の再生である。

（ピエル・パオロ・パゾリーニ「自然主義の恐怖」花野秀男訳、「ユリイカ」一九七四年七月号）

映画は、一続きの現実の再生というパゾリーニの映画思想が語られている。その方法は、切断されたショットの連続性というモンタージュの手法や、一つのシーンを様々な角度から繰り返し撮る方法によって実現される。

春日井建の詩はこの思想を詩句にとじこめて、「夢に生命を刻むおれ自身が／落ちる」と結ぶ。「ひとりの男」の一生のあるがままの無限の再生という映画思想は、翻って「おれ」の無限の再生、「落ちる」＝映像に定着される。ダブルフレームそのものの表象といえよう。春日井建はそこにパゾリーニの思想を見ている。

次の4は、映画の中に語られている神、大衆、福音、死について書かれる。

◆「パゾリーニ小論」4

4

風説を信じるなら
おれは革命月の処刑の丘で
親殺しのために縛された裸に
屍衣さながらの雲をまとっていた

足もとには母が泣き崩れて
頭蓋の峡《はざま》で　鶯が
神の模倣者の汚辱を
精魂つきはててなお歌っていた

豚小屋へ運んだ蹠《あしうら》は
もうすっかり洗い清めたか
濯ぎの水をすくう手は
どこから伸びて消え失せたか

おれが中傷に輝けば輝くほど
大衆侮辱の罪は深まろうに
血のうせた愛は
断じて面をふせはしない

福音とはむしろ沈黙だ
猥雑な音の絶えた闇より

沁みいでる陽炎だ
してみれば死とは
最良の春だったか

おれはもはや語らぬ
語らぬ丘が暮れていく

これまでの1〜3まで、すなわちパゾリーニの現実の死から、少年・青年期に影響をうけたカザルサ地方での経験や思想、映画作品の世界まで、様々な側面から描かれてきたパゾリーニ論は、4が最終章になる。ここでは、パゾリーニの映画に一貫している一つの思想的モチーフをとらえ、パゾリーニ論の締めくくりになっている。

この詩の第一連の「おれは革命月の処刑の丘で」の「丘」からは、一九六四年の映画「奇跡の丘」が連想される。この作品は「マタイによる福音書」を忠実に再現したものだと言われている。が、既存のカトリシズムや聖書の絶対化を説くような内容ではなく、あくまで客観的に、荒野に立つ一人の人間としてのイエス・キリストの誕生から磔刑、復活までのプロセスが描かれた映画だ。とすれば、この「丘」はイエスが十字架の刑に処せられたゴルゴタの丘と言える。無神論者、同性愛者、マルキストとしてのパゾリーニにしては、聖書に忠実な映画「奇跡の丘」は自己矛盾である。この作品についてパゾリーニ自身「私はこれを古典的な話として語ることはできなかった。なぜなら私は、キリスト教信者ではなく、無神論者であるからだ。だが他方、私はこの映画が撮りたかった。つまり、神の子であるキリストの物語が描きたかったのである。」と、この映画制作における問題点を意識した発言があるが、なぜ、無神論者でマルキストのパゾリーニがこの映画を撮りたかったのか、本当のところは分からないままである。一人の人間としてのイエス・キリストという自然な描き方に、アンチ・カトリシズムや、現代の革新的な行動的な青年像を重ねる評者もいる。が、それも、パゾリーニにとって、人間存在にある原初的な「聖」なるものの本質を問うためだったといえるかもしれない。人間が生きてあるなかにおいて、「聖」とは、穢れなく尊いということは、どうあるのか。パゾリーニの映画には「聖」と「性」が重層的に扱われているように思われる。

次の詩行の「親殺しのために縛された裸に」の部分に、映画「アポロンの地獄」（一九六七年）が思い浮かぶ。「アポロンの地獄」は、ギリシャの詩人・ソフォクレスの戯曲「オイディプス王」を、パゾリーニが脚本を書き、監督した作品。しかし、この作品は古代的なものではない。内容は、不吉な運命の予言を背負ったオイディプス王が、それと気づかずに父親を惨殺し、母親と関係するが、真実を知って両眼をえぐるという、ギリシャ神話のオイディプス伝説に倣っているが、映画は三つの部分に分かれていて、プロローグとエピローグは現代の風景の中に描かれている。第一部は二十世紀初頭のテーベを背景に少年の子供時代の思い出で組み立てられている。第二部は古代ギリシャを舞台にオイディプス神話のイメージで展開される。第三部は現代。一人の盲人（＝オイディプスにそっくりな顔）

が若者の肩につかまりさまよって行く。この映画は「私の自伝的なものである。この映画では、私は自分自身のエディプス・コンプレックスを語ったのである。」とパゾリーニ自身が語っているが、それを越えて、オイディプス神話のテーマは、パゾリーニにとって「マルクス的、フロイト的発展」であった。彼はそう語りながら「この映画の悲劇は、子供時代のイメージが、すでにまったく死というものに浸されていて、そこで実際上、映画は終っているのに、それからさらに、生のテーマに立ちむかうというところにあるのである。」(「パゾリーニ全自作を語る」)という。

パゾリーニにとって、キリスト教の福音書もオイディプス神話も、すべてが現在の人間存在と繋がっていなければ意味がない。それを春日井建の詩は捕まえていく。「革命月」とは一九六八年のフランスの五月革命だろうか。ゴルゴタの丘で十字架にかけられたキリストや、親殺しの罪を犯したオイディプス王を通して描かれたのは、人間存在の生の悲哀であり、おれは、死者の衣のような雲をまとっているのである。

二連目の「足もとには母が泣き崩れて」は、やはり映画「奇跡の丘」の磔刑にされたキリストの十字架の足元に、泣き崩れている老いたマリアのシーンが思い出される。老いたマリアの役が、パゾリーニの母親だったというが、キリストの母マリアとパゾリーニの母が重なり、「神の模倣者の汚辱を」は、キリスト＝メシア＝救済者でありながら自分を救えないイエスを指しているだろう。「聖」なるものはまた「神の模倣者の汚辱」にまみれているものでもあると。しかし、それは決して非難されるものでもない。人間が生きてあることにおいて、もっとも自然であるとはそういうことではないだろうか。鶯が「精魂つきはててなお歌」をやめないことが、汚辱と聖性の同一性を象徴している。

　第三連の「豚小屋へ運んだ蹠《あしうら》は」には、やはり映画「豚小屋」（一九六九年）が意識されている。この「豚小屋」は、二つの物語が交互に語られるという形式をとっている。一つは、まだ火縄銃が使われていた時代、火山灰の丘に青年が登場する。飢え死にしそうなので若い男は、昆虫を食べ、石で蛇を殺して食べる生活をしていた。あげくの果てには一人の兵士を食べ、食べ残した首を噴火口の中に抛りこむ。そのうち、若い男はもう一人の男と行動を共にし、女囚人を連行する馬車を襲撃して、女囚は強姦され、若い男ともう一人の男と女囚たちで殺人・食人グループを作り、若い女性を襲って斬首する。それを目撃したお供の男が逃げて、司祭に報告し、このグループは兵士たちに取り押さえられる。若い男ともう一人の男の死刑が執行される時、もう一人の男は目の前の十字架に口づけするが、若い男は、口づけもせず、微動だにしなかった。殺人・食人グループのメンバーは火山灰の山腹に仰向けに縛られたまま放置され、野犬の餌食にされる。縛られているとき若い男は「僕は父を殺して人肉を食べた。今僕は喜びに震えている」と呟く。

　もう一つの物語は、現代。ドイツのボンが舞台である。大実業家の息子ユリアンは父の仕事に無関心で、豚を相手にした性行為にのめり込んでいた。実業家の父は業界のライバルから業務提携を持ちかけられ、その新会社設立のパーティーの夜、農村の人々が面会にくる。応対した業界のライバルに、村人は、ユリアンが農村にある豚小屋にやってきては、豚を相手に獣姦を働いていたが、今回はユリアンが豚に襲われて全身を食いちぎられ、跡形もなく食べられてしまった、と報告した。靴やボタンも何も残っていないという村人に、業界のライバルは「誰にも言うな」という。

砂漠の若い食人の孤独な男と、近代都市のブルジョアジーの生態という二つの物語が交互に語られる。カニバリズムと獣姦、どちらもグロテスクだが、若い男の言葉「僕は父を殺して人肉を食べた。今僕は喜びに震えている」に、オイディプス神話の父親殺しが重なる。豚と交わり豚に食べられてしまったユリアンという青年は，存在を抹消されてしまう。「人間の離反」がこの映画のテーマだとパゾリーニは言うが、そこにはマルクス主義者であるパゾリーニのブルジョアジー批判も含まれているだろう。

春日井建の詩は、足を洗い清め、濯ぎの水をすくう手は消え失せて、何かと物議をかもし、誹謗中傷にさらされるパゾリーニを肯定している。たとえ大衆侮蔑の罪で中傷されても、おれは、輝いているのだ。「血のうせた愛」とは、パゾリーニが追究していた「人間の離反」の原因なのだから、「断じて面をふせはしない」という決意の強さを表す。

第五連の「福音とはむしろ沈黙だ」の「福音」には、「良きしらせ」という意味があり、イエス・キリストの説いた神の国と救いの教え、だという。救いは、沈黙であり、音の絶えた闇から染み出るように立ち上る陽炎のようなものだ。春のうららかな日に、あるかなきかに見えるはかない陽炎が福音なら、死こそ最良の春といえるかもしれない。「おれはもはや語らぬ」とは、パゾリーニの現実の死も意味されているだろう。「語らぬ丘が暮れていく」は四章の第一連に戻って、処刑の丘のイエス・キリストを透かしてパゾリーニの存在が浮き出る。

パゾリーニにとって、「奇跡の丘」は監督として大きな出発点ともなった傑作であり、「アポロンの地獄」、「豚小屋」も、それぞれ特徴的な作品である。春日井建の詩は、それらの映画を暗示させながら、「マタイによる福音書」、「オイディプス王」などの神話と現在を繋ぐパゾリーニの思想を書き記した。「聖」と「神の模倣者の汚辱」との同一性、エディプス・コンプレックスが媒介になった「死」と「性」の在処、カニバリズムや獣姦の裏側にある「生」と「性」の関係、それらはすべて人間という複雑な存在そのものの証でもある。無神論者でマルキストのパゾリーニの思想に、春日井建は、こう結論付ける。

「福音とはむしろ沈黙だ」

「してみれば死とは／最良の春だったか」

と。

◆「Sへのメッセージ」と「肖像」

現代歌人文庫『春日井建歌集』（国文社・一九七七年六月十日発行）の「プライベート・ルーム」の「日録」に次の詩が収録されている。「日録」は、三日分しかなく、すべて某月某日と書かれているだけで、日付はない。歌集の発行年からみて、この詩が書かれたのは一九七七年六月以前。詩の内容から季節は春とすれば、直近で、一九七七（昭和五十二）年三月から五月頃ではないか、と思われる。

父・春日井瀇の逝去によって「短歌」の編集発行人を引き継いだのが一九七九（昭和五十四）年六月だから、『行け帰ることなく』の発行を期に歌から離れて、短歌への復帰以前の作といえよう。この詩の前には次のような日録が書き付けられている。

某月某日・釣りから帰ってぐったりしている。キスはもうひと潮こないと本番ではなかった。今度はメバルをやろう。メバルをやると、魚信のかけ始めに感じていた重みが急に軽くなることがある。メバルが水圧の急変で浮袋を口から吐きだして放心状態で上ってくるからだ。思想の激変する青春前期私もまた浮袋を口から吐きだした気がしたことがある。Ｓの浮袋は大丈夫か？　Ｓへメッセージを送る。

＊

東の空がしらむころ
はじめての魚信
春のキスは足で釣れ
軽やかに素足で釣れ

当りは秋ごろに較べると柔らかく
食いこみも浅い
少年の棹にもキスがくる
蛇のようなスプールの音
おまえの呼吸にあわせて
わたしも息を吸って吐く
このひととき
あらゆることばの非在ゆえ
水面はかくも平らかである
入江は仄明るみ
すべっていく筏
沖合にもキス釣り舟五・六隻
たぐりあげる影が
夭い知恵に濡れて跳ねている

春日井建の歌に海の歌はあるが釣りの歌は見ない、と思う。しかし、この日録からすれば、一度ならず、海釣りを経験しているのだろう。少年と釣りに行って帰った日の疲れのなかで、少年Sのことを思いやっている。浮袋を口から吐きだしたメバルは、若いころの自分だった。詩は、少年Sへのメッセージとして書かれている。

私はほとんど釣りについて知識がないが、調べると、キスの投げ釣り（砂浜や堤防での釣り）は三月から五月頃に始めるとある。詩に書かれているように、当りは柔らかく、「食いこみも浅い」のだろう。九月から十月には十センチ前後のキスが波打際で簡単に釣れるそうだから。餌を求めて移動する春のキスを釣るなら、キスの移動につれてポイントを探して歩かなくてはならない。「足で釣れ」はそういう意味だという。「軽やかに素足で釣れ」は、少年の素直に伸びた若い足を連想させる。

魚信は、魚が餌にふれたことが棹や糸に伝わる、当りのことだそうだ。少年と二人、キスを釣りに、まだ暗いうちから釣り糸を垂れていると、空がようやく明け始めたころに、当りが来た。少年の棹にもその感触が伝わってきて、二人は釣り棹の糸を巻きとるリールをたぐる。その巻き上げる糸の蛇行が蛇に似ているのか。真剣に釣り糸を引いたり緩めたりしながら、釣り上げる。緊張感が広がって、言葉はなく、少年と私の呼吸のリズムが重なって聴こえる。呼吸を合わせる一体感に満たされて心も平らかであり、眼前には仄明るい入江、魚釣り筏、沖合のキス釣り舟などが穏やかな風景画のように広がっている。「濡れて跳ねている」のは、釣り上げられた魚の影か。「夭い知恵」は、釣りをする少年の真剣な眼差しへの思いが感じられる。「Sの浮袋は大丈夫か？」という気遣いや思いやりと同時に、場面と人物とことばで築きあげる美意識を内包した、春日井建の詩の世界がある。

この詩が収録されている日録の後に、〈某月某日・映画「地球に落ちて来た男」を観る。〉という内容を含む日録が置かれている。その映画「地球に落ちて来た男」はイギリスのSF映画で、日本公開が一九七七（昭和五十二）年二月である。日録の「某月某日」には日を特定したくない意図があり、それはまた部分的な仮構を許す方法でもある。故に、詩の中の少年も、Sも、虚構か実在する人物か、は定かではないがそれでいいのだと思う。書かれた詩のことばが、世界のすべてなのだから。

ここで、今一つ、制作時期の不明な作品を紹介しておきたい。この詩は、スクラップブックに文字の切り貼りで作成されているもので、最後に、三色すみれの花弁一枚の押し花がテープで留められている。

（文字の紙片一枚に書かれている文字を一行に表示し、違う紙片との間は一字空けで表示する）

肖像

煮えたぎる　息苦しさ
愛に渇き、
さまざまな欲望　にひきちぎられ
、厭わし　く彷徨する、
偏見なき
精神

鏡で見たけど
美しい顔の
あの傲岸で
自由の
、怖るべき
むしろ素朴な
夢と沈思にうち沈　む内気な少年　膝をだした芸人

なるほどね。
なるほどね
わたしはね。
もっぱら　死ぬほどに　退屈だ

好んで
日常生活　と
仲がわるく
ついに　有罪とされ、

すこしも驚かず、
これに乗じて　自らの宿命にとじこもる　結晶するもの
滑稽すぎる　現実の　坩堝　をみつめる
それほどの　視線には、
愛がにじみで　てるのね。

存在　………… なんとい　っても　免れがたい　この　事実

そして　真の死　の　一分前に、　吐血して　蘇る
おまえは、　天文学的で　気の遠くなる　よう　な　少年
そうよ、
ぜったいない　死んだ　体験　を果した。
まあ、　それは
どこから見たって　おれの　方法
…………………… おれ　の　思想

いやそれは
死活の　可能性
　　創造力
現実との　和解　にいたる
脂ののりきった　詩
詩にならない　　詩

　この「肖像」という詩が、いつ頃制作されたものか、現在推し量る材料がない。スクラップブックは、ＤＡＷＮ　ＢＥＬＬのマークがついているもので、裏表紙に「松坂屋・一一〇円」のシールが付いたままになっている。それはこのスクラップブックが、デパートの松坂屋で買われたものである事と百十円で買うことが出来た時代だったということを示しているが、詩については手掛かりがない。ただ、現代歌人文庫『春日井建歌集』（国文社）の「故郷について」というエッセイのなかで、「この作品（筆者註＝短歌作品「血忌」）を書いた二十歳のころ、私は現実と折りあいが悪かった。どうしても周囲の日常性にしっくりなじめなかった。」や、「傲岸な青年だった私は、」という記述があることから、春日井建と詩「肖像」のわたしとの相似性を見ることは可能だろう。

　若いわたしの肖像は、容姿を写すというより、その人物の感情や精神の表現によってあらわされる。まだ偏見を持たない若い精神は、愛と欲望の息苦しさのなかで彷徨っている。やり場のない感受性の発露である。

鏡に映る顔は美しいけれど、内面は奢り昂って、自由で素朴で、夢みると同時に考え込む内気な少年なのだ。「なるほどね」と、その在り方を認めながら、わたしはといえば「死ぬほどに　退屈だ」という。「死ぬほどに　退屈だ」は、青少年期の憧れや期待と自分の気持ちとの落差を見据えている。「日常生活　と／仲がわるく」は先に挙げたエッセイとも同調している所だが、それは「好んで」そういう態度をとり、自らの中に閉じこもる自我の所在を証している。これらは青少年期の心的状態の特徴の一つともいえる。現実の熱狂を滑稽と視る冷めた視線に、愛も見ている複雑で矛盾した心理。

やり場のない感受性の発露、傲慢と同時に内気で沈思する内面、日常から離れようとする自我、現実を滑稽すぎるというアイロニー、そのすべては超克できない「存在」しているという事実に起因する。若さは、死を乗り越えようと、死ねない死の体験を夢みる。死の一分前に蘇るという夢想。若い思いは、思想に死ぬか生きるかという極端な可能性と創造力を求める。現実との和解の方法は、「詩」の言葉にしかならない。脂ののりきった巧みな詩と、詩にならない未熟な詩の対比のように、この詩は、そのまま若い肖像に十分言葉を与えている。最後にテープで留められた、三色すみれの花弁一枚の押し花が、肖像のすべてを象徴しているように思われた。

9 「国鉄旅路」創刊号と終刊号の詩

春日井建には一九六八（昭和四十三）年一月に発行された「国鉄旅路」（国鉄・現ＪＲの月刊ＰＲ誌、名古屋鉄道管理局旅客課編集／国鉄旅路の会発行）に、創刊号より一九八八（昭和六十三）年の終刊号まで二十一年間、掲載された詩作品と、一九九三（平成五）年四月から二〇〇二（平成十四）年三月まで「いきいき中部」（建設省・現国土交通省の中部地方建設局ＰＲ誌）の巻頭に掲載された詩作品が存在する。これらの作品は、雑誌の企画や特集によって、写真とのコラボレーションという形であった。二つの雑誌の詩作品を合わせると三百五十篇近くの詩が書かれている。詩集『風景』（人間社）が発行されたのは、春日井建没後十年の二〇一四（平成二十六）年五月二十二日。著作権者である森久仁子氏の意向によるものである。生前、春日井建自身が構成して「風景」と名付けていたが、その後の病気によって、詩集の原稿は初校の段階で出版社に戻ることが無かったものである。詩集に収められた作品は「国鉄旅路」と「いきいき中部」に発表した作品から六十五篇を、春日井建が厳選し、一部を改題、加筆したもので、うち十三篇が「国鉄旅路」発表の作品、二篇が初出誌不明という。この詩集に収録された作品すべてについて取り上げるというわけにもいかないので、私の取捨選択によって、何篇かを紹介しようと思う。

が、詩集『風景』の作品に入る前に、この詩集には収録されていない「国鉄旅路」創刊号に掲載された作品と、同誌の終刊号に掲載された作品を取り上げておきたい。この「国鉄旅路」への詩作品掲載は、詩人・春日井建としての連載であり、詩をコンスタントに書く重要なきっかけになったと思われるからである。

まず、「国鉄旅路」創刊号（一九六八年一月一日発行）に掲載された詩である。「季節の詩《うた》」というシリーズ名はあるが、詩の題名はない。「暮色せまる御嶽山」というキャプションが付けられている御嶽山の写真に、詩が添えられている。

雲がただよい
日が照り　曇り
遠く明りがうつっていく

獲物をうつ
猟銃の音がして
風が白いしじまを渡る

ごらん
逃げていく兎に
雪の山はふかい

谺《こだま》のかえる村は
今　炉に火をいれるころ
安息の冷気に満ちるころ

写真に詩を添えるという条件は、どうしても表現の世界を制約する。その写真から受ける印象を活かしながら、詩の言葉は自立したイメージの世界を拡げようと抗う。こうして写真をはずして、言葉だけを取り出すと作品の本来的な詩の言葉の世界が見えてくる。

詩は、雲が流れると「日が照り　曇り」と、雲のすきまから漏れる光と影、空の様子を描写して、次に銃声の音が響く空間から、その銃声に驚いて突如飛び出して逃げていく兎へと移動する。雪山の白い風景に逃げる白い兎の姿が溶け込む。目線が空から地上へ動き、風景のなかに兎を追う。山や谷に反響して谺は村に届く。村の冬の夕暮れ時、どの家も炉に火をいれる。ゆっくり休むための夜は冷えてゆく。白い雪山の風景の中に、猟銃の音と小動物の兎と、雪に閉ざされる村の家の炉の火へ、春日井建の想像が拡げられている。一枚の御嶽山の写真に添えられる詩のなかに「ごらん」という言葉が、春日井建の生な肉声を少しだけ主張している。
　次に終刊号の詩について。この終刊号は「岡山」の特集。瀬戸大橋の写真に添えた春日井建の詩には「橋」という題が付けられていた。

橋

手をさしだす
君が握手をかえす
一つの信頼がつながれる
人と人とのこころの上に
そのようにして
人は幾度も幾度も
橋を架けてきた
素早い流れの上に
逆巻く渦の上に
離れていたものが結ばれて
視野が大きくなる
君が微笑む

信頼が形となって
世界が身近になる

瀬戸大橋は岡山県の児島と香川県の坂出を結ぶ海峡部の長さ約九・四メートルの橋で、いくつかの島を繋ぐ。一九八八（昭和六十三）年四月に全線が開通した。「国鉄旅路」の詩はいつも十五行前後の短いものであり、題名のない詩が多くあったが、その時々で題が付けられたり、特集と関係のある写真が添えられたりした。瀬戸大橋の全線開通はやはり当時の話題になった事柄であっただろう。瀬戸大橋の写真につけられた詩に「橋」という題があることもうなずける。

島と島を繋ぐ瀬戸大橋の写真から、連想されたのは人と人との繋がりである。差し出した私の手に君の手が握手する。握手が人と人との信頼に繋がっていく。たんなる儀礼ではない握手を、こころの架け橋に繋げていく。信頼は人と人を繋ぎ、「幾度も幾度も」に人への限りない深い信頼がかけられている。「素早い流れの上に」や「逆巻く渦の上に」に瀬戸大橋の下の潮流の早い海、激しく波立つ海の様子が描写される。速い潮流や逆巻く渦は、人と人との関係の上に現れる渦でもある。その渦の上に架けられた橋は、離れ離れの島々を結び人の行き交う道をつくる。橋によって交通は容易になり、人々の往来も増し、時間も空間も広がってゆく。私の差し出した手に握手を返した君の微笑みは、ゆるぎない信頼を表している。島と島を結ぶ橋は、人と人とを結ぶ信頼の象徴のようでもある。人と人が結び合えば、世界はより身近に広がっていくだろう。瀬戸内の島を繋ぐ瀬戸大橋の美しい景観に、人と人の信頼の象徴を見る春日井建の言葉は、人間の世界へと還元される。橋から心の架け橋への連想は一般的だが、春日井建の誠実さが垣間見える詩の言葉だ。

「国鉄旅路」創刊号の詩と、この終刊号の詩が詩集『風景』に収録されなかった本当の理由は分からないが、どちらの詩も、写真と詩の言葉の距離が近かったからではないだろうか。写真と詩のコラボレーションでは、写真と詩の言葉がマッチしている場合ほど、詩だけを独立させた場合、言葉の世界の脆弱さが目立つということが起きる。創刊号の詩も、「橋」という詩も言葉だけにした時、春日井建は、想像の世界を思うほど拡げられていなかったことに気付き、これらの詩を詩集の構成から外したのではないだろうか。そんなことを思ってみる。

10　詩集『風景』論——時間の流れの中に風景を取り込む

さて、詩集『風景』は、春日井建が生前に構成してまとめていたものだという。詩集に添えられた福島泰樹氏の解説によれば、この詩集を春日井建がまとめたのは、一九九九（平成十一）年春。その時期については、一九九三（平成五）年から「いきいき中部」の編集を担当していた人間社の高橋正義氏が、一九九八（平成十）年に編集担当から離れた時期に、春日井建との間で詩集発行の話が進められたことによる。「いきいき中部」には、二〇〇二（平成十四）年まで春日井建は詩を掲載していたが、詩集『風景』には、一九九八年以降の作品は収録されていないこともそれを裏付けている。しかし、ちょうど詩集発行の話と同時期に、春日井建は中咽頭癌を発病し、詩集は初校の段階で止まったままだった、という。初校は、春日井建に渡されていたが、返ってくることはなかった。そこで、没後十年、高橋氏の手元に残った初校原稿をもとに、詩集『風景』が発行された。私が春日井建を病院にお見舞いした時にも、詩集を出版したいが、その原稿がどこかに紛れて分からない、ということを聞いていた。だから、没後十年であれ、詩集『風景』が発行されたことは、とても喜ばしい事だった。

詩集『風景』には六十五篇の詩作品が所収されている。この六十五篇の作品は、生前、春日井建が詩集のために厳選した作品だという。作品は、三つの章にわけられている。春日井建の意図を知ることは出来ないが、制作年順ではなく構成されているので、私の推察では、Ⅰ章は、季節感を考慮して、Ⅱ章は樹木を対象に、Ⅲ章は時間を中心にして纏められているのではないか、と思われる。それで、各章から三〜四篇を選び、読んでいきたい。Ⅰ章の冒頭の巻頭には「出立の日に」という詩がおかれている。この詩は、一九九三（平成五）年四月の「いきいき中部」に掲載された作品である。それは「国鉄旅路」の詩の連載が終り、「いきいき中部」の連載が始まった最初でもあった。

◆I章　「出立の日に」、「窓」、「牧場にて」、「林の中で」、「デスモルチルス」

出立の日に

季がきたのを
萼の奥の淡紅色の花芯が
ほのかに感じとる
光が弾むのを
梢の先の開こうとする花弁が
いち早く気づく
万朶の白花が
いっせいに勢《きお》いたつ
その日
きみは
新しい決意に身をひきしめて
発《た》っていくだろう
花は　咲ききわまり

さらに
もっともっと咲き尽くそうと
いのちを燃やすだろう
澄んだ空気のなかで
大空を背景にして

四月、新たな詩の連載の始まりにふさわしい題名。写真は桜の花だったが、花とだけ書かれている。蕾が春の光を感じ取り花弁を開いてゆく。その微細な花びらの動きをとらえながら、光のなかに花開こうとする多くの白い花の勢いを、いのちを見ている。そんな日、きみは決意を新たにして出発する。花もまた咲き尽くそうと命を燃やす。花と旅立っていくきみの決意のすがすがしい強さが、澄んだ空気と真っ青な大空に映える。まこと「出立の日に」ふさわしい情景で、この詩を巻頭にもってくるところも、構成に拘る春日井建らしい。詩のなかの「きみは」、不特定多数のあなたであり、歌人であった自分自身に向けられた言葉でもあったと思われる。著名な歌人として何冊も歌集を持つ春日井建にとって、詩集発行は特別な意味を持っていたのだろう、と、この巻頭の詩に込められた春日井建の心に思いをめぐらす。

窓

春の風が吹いている
蔓草の青い葉ごもりに
小さな窓がある
そのはるかな家で
弟は始めての書を読んだ
それまで読んだ本は本ではなかった
弟はぴったり窓を閉ざしている
知るとは怖ろしいこと
読んだ言葉が荒れ狂う
知ってあたらしく生きるのに
夜明けの呼吸はまだ幼い

この作品は、「国鉄旅路」一九七二（昭和四十七）年二月号に掲載された。写真とのコラボレーションという形だったので、この詩と一緒に掲載された写真は「岡山県倉敷市／カフェ・エル・グレコ」であると、詩の欄外、ページの下方に併記されている。倉敷市のカフェ・エル・グレコを知っている人には具体的な場所や店の様子などが思い浮かぶだろう。しかし、それはイメージの世界を限定してしまうという面も持つ。私は、できるだけ写真の撮影場所を意識しないで読みたいと思う。言葉の自由な世界へイメージを拡げたいという意味で、これ以後は付記されている場所を表記しないことにする。

春、蔓草の葉に被われた小さな窓のある家。その家の場所は限定されない、はるかな場所。弟が始めて読んだ本とは、それまで読んだことがなかったような本とは、どういう本だったのか。閉ざされた窓は、弟の内面を物語るようだ。知ることは喜びだが、感銘を受けた書物の影響でその後の人生が大きく変わることもある。「知るとは怖ろしいこと／読んだ言葉が荒れ狂う」とはそういう意味にも解せる。知ることで新しい世界へ一歩を踏み出すこともできる。しかし、まだそれには幼過ぎるのだという。「夜明けの呼吸はまだ幼い」は、新しい時代への息吹がまだ感じられないということと、若い弟の幼さの両方に暗示的である。閉ざされた窓が開かれるときは、弟にも私たちにも新しい世界へ踏み出すときだろう。窓はこころや行動の象徴でもあると思う。

次は「父と私」が書かれている作品を二つ挙げる。

牧場にて

雲が
白いしずけさを積み
刈りとられた草が
安息の気分をはこぶ

山麓の牧場
この草いきれの中に寝ころぶと
子供のころが帰ってくる
父は私に草の名を教えた
鳥の名を教えた

教えてくれた草や鳥が
今
私のこころのなかで生い繁り
いきいきと羽をひろげる
そして
私は香りの高い草となる
涯《はて》のない空を飛ぶ鳥となる

この詩は「いきいき中部」の一九九八（平成十）年九月号に掲載されたものである。牧場だが、牛や馬などの動物が描かれてはいない。刈り取られた牧草は動物たちの餌になるのだろうか。牧草の草刈り時期は最初は初夏から秋にかけてときく。白い雲、草いきれ、安息のときはそんな季節だろう。

その草の上に寝転ぶ私。少年のときの記憶がよみがえる。それは幼い私と父との会話。草の名前や鳥の名前を教えてくれる父を大きな存在として見上げていたころの記憶だ。その父が教えてくれた草や鳥は、今、私の中で生き生きと育ち、羽根を拡げて大空を飛ぶ鳥に成長した。成長を信じる素直な明るさが表現されている。詩の一篇は雑誌に掲載されるために制約を受けていて、一番長いものでも二十行前後となっている。

林の中で

林の中の
日のあたる道を
歩きながら
年をとると
散文的になるね
とそのひとは言った
枝という枝が
木漏れ陽を受けて
ことごとく燦《きら》めいた
父と別れて何年たったろう

あの日の父は
今日の私だ
私は周囲を見わたして
かさかさ音のする
落葉を踏んだ

林の中を、私とそのひとは歩いている。「年をとると／散文的になるね」という、そのひとの言葉はどんな意味だろう。散文的という言葉の対立語は「詩的」である。詩的でない、すなわち散文的とは詩情に乏しいことを意味する。詩情、情趣に欠けるのは年を取るからだけではない。けれど、私はその言葉に反応して何年か前の父と別れた日のことを思い出している。今の私はあの日の父と同じ年齢だ。落葉を踏むかさかさという音が、季節の秋を、父の年齢を、今の私の年齢を喚起する。前掲した詩「牧場にて」のいきいきとした世界と比べると、木漏れ陽が光の影をつくっていて、年を経るということを考えさせる作品である。この作品は、「いきいき中部」の一九九七（平成九）年十二月号掲載だから、「牧場にて」よりも約一年前に制作されているものである。この二作品の「私」の在り方をみても、春日井建が自己の歳月に合わせて作品を書いているのではないこと、彼の詩意識をうかがうことが出来る。

Ⅰ章の最後の詩を引用する。

デスモスチルス

過ぎた歳月を惜しむな
私は曝《さら》されて立つ
永劫の番人となることを夢みながら
すきとおる寒さを越えて
私は光と共に在る
失った肉を悲しむな
空洞となった私は
もはや目蓋さえ閉じることができぬが
私は知っている
遥かなる日に
数えきれぬ愛の技をもって
私は光の淵を渉《わた》っていた
その追憶に浄《きよ》められて
私は抽象の古代と成り果《おお》せた

デスモスチルスとは、中新世（地質年代の新生代新第三紀中の、約二三〇〇万年前から五三〇万年前）中期から後期にかけて生息した半海棲の哺乳類で、体長二～三メートル、体重約二百キログラム、ずんぐりした体軀と頑丈な四肢をもつカバに似た動物だという。岐阜県瑞浪市では世界で初めてデスモスチルスの頭骨の化石が見つかっていて、瑞浪市化石博物館にはその骨格標本などが展示されている。その古代生物の骨格標本を見て書かれた詩だと思われるが、まず、その生物の名前が面白い。歯の形状が、柱を束ねたような形から、ギリシャ語のデスモス（束ねる）とスチル（柱）をあわせて、デスモスチルスと名付けられたようだ。

詩はその骨から語りかけられているような世界をみせる。「過ぎた歳月を惜しむな」は、この古代生物から私たちに発せられた言葉のようにも思われる。私たちが実感できるのはせいぜい百年。この生物が生きていた二三〇〇万年前という膨大な時は想像を越えている。目の前に、さらされて立っているのは骨だけのデスモスチルスの私。無限に長い年月の番人のように、光の中に今も骨をさらして立っている。「失った肉を悲しむな」も、この骨格だけの標本から発せられている言葉ともとれる。まったく骨だけになって私はここに立っている。空洞となった私、目蓋さえ閉じることが出来ない私、が物語るのは逆説的に、生きていたころのデスモスチルス。だが、それはまた、すべてを失くしたあとの私たちの喩でもある。何千万年という時を越えて数えきれないほどの愛で、光年を越えた時間を渉ってきたデスモスチルスは、追憶の骨としてここに立っている。私の骨は、古代生物という抽象として人々の目の前に存在する。

デスモスチルスという古代生物の骨格標本は、膨大な時間を越えてその姿を現前させている。それは私たちが生きている時間を遙かに越えて、死後、絶滅のあとも骨として古代という時間を今にさらす。時間に終りがあるのだろうか。古代生物の骨が私たちに語りかけるのは、時間への問。それは生きてある時間、死後の時間、生死の外を流れる時間、物としての時間であろう。

この詩は「国鉄旅路」に掲載されていた作品で、初出時は「瑞浪化石」という題が付けられていたが、詩集では「デスモスチルス」と改題されている。言葉からイメージを創り出す詩としては、「デスモスチルス」の方がいいと思う。そんなところにも、春日井建の言葉に対する感覚をみるように思う。

◆Ⅱ章　「臥龍」、「高木」、「自然」、「座っている」

臥龍

老いた桜が
ゆるやかに動いたのは
風のせいではあるまい
かりそめに桜と名づけられた
龍が伏したまま

すこし躰を動かしたのだ
うす紅いろの
ひんやりとした鱗が
一枚散った気がしたのも
気のせいではあるまい
やがて臥龍が
はらはらと全身の鱗を落とす
その修羅に
立ちあうことは
怖ろしいと思いながら
誰もが
その時を夢見ている

詩は、老いた桜の木を躰を伏せた龍として見ている。桜の木が風に揺れるのではなく、龍が躰を動かしたのだ。「うす紅いろの／ひんやりとした鱗が／一枚散った気がしたのも／気のせいではあるまい」と、これはあくまで桜の花びらではなく龍の鱗がこぼれた落ちた様子を描写している。うす紅いろの鱗の冷たさまで伝わってくるような緊張感と美意識がある。臥龍が起き上がり、全身の鱗をはらはらと落とす光景を思い浮かべる。桜吹雪の光景ではなく阿修羅の目覚めである。絶えず闘争を好み地下や海底にすむとされる悪神が、起き上がり全身の鱗を落とす光景に立ち会い、夢見ることを思うところに、春日井建の根底にある美と表裏をなす修羅という意識がかけられている。この詩は、岐阜県高山市の臥龍桜の花の写真に添えられたものだが、写真などなくても言葉だけで自立している作品だ。桜を臥龍に見立てるのではなく、私たちが桜と思っていたものは臥龍なのだ。詩は臥龍が今にも動き出しそうな気配を感じさせて、桜のイメージを払拭してしまう勢いを持っている。

詩集『風景』の表紙に使われている写真に付された「高木」という詩がある。この樹は、樹齢六百年以上といわれる国指定の天然記念物の高野槙の巨木である。

高木

今が男盛りだ
コウヤマキの高木は
枝を大きく張って
すっくと立っている
葉を輪生させて
光を受けている
老いを知らぬ赤褐色の樹皮には

喜びや苦しみが
ウチワゴケやノキシノブの形をして
宿っている
セッコクの姿をとって
育っている
高木の年齢を問うこともあるまい
彼は歴史ではない
彼は闘って生きている
男の現在だ

樹齢六百年以上というコウヤマキの樹に、「今が男盛りだ」という修辞は、それだけでこの巨木の計り知れない生命を感じさせる。枝を張り、葉を輪生させ、光を受けている樹皮に宿るウチワゴケやノキシノブは喜びや苦しみの表象である。セッコクとは、小型の着生ランで白や淡いピンクの花をつける。着生植物は、樹上や石上に付着して生活する植物で、寄生植物とは異なりその相手から養分を摂取しないと言われる。この高木に着生しているウチワゴケやノキシノブやセッコクは、喜びや苦しみだが、それらを宿し育てている、受け入れている巨木の度量の大きさこそが、「今が男盛りだ」という所以だろう。

「高木の年齢を問うこともあるまい」は、初出では「彼は夢ではない」となっていた。また「彼は歴史ではない」の部分も初出では「彼は神話ではない」となっていたが、いずれも改稿されている。写真を外した時、言葉の弱さに気付いての改稿だったのではないかと思う。年齢など問うに値しないということとあげと共に、最後の三行、「彼は歴史ではない／彼は闘って生きている／男の現在だ」には、春日井建の今という時間に対する考えを読み取ることができる。樹齢六百年以上の歴史的な時間を否定して、今、生きてあることに価値をおく。闘って生きている、という生命との真摯な向き合い方が表明されている。「男の現在だ」には、自負が少し大げさだと思うも、この高木の樹齢を前にすると有無もなく肯う気持ちになる。生きてあることの大きさと異様さに息をのむ。

大木の詩をもう一つ引用する。これは静岡県の大瀬崎にあるビャクシンという樹についての作品。「自然」と題されている。

自然

ビャクシンは
半島の土に根をおろして
日ごとに変る
雲の分布を見あげながら
めぐっていく歳月を

どれほど見守ってきたことだろう
大陸風の腕をのばして
光をかかえこみ
木漏れ日を散らしながら
移っていく季節を
どれほど感じてきたことだろう
そして今
ビャクシンは知っている
めぐっていった歳月も
移っていった季節も
すべて自分だったことを
自分自身が
自然そのものだったことを

ビャクシンとはイブキのことだという。といわれても樹木に詳しくない私にはイメージがわかない。辞書を引けば、ヒノキ科の常緑高木で、太平洋側の海岸地方に生える、とある。この説明だけではやはりイメージが結びにくい。ただ、この詩を読むと、ビャクシンが樹でありながら、まるで生きもののような動きを示すところに魅力を感じる。植物の擬人化といえばいえるだろう。しかし、全くの擬人化ではなく植物の部分を残している所がこの詩のいいところだと思う。

例えば、「半島の土に根をおろして」いるのは植物の描写である。しかし、歳月を見守るとか、季節を感じる、知っている、というのは擬人化された表現である。一方、木漏れ日を散らす、は植物のビャクシンの描写だろう。この二つの描写が入り混じることによって、この詩のビャクシンが生き物のようにくねくねと動くような感じが出ている、と思うのは私だけか。それを最後に「自然」に返している。「自然」とは、自ずからあるがまま、という。人も木も季節も歳月もすべて「自ずからあるがまま」に返されているところがいい。

詩集『風景』のⅡ章には二十九篇の詩が所収されているがほとんど「いきいき中部」に連載された作品である。ここに取り上げた三篇の詩も「いきいき中部」に掲載された作品であり、時期的には一九九三（平成五）年四月から連載が始まって約一年が経過したころのものである。期せずして一九九四（平成六）年の作品ばかりを取り上げたが、この時期の春日井建は年譜を見ても取り立てた事柄が記されていない。それがちょっと不思議な気がする。が、一九九一（平成三）年に中部地方の歌人集団を牽引していた「中の会」が終会し、一九九二年に中部日本歌人会の委員長に就任し、愛知女子短期大学の教授という生活が順調に送られていて、公的にも私的にも、もっとも平穏な時期だったといえる。だから連載された詩の言葉のなかに時折、春日井建らしさがみえる作品は私を楽しませてくれる。

この詩集には、「いきいき中部」の詩の連載の前に、「国鉄旅路」に連載した作品も詩集の構成に取り込まれている。それは詩集を編むとき、どうしても入れたかった作品だったのだろうと思われる。その中で、一篇を引く。

座っている

蔓《つる》草の先が空へさまよいながら伸び
雑草の青い花軸が半分土に埋もれ
いいなあ　せいせいするな
涼しい風が吹いて
石仏は座っている
山の上の半月が大きな満月になり
満月がまたいつのまにか欠けて
速いなあ　うきうきするな
きれぎれの雲が飛んで
石仏は座っている
こうしてもう幾年になるだろう
季節はたえず移っていく

自然はそっとめぐっていく
呼びかけるものに応《こた》えつづけて
石仏は座っている

「石仏は座っている」というリフレインが、確固として動かない石仏の存在を際立たせる。一方、空へ伸びる蔓草や、風、山の上の月の満ち欠け、飛び去るきれぎれの雲など、たえず動き変化するものが石仏に対比される。季節は移ろい、自然は巡るという定式のような描写だが、そこに挟まれる「いいなあ　せいせいするな」や、「速いなあ　うきうきするな」がその描写の定型に違和を投じて、この詩を動きのあるものにしている。石仏と自然の中へ、人の話し言葉を入れ込むことで、世界は立体になる。風景が後方へ引いて、リフレインで強調された石仏の存在と人の話し言葉が強く印象に残る。石仏に呼びかけるものは、季節や風だけでなく時として人々だったりしただろう。素直な詩だが味わい深い。『風景』という詩集にこの詩を入れたかった春日井建の意図に触れえただろうか。

◆Ⅲ章　**「夜明け」、「青《ブルー》」、「茶」、「吹雪」、「桃の季」**

夜明け

朝が明ける

見えなかった気持が
形をとっていくように
山が形を表わしていく
たとえば愛
はじめは何も見えなかった
漆黒の山並みの向こうに
紫の山並みがたたなわり
やがて一条
朱に染まったかと見ると
それが大きく広がっていった
このように美しいものに
出会ったことがあったか
このような歓びを
かつて知っていたか
朝焼けのなかで
私はきみへの愛に再会する

この詩は一九九五（平成七）年九月の「いきいき中部」に掲載された作品だ。夜明けとともに山の端が白み始め朝のひかりの中に、山が徐々に姿を表していく様子が描写されている。それまで闇に閉ざされていた世界が、太陽が昇ってくるにしたがって、重なりあって連なった山並みがうっすらと姿を表し、太陽が昇りきると世界は一瞬にひかりのなかに姿を表す。御来光の荘厳さには、余分な修辞を排し「やがて一条／朱に染まったかと見ると／それが大きく広がっていった」という、てらいの無い素直な表現が見合っている。この朝明けの美しさを「愛」に喩えたところが春日井建の独自性だろう。見えなかった気持ちが、はっきりと自覚され、愛と確信できる歓びに満たされている。山の朝明けの美しさ、すがすがしさのなかで、私は、きみへの愛を再認識する。きみが誰なのか、どういう関係なのか、書かれない。荘厳なひかりのなかに思われる俤は、実在するのかどうか定かではないが、この「きみ」という言葉が次の詩「青《ブルー》」にも出てくることに注目して読んでみる。

青《ブルー》

なにもいらない
なにも願わない
ただきみの存在を感じている
空と水が溶けあうから
空に写った水のなかへくぐっていき

水に写った空のむこうへおもむく
そんな場所で
呼気と吸気との音すら聴こえそうな
そんな気分で
視野のかぎりの青《ブルー》と向きあっていると
願うことなど何もない
きみは遠い
測ることのできない距離
それでいてきみは近い
手をさしのべさえすれば届く
この茫々たる青《ブルー》を前に
ただきみの息吹きを感じている

この「青《ブルー》」という詩は、「いきいき中部」の一九九五（平成七）年八月号に掲載された作品だから、先に掲出した「夜明け」という詩の前に発表されているものだ。時系列からすれば「青《ブルー》」が書かれたあとに「夜明け」が書かれているということになる。この作品の方が、きみに対する思いが深いことがうかがえる。「なにもいらない／なにも願わない／ただきみの存在を感じている」というフレーズは、きみという存在の全肯定と無私の気持ちが込められている。空に映った水は、水に映った空の二重映写のようであり、「水に写った空のむこうへおもむく」は、水の中に入っていくことだ。その青しかない場所は、呼吸の息の音が聴こえるほど静かで青い世界なのだ。きみは遠くて近い存在としてそこに在る。遥かかなたまで青に浸されている世界で感じているのは、きみの息吹きだけである。きみの存在をただ感じているだけで何も願わないという青の世界は、詩の背景にきみに対する恋を感じさせる。そして、「夜明け」という詩は、山の黎明にきみへの愛の自覚が書かれる。

なぜ、作品の構成を恋から愛へという流れにしなかったのか。これは、Ⅲ章の最初の作品が「朝日」で「もうすぐ夜が明ける」という一行から始まっていて、次の作品に「夜明け」を並べることで作品の題名に構成を意識したからだろう。

次の詩「茶」は、「国鉄旅路」一九六九（昭和四十四）年三月号に掲載された詩で、詩集の中では一番古いものである。

茶

利休が茶を学んだのは十七歳であった

障子はま白く
砌《みぎり》の石はあたたかに

茶室は春の日の中にあった
めぐる四季よ
瀧《おぼろ》めく時劫《じごう》よ
静かであることの何という安息
志《こころざし》を育《はぐ》むことの何という法悦

利休が腹を割《さ》いたのは七十一歳であった

全九行の短い詩である。「瀧《おぼろ》めく」は「朧めく」の誤植だろうか。安土桃山時代の茶人、千利休をモチーフにして、茶室を描く。十七歳で茶の湯を学び、七十一歳で豊臣秀吉の怒りに触れて自刃した利休。その生涯を四畳半の狭い茶室が物語っている。茶室は永遠に続くような長い時間の四季を重ねてきた。静かであることの安らぎと、志を持つことのこの上ない歓び。静の時間のなかに育まれる生と死の様態が包含されている。すべてはそこに始まりそこに終った。茶室が象徴する特殊な空間に利休の生涯が折りたたまれていることが、暗示的に語られている。

吹雪

雪がふる

白いうすやみを
雪が打つ
雪が雪につらなって
いくすじかの
白い鞭となってふりつのる
鞭をうけて
撓い
のけぞる
裸木
しろがねの枝が
天を仰ぐ
もういいだろうか
浄化は遂げられたのだろうか
白いうすやみを
雪が打つ

「吹雪」は一九九四（平成六）年二月の「いきいき中部」掲載の詩である。吹雪が、「雪が雪につらなって／いくすじかの／白い鞭となってふりつのる」というように表現される。吹雪を白い鞭にするところに趣向がある。吹雪の鞭を受ける裸木は人のようでもある。鞭を受けることが浄化を遂げることという発想は、春日井建の美意識に関係すると思うが、宗教的な意味が含まれているのだろうか。

桃の季

蕾がふくらみ
一つ一つ開いていった
花は
淡紅に咲き
咲ききわまる
その過程を
私はつぶさに見ていた

本の一行目から
一字一字読みはじめて
やがて一気に読みすすみ
ほっと息をつく

そのように
桃の開花のさまを
私はじっと見守っていた

まもなく本は閉じられよう
だが　私は知っている
閉じたあとでさえ
香りの決して失せない
美しい本のあることを

詩集『風景』の最後におかれた詩である。これは一九九四（平成六）年三月の「いきいき中部」に掲載された詩。桃の花の開花の様を丁寧に描き、それを読書に対応させている。桃の花の開花と読書はなんともそぐわない気がする。飛躍すれば、読書経験と桃の花の開花は、それぞれ別の形で「結実する」ことが対応の意図ではないかと想像してみた。「まもなく本は閉じられよう」は、さりげなく詩集『風景』の最後と重ねられているようだ。

私はこの詩集のⅠ、Ⅱ、Ⅲの章立ての意味を季節、樹木、時間と分けて考えてみようとした。しかし、全体を通してみれば、モチーフが違うだけで、すべて時間の流れのなかに空間と対象を取り込み、詩の言葉の背後に連続している時間が置かれている。春日井建にとって、詩も短歌と同じように常に時間と空間のなかで作品世界は創造されるものだったと、改めて思う。

Ⅱ　春日井建の短歌の世界

1　若い感受性が見ていたもの――『未青年』以前

◆歌の原質――高校時代・初期の短歌

「井泉」に書き継いだ〈春日井建の詩について〉の連載を終えて、一つの区切りを思ったとき、春日井建の短歌について、自分がこれまでどれほど真摯に向き合ってきたのか、という問いが頭をもたげた。数篇の単発的な論は書いたが、じっくり取り組むことをしていない。そう思うと、この機会に春日井建の短歌についても視ていきたいと思った。

＊

春日井建の歌について、第一歌集『未青年』から始めるのが常道と思うが、ここでは『未青年』以前の初期の作品から始めたい。そこには、春日井建の歌の原質に触れるものがあるかもしれない。春日井建の歌が中部短歌会の雑誌「短歌」に、初めて掲載されたのは、一九五五（昭和三十）年九月号の六首である。題はない。

ネオン妖しく十五のわれを濡らす宵カフエの広告を人配り行く
とび色の髪を背に垂るる混血の少女よすでに反逆を知るか
ブドウ含み紫の色香淡きなかへヘッセ読みきし嘆きを保つ
両の眼に針射せしせみを放ちやる嬉々として少年のこの残虐は
氷の持つ白き孤独を愉しみつつ緋の色の朝の冷蔵庫にむかふ
ペンを入るるその瞬間に青きインクの深き寂しき色を愛せり

この時期、建は十六歳。「十五のわれ」ではないが、数字の効果からすれば、十六よりも印象が強いだろう。まだ中学を卒業したばかりの少年に、夜の赤や青のネオンは眩しくて妖しい。とび色の髪の混血の少女をみて、異質さに「反逆」を思うのも、建の若い思いの一端だろう。ヘッセやジイドは、私も高校生のころよく読んだ。青春と結びついている書のひとつでもある。

次の「両の眼に」の歌は、『未青年』に「両の眼に針射して魚を放ちやるきみを受刑に送るかたみに」（『火柱像』）と改稿されて所収されている。改稿された歌は、下の句が整って、確かに、残虐性の余情と余韻を残す。しかし、改稿前の「嬉々として少年のこの残虐は」に見られる、「嬉々として」や「この残虐は」とあえて書いてしまう心情こそ、残虐に憧れながら、現実には実行できない、至極真面目な作者の気持ちの在処を指し示している。この表現には、建の等身大の表象意識が垣間見られると思う。氷の冷たさに「白き孤独」を見、朝の太陽と冷気を「緋の色の朝の冷蔵庫」と喩える。インク壺にペンを入れる瞬間の内面を注視する繊細さも春日井建の表現の原質だろう。
翌月の「短歌」十月号には、無題で七首が掲載された。

クレオンで描たる日の絵は眩しみんな小さきベアトリチエ笑み
藍絵具しぼれる限り画布に置き記憶に遊ぶ渓間を描く
乾草が触手をのばし結び合ふ田の道のはて雲は溢るる
すべてより憎まれゐるを意識してアルゴンの詩を恋ふ日ぞ続く
青空を食べたいと言ひし妹よ汲ひ込まれさうに白き君が手
空白く煙の黒を溶かし行く孤独に歪みし静かさを持ち
唖蟬が砂にしびれて死す夕べ我も歌わむ羽虫飛ぶ故

この年齢で、ダンテの『神曲』に出てくる永遠の女性の象徴のような「ベアトリチエ」やフランスの詩人アルゴン（＝アラゴン）の名前がでてくることに驚く。『神曲』やアラゴンの詩の読書経験があることも想像される。アラゴンは、ダダ、シュルレアリスムを主唱し、オートマティスムの詩集『永久運動』もあるが、愛の詩集『エルザの瞳』もある。三首目の歌の「乾草が触手をのばし結び合ふ」というあり得ない光景はシュールだし、すべてから憎まれていることを意識したときに求めたアルゴンの詩は、『エルザの瞳』だったのかもしれない。妹の手の白さを発見し、黒い煙を溶かしていく空の様子に孤独と歪んだ静かさを感受している感性は若い。

最後の「啞蟬が砂にしびれて」の歌は、「啞蟬が砂にしびれて死ぬ夕べ告げ得ぬ愛にくちびる渇く」と改稿されて歌集『未青年』の「緑素粒」に所収されている。改稿された歌の方が、啞蟬の死が告げ得ぬ愛のメタファになっていて高度な表現である。しかし、この九月号と十月号の歌には、現実との疎外や違和に敏感な青少年の内面がある。その違和感は、残虐や孤独や反逆を夢見ても、それ以上に踏み込めない、入って行かない、見る人の位置にいる「我」を明かしている。これ以後、「短歌」には、一九五六（昭和三十一）年の十月号に「堕天使」四十四首が掲載されるまで、建の作品はない。

同じ年の、一九五六年六月二十三日に、在籍した名古屋市立向陽高校の文芸同好会から文芸誌「裸樹」が創刊される。会員二十五名によって発行された同人誌である。建は高校三年生。創刊号に、建は短歌「Destroy」十首、詩「火喰鳥の話」、創作「証言」を発表している。短歌作品「Destroy」を引く。

Destroy
三年　春日井建

禁断の果実が黒き制服に熟れ汁まぶして学を捨てゆく
浮浪者が凍土に紅く獣糞を焚きいる街の夜に吸われゆく
肉声を遙かに聴きて下りゆく霧の運河にひたる石階
喘ぐ眼の孤独の清さを知りてより路地奥に住む除け者を愛す

流れ者と嘲へば諍いおりし掌の震えおびつつ握手求めき
友よわが舌に溶けゆくキュラソオの酒杯を奪いて敗北と云え
グラス灯にかざす凱歌を淋しみて眉根は暗くレモネエド飲む
愛撫すら願う術なき爽やかな母よ至純は人を飢やせり
胎壁《はらかべ》に胎児の我は唇《くち》をつけ母の血吸いしと渇きて思う
死を待てるわが大いなる欲のため糞にまみれてゆくデストロイ。

題の「Destroy」は破壊するという意味。これらの歌には「手記」と題する散文がついている。手記の冒頭には「好いから日は己の背後の方におれ。　ファウスト」という詞が書かれている。ゲーテの戯曲『ファウスト』（森鷗外訳）のなかの一節である。この「手記」に書かれている内容と、短歌作品が対応する部分が多い。例えば手記の書き出しは次のようである。

浮浪者が凍土に紅あかと獣糞を焚いて身を暖めている運河のほとりを私は歩いて行く。歓楽のうす汚れた裏街　彼らは放蕩の末にあるいは戦苦や愛情の破壊のはてに今かたまりあつて華麗なそして孤独な饗宴に寒をしのいでいる　急いでその傍を駆けぬける学生服の私に彼らは下品た言葉を投げてよこす。私もそれに答えて、より野卑な笑みを与える　なおも歩く　運河には汚染された水がたたえられ、ぎこちなく積まれた石階にひたひたと水をよせてよこす。（略）ただ私はこの場末の路地が権力と暴力の爆発音によつてのみ続けられる社会から離れていかに生の詩の豊穣に抱かれているか知らせたいのだ。

ここに書かれている、浮浪者や獣糞や制服や運河の石階、路地の様子は、歌の五首目までと対応している。そして、作者は、この場末の路地に「生の詩の豊穣」を見ている。現実の社会に対する建の認識は「権力と暴力」にまみれて動いている、というように捉えられていたのだろう。そこでは「人間は生きて死ぬ者　誰が何と語ろうと自然の中では寓話にすぎない。」とも書かれていて、自然と人間存在への問いも孕まれている。

五首目以降の友と母についても、言及されている。友は高校一年の春に知り合った艶歌師でありヴァイオリンを弾き、楽譜を書く。その友は淫らな母との愚弄の生活の中で純粋に清らかに育ったという。「私が母の高潔な至純の心に触れて育つたのとまるで反対である」と建は書いている。「私の友情の一つはこの友の中に自分の母親と同じ物を見る親しさにあるだろう」と書く一方に、「私を愛情に溺らさせてくれなかつた潔壁を呪う」という相反する気持ちがあることも書かれている。「醜は美を駆逐する」「人はとり澄ました私を見て至純の権化と思つている　何という道化」「私は堕ちたいのだ」「浮浪者になりたいんだ」「人は欲することをやめた時死んでしまえばよいのである。」と、若さが持つ独特の、現実と自我と内面の葛藤が書かれる。その最後に「1955,5,30」の記載がある。この日付から推し量れば、この短歌作品は一九五五（昭和三十）年五月に書かれていて、「短歌」九月号掲載の作品より前に制作されている可能性もあるが、ここでは、掲載誌の発行年月日順に、扱うことにした。

ちなみに、これらの歌の中で、二首が『未青年』に所収されている。「肉声をはるかに聴きてくだりゆく霧の運河にひたる石階」(「雪炎」)と「胎壁に胎児のわれは唇《くち》をつけ母の血吸ひしと渇きて思ふ」(「奴隷絵図」)。

「裸樹」第二号は、一九五五年九月二十八日発行。そこに建は、創作二篇、詩三篇、短歌「秒音」八首、俳句「モザイク」十五句を掲載している。ものすごい生産力である。

秒音

弟に奪われまいと母の乳房を二つ持ちしとき自我は生れき
母の視線の堕ちこむほどに深き孔その孔端を揺れつつ歩む
緑素粒窓にあかるき校廊に求愛の手記やぶりし孤独
ふくみゐる果肉にあまき放心の君も目醒めしわが愛を知る
喘ぐまで動悸して君を抱きしめし破風造りの屋根暗きもと
眼交いの激しく抱きあいしとき腕の秒音は澄み冴えてをり
君の舌奪いし我にさめざめと太古より流刑の没薬にがし
与えゆき享けられしのみの唇つけに豊かに酔うて大地を歩む

一首目の歌は「弟に奪はれまいと母の乳房をふたつ持ちしとき自我は生れき」と表記を変え、三首目の歌は、「緑素粒きらめく窓が白球を追ひつつ仰ぐ眼に眩しかり」と改稿されて、『未青年』に所収されている。「秒音」は、物質中を伝わる音速のことだろう。物質によるが、音は一秒間に何百メートルも進む。「緑素粒」は緑色の色素顆粒で、細胞質内に存在して体色の変化に関与する。「没薬」は古代、ミイラづくりの防腐剤として使用されたゴムの樹脂で、鎮痛、鎮静剤にも使用された。これらの語意を勘案すれば、歌の読みは難しくない。母を独占したい欲望。母の期待に応えたい気持ちとそれを裏切る自己の気持ちの揺れ。伝えられない恋愛の気持ち、君との口づけの感動、感情の歓びと慄き、それらがないまぜになって発露されている。自我との相克というほど暗くも陰惨でもない。若さの特権が言葉を覆う。「豊かに酔うて大地を歩む」の前向きな明るさこそ、暗い部分、闇を詠う原質の在処といえるだろう。

「裸樹」第二号には、俳句作品「モザイク」十五句も掲載されている。春日井建の俳句は珍しいと思うので、引いておく。

モザイク　　　　　　三年　春日井建

緑素粒砂絵描く子が地に沈む

楽符《（ママ）》買う聖夜の君は素脚なり
胴ほそき人に挑まれ雪を食う
凍土より波土場《（ママ）》に出て君サロメ
泥雪の地よりの湖上白鳥浮く
指白く妊婦凍土の墓濡らす
ひきがえる古き砲坐の跡を這う
獵の舟黒き湖上に灯を垂らす
濁流に木皿洗えり雪の峰
銀婚式母よ母の乳房にはいれ
反抗の眼のまたたかず泣けり冬
蒼空にカイン口あけ学帽ほうる
鉄路より昇りて宙で花火散る
祭り笛泥酔に父の貧あらた
遅進児に仕掛花火がみずみずし

私は俳句に詳しくないから、作品を読んだ感想でしかないが、「楽符《（ママ）》買う」の句や「ひきがえる」の句は有季で、景がはっきりしている。クリスマスイブに素足の君が買った楽譜の曲はクリスマスと関係がある曲だろうか。のっそりと砲台跡を這うひきがえるの様子に忌まわしい過去の様子が重なるようだ。「胴ほそき」の句は、争いを仕掛けられて、負けず嫌いの気が顔を出している。「凍土より」の句は、凍土から出現するサロメが異色である。「泥雪」は「雪泥」のことか。雪解けのぬかるみと白鳥の対比に、くぐもった内面を読む。「緑素粒」や「指白く」「銀婚式」「祭り笛」の句などは、その後の春日井建の歌の言葉や意識に照らされる世界が内包されているように感じられる。この頃の建にとって、言語表現は、俳句も短歌も詩も小説もあらゆるジャンルに等しく意味を持ち、開かれていた、ということをあかしている。その後、だいぶ後のことになるが、俳句についての春日井建の仕事としては、『現代俳句の世界3　川端茅舎　松本たかし集』（一九八五年二月、朝日文庫）の「松本たかし集」の選をし、あとがきを書いている。この時期に、松本たかしの句「羅《うすもの》をゆるやかに着て崩れざる」が好きだという話を聞いた記憶がある。様式の美を好む春日井建らしい、と思った。時間を戻そう。

「短歌」一九五五（昭和三十）年十月号に作品七首を掲載後、翌一九五六（昭和三十一）年九月号まで「短歌」に作品は掲載されていない。同年、十月号に「堕天使」と題して作品四十四首（筆者註＝本書一九九頁に掲載）が掲載されている。この四十四首中には「裸樹」に掲載された「Destroy」から六首、「秒音」から七首が転載されている。「裸樹」の作品については前に触れたので、ここでは「堕天使」四十四首として、その特質をあげておこう。

四十四首中には「愛」、「汝・君」、「われ・わが」という語が多く、目を引く。

肋のなか潮騒は日々昂まれり白き泡沫の愛そだちきて
聖夜劇のわれの脚本十六の火急な恋慕が汝がためひそむ
緑素粒窓にあかるき校廊に求愛の手記やぶりし孤独
やわらかき果肉に甘き放心の君もめざめしわが愛を知る
気が狂ふその時われを君は抱き溺れし愛の骸《むくろ》と見むよ
プラトンを読みて倫理の愛の章に泡立ちやまぬ若きししむら
身を投げて愛を手さぐる君のため血脈を宙に吊すわが胸

「肋」は、あばら骨。胸の内に泡のような儚い愛が生まれて、潮が満ちる時の波音のように日ごとに高鳴る思いが詠われている。二首目は、自分の書いた脚本には、火が燃え広がるように君を恋い慕う気持ちが潜んでいるという。「緑素粒」の歌は、歌集『未青年』に収録の際、下句の「求愛の手記やぶりし孤独」が全く別のものに改稿されているが、この時の建にとっては、直接的な行為の表現として不可欠な言葉であったと思われる。四首目の「やわらかき果肉」を若い肉体の喩ととるか、そのままに甘い果物としてとるかによって愛の重量が異なるだろう。めざめたばかりの、きみとわれの愛の爽やかさの表現なら、甘い果物ととるほうがいい。しかし、建の歌の言葉はいつも読者に自由な想像を掻き立てるように使われている。五首目は、君は気が狂った我を抱いて、愛に溺れた骸と見るだろう、と歌う。大袈裟な言葉が組み合わされて劇の一場面のようである。現実からかけ離れた言葉が自己を超えて現実を実現する。それはリアリズムを超えた作品の世界なのだ。

プラトンのエロスについては、『現代哲学事典』によれば、【プラトンのいう愛――エロスは、何らかのよいもの、価値あるもの、美しいもの、愛らしいものにむかい、「自己に欠けているものを得よう」とする。エロスは美しい肉体を愛し、より美しい他の肉体を求め、より完全な、永続的な美しさを求めて魂の美しさを、目にみえないイデア的存在を求めて向上を続けてゆく絶えざる努力である。この愛は高きものへの憧れであって、完全な自己実現を目的としている。】と説明されている。同じことだが、プラトンの『饗宴』（森進一訳・新潮文庫）には、昔は、人間の性別は三種族あって、男性女性の二種族と男女両性者という種族の三種族が存在していた、とか、「人が、正しい少年愛に導かれ、かずかずの美しいものから出発して上昇の道を辿り、かの美を確と見はじめたとき、まずまずその人は、究極に触れたと言ってもいいでしょう。」などと書かれている。美しいものと、自己に欠けているものを求めてやまない、精神と肉体についてのプラトンのエロスは、若い感性に刺激的だっただろう。七首目の歌は、我の前に身体を投げ出して愛を手探りしている君のために、自分の血のつながる人達を宙吊りにしてもいいとさえ思うという、君へ向かう我の愛の激しさ、強さを表す。

ここに引用した七首のうち『未青年』に、そのままの形で所収されているのは、「プラトンを」の一首。所収されていない歌は、我の気持ちを修飾する言葉たちがひしめき合い自己主張していて、結果的に虚の世界をあからさまにしてしまう。言語表現は、いつも何かを裏切るものだが、若さは無頓着にそこを越える。この四十四首の題「堕天使」に関する歌をあげておく。

無頼の手黒く節くれだつ夜は盗汗しげく堕天使と呼ぶ

堕天使は、広辞苑によれば、「もとは天使であったが神に反逆して悪魔になったものたち。」という。無法者の節くれだった黒い手と、夜、しきりに寝汗をかいている作中の我が表象するのは、悪魔になった天使か。しかし、堕天使は天使の裏面でもあろう。美しいもの、清らかなものが美であればその逆もまた至高の美ともいえる。この時代から、春日井建の美意識はすでに萌芽している。

翌一九五六年十一月号の「短歌」には無題で七首が掲載されている。

母の氷室が砕けて生れし我なれば草水晶の吐息を持ちき
受胎の日未生の我が持ちし熱保ちきて肉のわななき深し
母は線画の奥に沈めむ愛されし記憶の痛み掘りかへす夜
抱擁のさまも訳して夜の卓に肌の匂ひをやはらかく増す
放浪の砲坐に若き身を臥して明日の妊婦のため笛を吹く
革命歌胸に流せり凶暴な情火と燃える日を競はせて
党員の為追はれゆく教師の背に泣きて魔睡の過去踏みつけし

この七首の中で『未青年』に所収された歌は、二首目の「受胎の日」だけである。一首目の「草水晶」は、草入水晶だろう。緑色の針状の結晶鉱物が含まれているため、草が入っているように見える。母から生まれることを「氷室が砕けて生れし」と表現する。破砕の美、水晶の透きとおる美によって母と我を描く。二首目の、未生の我が持ち続けている熱は、母から生れ出た時、冷たい水晶の吐息に変る。三首目、母に愛された記憶を痛みだと感じ、母を線画で描くという行為は、愛された喜びを閉じ込めることでもあろう。生まれることは母から離れること、肉体的にも精神的にも自立することだ。四首目の抱擁の様子を翻訳したあとには、肌のやわらかな感じが心のうちに残っているという夜の感慨。五首目、放浪の途中、若者が笛を吹くのは明日の妊婦のため、すなわち母になる女性のためだ。この笛は祝意なのか、悪意なのか。六首目の革命を鼓舞する歌は、熱烈な情欲と理想に燃える日々を競わせて我の胸は騒ぐ。七首目の党員は、共産党員か。そのために教師は左遷される。「魔睡」は、明治四十二（一九〇九）年の森鷗外の短編小説で、催眠術をモチーフにした作品。歌は、その小説を意識してこの語が使われたものと思う。催眠術をかけられ朦朧とした意識のなかで行われたことは、催眠からさめた後では覚えていない。左遷される教師の背で泣いているのに、朦朧とした過去を踏みにじり傷つけた。

こういう相反する心理がこれらの歌の全ての内部に含まれている。それこそ、春日井建の美の本質に他ならないのではないか。この若い感受性が見ていたもの、受け取ったものは、そこに在ることの表裏、意識や感性や意味や価値の逆説ではなかったか。

翌一九五六年十二月号の「短歌」にも無題で、次の七首が掲載されている。

十七才悦楽ふかく迷ひ持ち朴念仁でをれぬ日つづく
水煙花苑を青く吹き流れ揺れし心のまま君と佇つ
愛捨てて荒れ放題のわが欲しき憩ひ奪ひて地は戦へり
地の挽歌中東の地に奏されて殉ずる国がへらへら立てり
奔放に運河の波がうねるとき砂漠に人は土化待ちて死ぬ
風紋の渦巻く世界十年の受洗の月日に武器たくはへき
雪弾を額にうけて勇みゆきし幼きわれは戦ひ知らず

建は、この時十七歳である。奇数の不安感が作品中で効果的に働いている。自己を省みて、喜び楽しみに浸り迷いながらいるが、無口で愛想のない人間ではいられない日が続くという。若い君と我は揺れる心を意識している。「朴念仁でをれぬ」という意識は、どこに起因しているのだろうか。それは三首目以降の「戦ひ」が意識されているのである。この戦いは、時代的に第二次中東戦争＝スエズ動乱のことだろう。スエズ動乱は、スエズ運河の管理をめぐる、エジプトとイスラエル・イギリス・フランスとの武力紛争である。イスラエル軍のエジプト侵入、イギリス＝フランス軍がスエズ運河へ進撃し、エジプト爆撃を始めた戦争である。中東の地を舞台に同じ行動をとる国への批判が、「へらへら立てり」という言葉に現れている。運河の波のうねりも、スエズ動乱を暗示させる。砂漠の戦いで死者は、土化するしかない存在。「十年の受洗の月日」は第二次世界大戦終戦（一九四五年）からの年月。風紋の渦巻きはスエズ動乱を意味する。この一連は真正面から世界の出来事に向かった作品といえる。建の作品は、悪や美について書いたものが取り上げられやすいが、こういう社会的な事象へ目を向けた作品もその都度、書かれている。今後、そういう所へも目をむけていきたいと思う。この一連からは、最後の「雪弾を」の歌だけが、「雪弾を額に享けて死ぬ役に狂気となりてしたがひし日よ」と改稿されて『未青年』に所収されている。元の歌の持つ素直な顔が、改稿後は「狂気となりて」で一気に舞台の役者の顔になる。定型の恩寵、定型の魔、定型の破壊か、定型の準拠か、いくつかの問題が歌人の前におかれている。

註：「堕天使」四十四首

①有頂天に生きて気軽に孵化しゆく少年の渇を人らは知らず
②胎壁《はらかべ》に胎児のわれは唇《くち》をつけ母の血吸ひしと渇きて思ふ
③弟に奪はれまいと母の乳房を二つ持ちしとき自我は生れき
④羽翔きを待つ意志弱く砕けゆく母の至純の牙城の捕虜《とりこ》
⑤肩厚きを母に言ふべしかのユダも血の逆巻ける肉を持ちしと
⑥禁断の果実が黒き制服に熟れ汁まぶして学を捨てゆく

⑦ 独酌の白髪の父よ早熟に軌道墜ちゆく子のために哭け
⑧ 肋のなか潮騒は日々昂まれり白き泡沫の愛そだちきて
⑨ 聖夜劇のわれの脚本十六の火急な恋慕が汝がためひそむ
⑩ 緑素粒窓にあかるき校廊に求愛の手記やぶりし孤独
⑪ やわらかき果肉に甘き放心の君もめざめしわが愛を知る
⑫ くもりなく漂白されし冬なれば溺れゆくべし約されし愛
⑬ 樹液冷たく匂ふ今朝より持つ哀話埴輪も石仏も唇うすき
⑭ 君に遥かな土偶の像とわがありて道化めく眼を祈られもする
⑮ 気が狂ふその時われを君は抱き溺れし愛の骸《むくろ》と見むよ
⑯ プラトンを読みて倫理の愛の章に泡立ちやまぬ若きししむら
⑰ 草の実をふくむ気流にまつはりて駆けくる君を枯丘に待つ
⑱ 喘ぐまで動悸して君を抱きしめし破風造りの屋根暗きもと
⑲ 眼交ひの激しく抱きあひしとき腕の秒音は澄み冴えてをり
⑳ 君の舌奪ひし我にさめざめと太古より流刑の没薬にがし
㉑ 与へゆき享けられしのみの唇づけに豊かに酔うて大地を歩む
㉒ 身を投げて愛を手さぐる君のため血脈を宙に吊すわが胸
㉓ 青嵐夜の逢ひ約する乱暴な我らを荒くくるみて吹けり

㉔浮浪者が凍土に赤く獣糞を焚きゐる街の夜に吸はれゆく
㉕肉声を遙かに聴きて下りゆく霧の運河にひたる石階
㉖裸灯の下ゆくときに逢曳きの人の影わが影につながる
㉗淫楽の街を幼きわが歩む林檎酒の仄かな酔ひを育てて
㉘カットグラス白く傾き人の愛もたねば崩れる胸に満つ液
㉙丸刈りの少年カフエの光芒につつまれてなほ弾むを知らず
㉚君よわが舌に溶けゆくキユラソオの酒杯を奪ひて敗北と云へ
㉛グラス灯にかざす凱歌を淋しみて眉根は暗くレモネエド飲む
㉜食べ屑に暗く灯の射す食堂を愛の奸策がみじめにめぐる
㉝縁どられし中に気儘に火に裂かるぎんなんは青き奈落の実なり
㉞拒みつつ仄暗き言葉に眩暈《めまひ》する蕩児の耳鳴り激しき夜ふけ
㉟無頼の手黒く節くれだつ夜は盗汗しげく堕天使と呼ぶ
㊱抱きしめてそれより淋し冷やかに鼻孔を君の吐息がかよふ
㊲悦楽の流れわたしを人間になししばかりか愛欲を強う
㊳昏睡に疲れて朝はあかぎれの手のうづき生の消耗のろく
㊴澄む硝子に死蛾の貼りつきてをりし朝虚脱のままに学帽をとる
㊵おしみなく目玉ひらきて学ぶ子の鼻の油の照りひかる午後

㊶吸殻をもみ消す父の指先を硬く意識し詫びてはやらぬ
㊷傷つきて呪符を空に投げてをりラムボオよ君の陰気な伴侶
㊸聖き母救ひとなしてたぐひなく情剛き子の火刑は速し
㊹母にはじまり無限の人を並べたる不滅の列にわたしはをらず

・この四十四首のうち、②⑥㉔㉕㉚（＝初句が「友よ」から「君よ」に改稿されている）㉛の六首は、「裸樹」の「Destroy」の作品。
・③⑩⑪（＝初句「ふくみゐる」が「やわらかき」に改稿されている）⑱⑲⑳㉑の七首は「裸樹」の「秒音」の作品。
・「堕天使」の中で、『未青年』に収載されているのは、①②③⑤⑧⑩⑯㉕㉘㉙㉜㉝㊱㊹の十四首である。

◆多感な自我から仮構の世界へ——一九五七年の「短歌」から

一九五七（昭和三十二）年に春日井建の作品が「短歌」に掲載されているのは、一月号「神の求愛」二十首、二月号「火文字1」八首、三月号「親」八首、四月号「血は呼ぶ」八首、八月号「中学時代」六首、十月号「金の糸」三十七首。他に二月号に、「花咲く肉体」と題した、ハンセン病患者の合同歌集『海中石』の批評と三月号に「みかづき」と題した短いエッセイがある。一九五七年と言えば、十二月生まれの春日井建は十八歳になったばかりである。

一月号の「神の求愛」二十首から何首か引用する。

季めぐり宇宙の唇のさざめ音こぼるる静かな冬も深まる
ボオドレエルの噴火獣《シメール》背負ふ少年が悪を讃へて無頼を愛す
浴室の白きタイルを歩みゆく素脚は湯気を切りては光る
童貞の涼しき唇が深酒にしびれて愛をささやくを待つ
淫楽の街に激しく連打音鳴らしつかれて血をおもく喀く
天肉を赤く焦がして多淫の神は夕べ男の息吸ひとれり
肩越しに死者にうつぶす我はふと死は賑やかな喜劇と思ふ
友よいかなる神との寒き婚姻を得しや地上は雪重く降る

この一連から『未青年』に所収されたのは、「季めぐり」と「友よいかなる」の二首。一つは、「季《とき》めぐり宇宙の唇《くち》のさざめ言《ごと》しろく降りくる冬も深まる」と改稿されて収められている。改稿された歌の方が、「しろく降りくる」から雪の降る様子が連想され、雪片が宇宙のさざめ言の喩として機能する。唇と言（葉）が身体と内面を合致させて、抒情を醸し、歌の姿としてはまとまっている。しかし、元の歌の「さざめ音こぼるる」とは、違った景色になっている。ここには雪は降っていない。音が冷気と静寂を際だたせている。宇宙からのさざめきは、建の年齢だったら、やはり身に添わない異質な「音」の方がしっくりするだろう、と思いながら読んだ。また、「友よいかなる」の歌は、「友」が「兄」に改稿されている。兄というより親近感を増す語句が選ばれている。二首目の「噴火獣《シメール》」は、ボードレールの詩集『パリの憂鬱』の散文詩に出てくる頭がライオン、胴がヤギ、尾が蛇の火を吐く怪獣で、それを背負って広野を歩く数人の男たちが描かれている。この「噴火獣」は、ピエール・ルヴェルディの詩にも登場する。春日井建がこの時期にルヴェルディやボードレール、ブルトン、ジュネを好んで読んでいたことは、「短歌」二月号の歌集批評文「花咲く肉体」に、これらの詩人の名と言葉が引用されている所からも推察される。歌の「悪を讃へて無頼を愛す」はあまりに直接的であり、若さとはそういうものなのかもしれない、と思う。

浴室の湯気を切って歩く光る素脚の美しさ、童貞、淫楽、血を喀くなど『未青年』の作品に散見する語や世界の予兆がみられる。「神の求愛」は、「男の息」を「吸ひ」取り、死をもってする寒い婚姻は、神とのどのような関係を結んだのか。神との死の契約。その死者への悲しみでうつぶす我に、突然「死は賑やかな喜劇」じゃないか、という思いが湧く。悲しみが喜劇に感じられるときは、悲しむ自己を外側から眺めている時に起きる自嘲的な感情。暴力的、過激な意味を持つ言葉が使われているが、どこかリアリティに欠け、劇的な創作の世界を思わせるのは、その頃読んでいたであろう詩人や小説の世界の影響を強く受けていたからではないだろうか。

「短歌」二月号に、建は「花咲く肉体」という書評を書いている。これはハンセン病の人達の合同歌集『海中石』の批評である。歌集の作品を引きながら、この作者達は、ルヴェルディの「詩とは精神と現実との沸騰的な交渉の後に沈殿して出来た結果」に匹敵する詩精神を持った人たちだという。「ボオドレエルの好きな僕にはこの歌集のなしとげた白い透明な美への昇華を、拷問の享楽とか、不幸の耽美とか言つてみたい気がするのである。」とも書いている。病者の作品に、病む肉体への自虐、死への陶酔、諦観を越えた甘美な生の肯定を読み取った建は、「病む肉体からもう一つの花咲く肉体の復活が完成されたのだ。ここに於て癩者の美学が完成された。」と評価している。

一方で、ブルトンのシュルレアリスム第一宣言の言葉や、ジュネの「裏切りは美しい、それは穢らわしい裏切り、いかなる英雄的な動機もそれを正当化することのない裏切り、陰険な賤しい裏切り、最も高貴でない感情、妬み、憎しみ、貪欲等に起因する裏切りにおいてのみ。そしてこれが成立つには、ただ、裏切る者が自己の背信を自覚すること、彼がそれを欲し、彼を人間仲間に結びつけていた諸々の愛の絆を断ち切ることを自覚さえすれば充分なのだ。美を得るに不可欠なもの——愛。そして愛をぶち壊す残酷さ。」（筆者註＝ジュネ『泥棒日記』の最後の方の一節である）という長い引用もある。そして、「海中石の作者に僕はこの裏切りを望みたい。美しく眠り始めた魂をもう一度激しい炬火に投げいれること。完成した詩型を砕いて、己の愛を安易な幸福な仮空の生を裏切り、そこから血の湧く詩を拾うこと。」と、坂口安吾の『堕落論』も援用して、内部葛藤の中から甘さを否定した高度のリリシズムと多面的な自己の追究を望む、としている。『海中石』の書評ではあるが、ここには、若い建の詩意識が垣間見えて興味深い。美の昇華を拷問の享楽、不幸の耽美と言い換えるところのパラドクス。裏切り、美、愛、破壊の残酷さ。そこに高度なリリシズムを求める詩意識。それらは、この時期のルヴェルディやボードレール、ブルトンやジュネの読書経験から多く習得されたものともいえよう。

そして気になったのは、この批評の冒頭に「最愛の友を自殺させてしまつた僕」という記述があり、中間にも「友よ。君が自殺した日は水雪が降つていた。地上にも触れないで青い空間に淡く消える雪粒を眺めながら、君は火急な美しい死に魅せられてしまつたのだろう。」という記述がみられることだ。最愛の友の自死という出来事が、建に大きな魂の闇を自覚させたのではないか、と。「短歌」二月号には「火文字1」と題して八首が掲載されている。そこには、自死した友と母の歌がみられる。

放浪に去るべき友を死なしめて虚しき愛の独占に酔ふ
天国と云ふ語呪へり月の射す冷えし臥床に君呼びながら
シューベルトの魔王好みし青年を埋めし大地に霜柱たつ
眩暈《めまひ》熱く母にささげる我の火を盗まむとせし人も死に果つ
バルザックの恋文の火文字書きつけし赤き胸板を母の為持つ
成熟は哀しと言はむ性に酔ひ至純の母を突き放すとき
鎮魂曲を歌ふ夜陰にひたりつつ原人のごと母を呼ばへり

漂雲よ虚栄の都市を流れ去るひとときを愛を知る子を思へ

最愛の友の自死は、愛の虚しさを自覚させる。「虚しき愛の独占に酔ふ」は、不幸の耽美の表現か。しかし、君を呼びながら天国を呪う、という表現は一般の通念を越え出ていない。「シューベルトの魔王」の歌は、大地の冷たく立ち上がる霜柱が、埋められた青年の無言の存在の主張のようで、いい歌だと思う。歌の背後には、シューベルトの「魔王」（筆者註＝ゲーテの詩「魔王」に触発されて作曲した歌曲）の、病気の少年が魔王に魅入られて病院に着く前に死んでしまう、という物語が意識されていて、一月号の「神の求愛」と重なる。

母の歌は、至純な母のイメージと、母への愛という関係のうえに詠まれる。母に捧げる我の愛を盗んだのは自死した青年。その後、我の愛は何処に向かうか。バルザックは十九世紀のフランスを代表する小説家。生後すぐに乳母に預けられ、八歳から十四歳までの寄宿学校生活で、母親が面会に訪れたのは二回だけだったという。疎遠な母へのバルザックの思いは、恋人への情熱的な恋文に変ったのだろうか。後に結婚したハンスカ伯爵夫人とは十八年間文通が続けられたという。歌では、バルザックのような深い愛を母のために持つのは我である。至純な母への愛も、性に目ざめる成熟の過程で母を見捨てることもある。しかし、一人、悲しみの夜陰にいると、原人のように大声で母を呼んでいる自分の姿が浮かぶ。うわべだけの都市の日常の上を流れる雲に、愛を失くし愛に苦しむ子がいることを分かって欲しい、という歌だ。この一連で注目しておきたいことは、シューベルトの歌曲やバルザックの物語を背景におき、身近な青年の死や我の母への思いの深さを重層化していることだ。歌が現実を越えて物語として成立する契機を、方法を、建は早い時期から、意識的につかみ取っていると思うのである。

「短歌」三月号には、「親」八首がある。その中から母の歌三首、父の歌三首を引く。そこには身近な両親を詠う時の建の独特のデフォルメがあることを感じる。

わかき母夢みしわれの朝ふかく李朝の壺に揺るる菊花
母と子の血のかよひあふ肉色の愛を断つため切る臍の緒か
わがをらぬ世界であれば少女期の浅草を母よ愛すと言ふな
父の愛母にかたむく夜を醒めて人を殺さむことも思ひき
風鳴れば光りて白髪のとぶ父よひとりを共に愛してゆかむ
貧しい親持つ子よと父がろくでなしの顔する限りわれ温かし

若い母を夢にみて目ざめた時に目にした李朝の白磁の壺の高潔な白は、母のイメージを語っている。母と子の関係を物語るような臍の緒、その干からびた形骸を、初めて目にしたときの奇妙な感覚は、誰しも一度は感じたものではないだろうか。「血のかよひあう肉色の愛」という表現が建らしいと思う。母の政子は東京・浅草で生まれ育った人。母の少女期を想像して自分が不在であることを認めたくない気持ちの表れだ。父が母を愛する夜を思うと人を殺すことを考え、父に「ひとりを共に愛してゆかむ」と母への愛の共有をいい、父がろくでなしの顔をする時、自分は心穏やかだと詠われる。ここに見られるのは、建の現実的な家族関係というより、父と母と母を愛する息子という、ソフォクレス作「オイディプス王」の物語が下敷きにされている作品だと言える。これも背後に物語が重層化されて表現されているものとみてよいだろう。そう言えるのは、同じ三月号の建の「みかづき」という短いエッセイを読めば分かる。そこには、家持の歌を引きながら「僕も純なる恋愛を、それは若月と呼びなでしこと呼ぶ素朴な恋愛をしてやろうと思う。そして僕の素的な父親に、初めてあつた時の僕の母さんはどんな眩しい花だつたか白状させてやろうと思う。」と書かれている。明るい家族の素顔がのぞく。物語化や仮構意識は、より歌の方にかけられている。

次に「短歌」四月号「血は呼ぶ」八首、八月号「中学時代」六首、十月号「金の糸」三十七首について見ていくことにする。

血は呼ぶ

声清くひとり語るは青空の底につながる眩しき遊戯
空の美貌を怖れて泣きし幼児期より泡立つ声のしたたるわたし
我らの糧が熟るる季節と云ひてこし少女に捧げる詩の苦き香よ
野兎の歯と示すわが大き歯に触れて冷たき指もつ陽子

愛に酔ふ限り貧しく弱き子と救はれがたく日記にしるす
芸術の血をすりあふ血族に生れて文字にのこす睦言
青臭き文字を白紙に毆り書き酔へる不良の夜をかさね来つ
青春の金切声にみがかれて狂ほしく人の愛に溶けゆく

「血は呼ぶ」八首のなかで、『未青年』に収録されている歌は一首目と二首目の二つ。一首目は初句の「声清く」が『未青年』では「声あげて」と改稿されている。二首目の「空の美貌を」の歌は、このままで、『未青年』の巻頭歌「大空の斬首ののちの静もりか没ちし日輪がのこすむらさき」の次に組み込まれている。よく知られている歌である。幼児期よりすでに美意識を持つわたしの存在が顕示されている。しかし、ここにある八首には、「血は呼ぶ」という題にもみられるように、「血をすりあふ」「毆り書き」「不良の夜をかさね来つ」「狂ほしく」など人の耳目をひく凶悪、乱暴な言葉が並ぶ。一方で、「声清く」や「少女に捧げる詩」、芸術、青春、「愛に酔ふ限り貧しく弱き子」は救われ難い、など、若い清々しい思念を表わす言葉も混じっていて、青春の年代に一般的に見られる内的葛藤が顔をのぞかせている。「不良の夜をかさね来つ」と書くことは、何が「不良」であるかを意識しなくては書けない。そして、その時点で、「不良」では無くなるのだ。一見、凶悪で乱暴な言葉が使われているが、それ故にかえって作品の世界は乱暴で凶悪な世界から外れる。それが、美意識の確立した世界へと昇華されるまでに、まだ少し時間があった。四首目の「野兎の歯と示すわが大き歯に触れて冷たき指もつ陽子」の歌は、「野兎の歯としめすわが大き歯に触れてつめたき指もつ友は」と改稿されて『夢の法則』に所収されている。

「短歌」八月号の「中学時代」は六首。

ひと碗の飯にも毒がもられてはゐずやとおびえき人信じ得ず
少年は火酒に汚れし声の渦をほぐしつつ宴席に凍りてゆけり
蕩児と人は呼ぶ血に殉じゐる友がむしろ正しく言ふを怖れき
人がもつくさみのゆゑにいま彼を強く愛するをその日は知らず
生ける身を喘ぎ苦しむ夜はおもく草林に地虫声かさねゆく
生徒議長のつつましやかな坐を逃げて音楽室に知りし唇づけ

食事に毒がもられているのではないかと思うと手がつかない。人が信じられない気持ちの比喩として持ち出された例であろうが、強迫神経症的な心的状態を表現している、というところまで届いていないように思う。無作為な殺意だとしても、毒をもる相手と背景が見えないから「人信じ得ず」が実感を伴わない。二首目は、ウオッカのような強い酒を飲むと声が濁ることがあるが、そういう大人たちの宴席に同席した少年の心の乖離を「凍りてゆけり」が表している。放蕩息子の家系に自ら命をかけようとする友の言うことが、正しいと思ってしまう自分を怖れる。「怖れき」は、蕩児に憧れる自分を自覚していることを明かしているだろう。彼を愛する理由の一つに、人間の体臭があることを今は知っているが、かつてのその日には、まだ知らなかった、という。愛するという感情が臭いとも関係するということに気付く。生きていることが苦しいと思う夜は、自分の気持ちも土の中の虫の鳴き声と重なるように重い。会の生徒議長の役目を放り出して、音楽室で口づけをしているという。

中学時代は、少年から青年への移行期で、性に目覚めていく時期。「中学時代」と題されることで、読者は、どうしてもそこに焦点を絞って読んでしまう。逆に作者も、詠んでしまうことになるだろう。そのために、読者にも作者にも無言の制約がかかる。汚れた声の大人と少年の対比、蕩児への憧れ、未熟な愛の交感、音楽室というシチュエーションでの口づけなどに見られるように、清・濁、純・不純、正義・悪，生・死、という簡単な二項対立の枠を抜けられないことがこれらの作品の世界を限定してしまっていると思う。が、作者もまだ十八歳と若い。

そして、「短歌」十月号には、「金の糸」と題する三十七首が掲載されている。この作品は、作品特輯欄の冒頭におかれている。三十七首のうちから『未青年』に所収された作品は、多少の改稿を伴うものを含めて十一首がある。また『夢の法則』に所収された作品も二首ある。「金の糸」から数首を引用する。

神曲を読みゐて机にうつぶせりわれを磨きて汝は離れすむ
太陽の金糸に狂ひみどり噴く杉を描きしゴッホを愛す

いのち賭け愛しうる人を欲りてゐしむごき傷口を君はあばけり
目のこわき妊婦がしびれし歩みするはりつめし空気に怯えてゐたり
土蜂に追はれともに転げし日のごとく友と酔ひゐる肩支へあふ
雪上につかれて佇ちゐしわが影をひきて音なく去りゆく柩車
寓話さへひとり信じてめまひする逆光さむき画廊の椅子に
蝶の羽やぶりて飛べぬを嘆きたる幼なかりしがむごき妬みよ
金の糸をたばねて流るる夕河の清き激情をみて涙せり

「神曲を」の歌は、「金の糸」の一首目におかれている。『神曲』はイタリアの詩人・ダンテの長編叙事詩で、地獄編・煉獄編・天国編の三部で構成されている。詩人の幻視の中、人間の霊魂が罪悪から悔悟、浄化を経て永遠の天国に向かって精進する経路を描く詩編。この最初の「神曲を」の歌は、下句の「われを磨きて汝は離れすむ」が分かりにくいが、『神曲』との関連で読めば、われと汝の関係に、ダンテとベアトリーチェの「愛」を重ねて読んでもいいかもしれない。この年代で建が『神曲』を読んでいたと思うと、建の歌を『神曲』に照らしてみたいという興味も湧く。

二首目の歌は結句の「ゴッホを愛す」が「ゴッホ忌あつし」と改稿されて『未青年』に所収されている。改稿後の歌は、「私」から距離を置くことで、普遍的な世界を獲得している。「太陽の金糸」は、強い太陽光線の形容だろう。ゴッホの「糸杉」の絵は、渦巻くように天に伸びている。「金糸に狂ひみどり噴く」という語句の重量が、ゴッホの絵とつり合い、ゴッホの固有名詞が効果的である。計算し尽くされた表現ということができよう。

三首目は、命がけで愛する人が欲しいと思っていた私の心の内を君が暴いたという。「むごき傷口」は、命がけで愛するという至純な愛にも、その裏側に監視や拘束という悪意がひそむことを明かす。四首目の歌は、下句「はりつめし空気に怯えてゐたり」が「凍土にひしひしと氷樹立つ」と変えて『未青年』に入れられている。こわい目をした妊婦の不自由な歩き方に、緊張して怖がっているわたしのことが詠われているが、改稿後は、凍土や氷樹が私の緊張感の喩として活きている。短歌定型の型が作り出す独特の効果的な喩の在り方を見せてくれる作品の一つといえるだろう。

次の「土蜂に」の歌は、このままの形で、『夢の法則』に入れられている。子供の頃、友達と蜂に追われて逃げた記憶があるが、今もその友との変わらぬ友情が、持続していることが、酔って肩を組んでいる情景に詠われている。歌集『夢の法則』は、『未青年』以前の初期短歌を収めている歌集で、「神曲を」と「土蜂に」の歌は、建にとって残しておきたい歌だったのだろうと思われる。

六首目の「柩車」は霊柩車のこと。雪の上に立っている自分の影をひいていく霊柩車のことが詠われている。散文的な文体に影を轢かれていく私の無言と空虚な内面が淡々と描かれる。「寓話さへ」の歌は、「めまひする」と「さむき」という二つの身体感が、一首の中で割れてしまうところが気になる。寓話は教訓や風刺を含めたたとえ話だが、それさえ信じて眩暈を起こす繊細な神経の持主は、逆光のなかに暗く存在する。この作品の「寓話」や「画廊の椅子」には、叙事寓意詩ともいわれる

『神曲』や、ゴッホの絵が意識されているのかもしれない。

八首目の「蝶の羽」の歌は、自由に飛ぶ蝶がうらやましくて、その羽を破って飛べなくして、飛べない蝶をみて悲しく思っていた幼い頃のことを思っての歌。無垢な嫉妬心の残酷さが主題だろう。最後の「金の糸を」の歌は、夕焼けを映した河面の様子を「金の糸をたばねて流るる」と美しい形容で表している。その河に「清き激情」をみるところが建の美意識だろう。結句の「涙せり」までいくと芝居掛かるのではないだろうか。

「金の糸」には、『未青年』に向かう建の美意識の世界が整っていく多くの作品がみられる。が、まだ、「わたし」の感情に近いところで詠われている歌もあり、感覚の世界に知性を写す西洋的「美」の意識まで至らないものも見られる。この時代の建にとって歌風の針をどちらに振るかは大きな選択だっただろう。どちらがどうという問題ではないが、春日井建の出発を飾った第一歌集『未青年』の歌から振り返れば、意識のなかの背反する感情や重層化する内面への拘りを、強い言葉によって表現した美意識の世界は、やはり建の独創的な知の世界の表象であり、「金の糸」もその線上においてみていいだろう。

ここに選んだ作品の他にも『未青年』に加えられた歌があるが、『未青年』を論じるときに触れたいと思っているので引用しなかった。が、次の三首は「金の糸」初出のまま、『未青年』に入っている。

エジプトの奴隷絵図の花房を愛して母は年わかく老ゆ
敗徳狂と呼ばれゐる背に陽の縞は揺らぐ焙られてやがては死なむ
棺に寝て指くむ夢のなかわれは必死に霊も死なせたかりき

◆揺れる物語世界と欠損──一九五八年の「短歌」から

一九五八（昭和三十三）年の「短歌」誌掲載は、一月号「風は哭く」二十首、二月号「少年」十首、三月号「少年」八首と文章「その童心について」、四月号「雪の日に」七首、六月号「星川さん」八首、十月号「十代前期」八首、十一月号「孤影」五首である。一九五八年は、同人誌「核」に参加したり、角川「短歌」八月号に「未青年」五十首、十月号「海の死」四十八首、十一月号「生誕」百首掲載など、同人誌や総合誌への作品発表が相次ぎ、第一歌集『未青年』への足掛かりになった年でもある。

「風は哭く」二十首のうち、『未青年』に五首、『夢の法則』に二首が所収されている。

大空の吊橋のごとく揺れながら吹く風よ運べいのちの熱き
油絵を描きたかりき宵に見し人恋ふ夢のあかるく裸像
ギリシヤ詩の恋唄胸に漂はせ地下の石柱に背をもたせ待つ

風は光を渦にして吹く逞しき腕が肩抱くを求めゐる子に
しめやかな影法師なり愛知りて拡がる胸をうづめてくれぬ

この五首が『未青年』に所収されている歌だが、歌集掲載時には、一首目は「運べいのちの熱き」が「異郷に兄は死にたり」と改稿、二首目は「あかるく」が「あかるき」に、三首目は、「ギリシヤ」が「ギリシア」に、「漂はせ」が「ただよはせ」とひらがな表記に変えられている。後の二首はそのままの形で収められている。また『夢の法則』には、次の二首がとられている。

情熱のなき子であれと骨肉に言ひしゴッホをちちはは知らず
われよりも烈しきものに打たれたく風哭く冬の夜をさまよへり

一首目の「ちちはは」の表記が「父母は」と漢字表記に助詞「は」を加えた形で歌集に収められている。これらを除いた残りの所収されなかった歌十三首から、いくつか拾い出してみる。

臍の緒を絶たるるまでかやすらかな土偶のごとき全き愛は
空病むとくもる日云ひし遠き日もむせるばかりの光を恋ひき
風速く糸のごとくに流るれば吹く口笛のはじかれて鳴る

痛切におのれ愛せり独りなる思ひきりきりと肉汁を飲む
飢うる声しぼる烈しきわが歌も独りを知れる知恵より来しや

『未青年』に収められた歌と、ここに引用した歌を比べて見ると何処が違うのかが分かるだろう。一首目は「風は哭く」二十首の最初におかれている歌。臍の緒で母体と繋がっている安らかな全き愛の譬えが、縄文時代の土で出来た女性の人形、土偶である。土偶という無機物に母子の全き愛を見る、そこが若い建の全き愛への反意と言えなくもない。しかし、「土偶のごとき」という直喩は、土偶がすでに女性の母体のイメージをもっているため、反意までに至らない。二首目の、曇り空を空が病気だという幼い子供の言葉と発想が面白いが、その結果、光を恋うというところが普通で、「病む」も「むせるばかりの光」も言葉の意味どおりにしか機能せず、美意識へ昇華できない。三首目の歌、風速を、糸のように流れる風と描写されている。五線譜のような、ピアノ線のような、すてきな風が目を引く。その風の中に口笛は弾かれている。口笛の音がばらばらの音符になるならわかるが、最後の「鳴る」で、口笛は聞こえ、風の速度が消えてしまう。四首目、五首目の歌は、一連の最後の二首である。自己愛の自覚、孤独な気持ちは「思ひきりきりと」(傍点筆者)に表されているが、肉汁という言葉で自己愛との落差を表現しようという意図が見えて、中途半端な不自然さが残る。最後の歌は、飢えている自分の内部の声を絞るような烈しい自分の歌も、孤独の自覚からくるのだろうか、と歌われる。痛切、独り、飢える、烈しい、などの言葉は、青年期の複雑な内面を表現するのに好んで使われる。しかし、それらは自分が思うほど他人と情感を共有できる言葉ではない。自分と同じ質量で言葉が他者（読者）に伝わるためには、その言葉が他の言葉との関係によって自律する世界が必要である。それが成功しないと、言葉だけが浮き上がってしまう。言葉とはそういう側面を持つ。若さはそんなことに気を使わないし、思いを言葉にのせて吐き出す。それが若さの特権かもしれない。しかし、もう一度『未青年』に収められた歌と読み比べてみれば、言葉の自律する世界を考えないわけにはいかないだろう。

最初の『未青年』に収められた歌に戻ってみよう。

大空の吊橋のごとく揺れながら吹く風よ異郷に兄は死にたり

元の歌は「大空の吊橋のごとく揺れながら吹く風よ運べいのちの熱き」であった。「運べいのちの熱き」では、何をという目的格が抜けている。我が省略されているのかどうか、不確かなまま終わってしまう。「異郷に兄は死にたり」と改稿後は、異郷で死んだ兄の面影をしのび、大空を渡る風に気持ちを託すという世界が創造され、作品の世界が私から距離を取り、独立して表れる。ほかの『未青年』に所収された歌も、宵にみた人を油絵に描いてみたいと裸像を想像している内面が浮かぶし、地下の石柱にもたれて待つわれにギリシャ詩の世界が重なる。光を渦にして吹く風は美しい。たくましい腕に抱かれるのをのぞむ子の物語がある。愛を知った胸をうずめさせてくれるのはしめやかな影法師だが、この影法師はだれだろう。こうしてみると、『未青年』に所収された歌は、どれも一首のうちに、兄や人や子や影法師など、一見、我との関係性を暗示させる人物が登場し、物語の世界を創り出していることがわかる。短歌が一首で独立して物語の世界を創りだすことが可能なことを、これらの作品は見せてくれる。ここには、テーマを持って、一つの物語を構成する要素があり、これが『未青年』の世界へとつながっていったといえる。

それに比べて、『未青年』に所収されなかった歌から引用した作品は、どれも私の気持ちが溢れて言葉が選ばれているために、物語の世界を構築するまでに至っていない。ただ、この時期の春日井建にとって、大事にしたい歌もあり、「われよりも烈しきものに打たれたく風哭く冬の夜をさまよへり」は、初期作品として『夢の法則』に収められている。烈しいものに打たれたい、という思いは、心の欠損を埋めたい願望でもあろう。打つは、「鞭打つ」と「心を打つ」＝感動する、のように使われて、どちらの意味にとるかで、歌の内容も変わるだろう。作者としては、どちらにとられてもいいということだろう。が、「打たれたく」という願望から、打つ（打擲）はあくまで比喩の位置にとどまり、この歌では、心を打たれるほどの烈しさを希求して、さまよえる若者の気持ちにウエイトがかかり、物語の世界の一歩手前にある。建はまだ十九歳。何かを求めてやまない青年のこころの烈しさを覗けば、言葉で構築する物語の世界は魅力的だっただろうと思う。

次の二月号には「少年」十首が掲載されている。

裸木より風くると双掌あげしかど何もつかめぬ君去りゆけり
昴ぶりて厚きその肩にあてし歯も冷たくふるふ君なき冬は
鳩を巻く蛇を大地に叩きつけ打ちつつ打たるるものなきわれか
濃き胸毛の上にうづめてわが脣がかつて太古を恋ふと嘆けり
愛などと言はず抱きあふ原人を好色と呼ばぬ山河のありき
耽美なる夜を求めて飢える（ママ）ときいのちもつとも美しく燃ゆ
われを抱き泣きし或夜を恥ぢをりき無頼は弱さを見せぬ獣《けだもの》
君にいのちを食ひちぎられし獲物なれど目玉うるませて喜びゐたり
水色の空にしづくしうすれゆく虹よ去るものをなほ追ひたくて
学ぶべき月日を恋して得たる糧われは一途に燃ゆる胸もつ

この中で、『未青年』に収められている歌は二首。「鳩を巻く」の歌の「打ちつつ」を「打ちつけ」と改稿したものと、「愛などと言はず抱きあふ」の歌である。この二首とそのほかの歌の違いはなにか。それは、歌の世界の情景、イメージとそこに生まれる感情や想いが言葉によって密接に結びつけられているか、いないかの違いではないかと思う。「鳩を巻く蛇」は、実景でなくとも似たような情景を目にすることもあり、蛇を大地に打ちつけることは、小中学生の男子が遊び半分でしていたような風景も遠い時代に見たような気もする。その蛇を打つ残酷なわれと、健やかなわれの対比を見ている。「愛などと」の歌は、およそ一六〇万年前の原人に言葉はないから、当然「好色」もない。あるのは自然の山河と自然の生があるだけの世界だが、愛や好色という語を使うことで、原人を現在の人間と並列して思いが述べられている。

この二首以外の歌は、例えば、風に双掌を挙げても何もつかめないのは道理だし、感情的に肩にあてた歯も、冬なら冷たくなっても不思議ではない。多分、二首とも君のいない欠落、空虚、空白感を表現したかったのだろうと思うが、歌の言葉からはドラマが生まれない。毛深い胸毛への口づけに太古の原人への恋、美しく燃える耽美的な世界の希求、泣くことが恥だとおもう無頼観、命を奪われてなお喜びに「目玉うるませ」ている獲物、去るものは追わずではなく、執拗に追う心、勉強しないで一途に恋に燃える胸、どれも発想としても言葉としても意外性やドラマ性を欠く。若い建の中には溢れるほどの現実への反意の意識があっただろう。だが、一首の世界でそれを構築しようとするとき、言葉が意識や感情をとらえきれていないところがある。

この時期、建が「少年」という言葉にかけているイメージとはどんなものだったか。それを「短歌」三月号の「その童心について」という文章のなかに知ることができる。この文章は、中部短歌会の歌人である江口季雄歌集『萬年青』の「批評特輯」に書かれたものである。建は還暦を迎えた江口の歌に対して、その純粋性を評価しながら、多様な人間のなかの明るいもの、広いもの、健康なものばかりに作者の目が向かっている、と批判している。そこに自分の少年観が書かれている。

少年の狂気は美しい。母がうつとりと花を見つめる。きれいだなと彼は思うが、同時に自分への母の愛が奪われてしまうような気がして、いきなりその花びらをむしりとつてしまう。あの残酷な童心。少年の世界にも反抗や妬みがきらきらかに燃えているはずだ。（略）僕は成人式をまだあげていない。多情多恨な少年である。

先の二月号の作品「少年」に、この少年観を合わせてみると、歌の言葉が、どういうところから発せられているかが、わかると思う。「狂気」「残酷」「反抗」「妬み」「多情多恨」という感情が〈きらきらかに燃えている〉のが春日井建の想う少年の像なのである。純粋と同じ重量で残酷さを持つ少年という存在。その内面に言葉が結びつくときに、『未青年』の世界は姿を現す。

一九五八（昭和三十三）年の「短歌」誌から、一月号、二月号掲載の作品に続けて三月号の「少年」（八首）から作品をみていく。

ささ舟に恋ふ名を書きて浮べたる日より悲しみは流れつづけり
憎しめどまなうら熱くただ燃えて赤児のごとき恋してきたり
毒杯のごとく享けたる汝が熱き息にしびれし子は眠られぬ
唇づけにのみ知る無頼のくちびるが異郷に今宵楽吹きてゐむ
恋の子を捕へ得ざりしわが腕が焚火のための落葉を抱けり

虹遠く山にかかればわが越えてゆかねばならぬ悲しみのごと
太陽が欲しくて父を怒らせし日よりむなしきものばかり恋ふ
われよりも熱き血の子は許しがたく少年院を妬みて見をり

同じ「少年」という題で、二月号にも十首が掲載されているが、この三月号の作品は、最後の「太陽が欲しくて」と「われよりも」を除いて、どこか青春の恋というイメージのパターンに捉えられているように思われる。例えば「ささ舟」を流すという行為と恋、「恋の子」の「子」の使い方などは、与謝野寛の歌「われ男の子意気の子名の子つるぎの子詩の子恋の子あゝもだえの子」を思い出させる。虹のかかる山を越えてゆく情景は、「青い山脈」を想像させる既視感を持つ表現。熱く燃える恋と憎しみ、熱い息、口づけと君への思い、など常套的なイメージが付きまとう。

「太陽が欲しくて」と「われよりも」の二首はこのまま『未青年』に収められている。「太陽が欲しくて」の歌は、月や星ではなく、太陽を欲する意外性と不可能性が、甘い感傷を越えて、虚しさにつながっていく。「われよりも」の歌も、少年院を妬むという意識は普通ではない。「熱き血の子」は、少年院に入っている子で、この熱い血は暴力的なものであることを表す。この二首の歌は、虚しさと暴力とを結びつけて、肯定的にとらえている。この頃の歌は、既存のイメージと建の独特の表象世界の間で表現は揺れ動いているように感じられる。

次の四月号には「雪の日に」七首がある。

春の雪ふぶけば花屋の窓濡れて花は冷たき紅したたらす
雪の日も菊ある部屋に足萎の少年のためヴエルレエヌ読む
氷雪が消えゆく宙の青白きたゆみを空の墓標と呼ばむ
花房をむしりつつ呟く蕩児の詩少年は意外に昂ぶり易き
海鳴りのごとく愛すと君言へばこころに怒濤は赤し
くちびるを聖書にあてて言ふごとき告白ばかりする少年よ
雪やみて気泡ばかりの空のなかかたき恋慕も熟るると思ふ

この七首のうち最初の二首を除いて、五首が『未青年』に所収されている。例えば、三首めは「氷雪」が「水雪」に変えられている。四首めは、「絹雨の夜の静もり花房をむしりつつ蕩児の詩をひとり読む」と改稿されているし、「海鳴りのごとく」という歌も「海鳴りのごとく愛すと書きしかばところに描く怒濤は赤き」と改稿されている。「くちびるを」の歌はそのまま、「雪やみて」の歌は、「かたき恋慕」が「硬き恋慕」と漢字に書き替えられているが、改稿はない。

『未青年』に取られなかった歌、改稿される前と後の歌を見比べると、歌として一首の世界が整えられていく過程に若い春日井建の気持ちが垣間見える。自分の思いや気持ちをそのまま言葉にするのではなく、そこには意図的に一首の作品世界を構築するという意識が、働いているのを見ることができる。例えば、一首目の「花は冷たき紅したたらす」という言葉や、二首目の「菊ある部屋に足萎の少年」というシチュエーションは、明らかに春日井建の仮構だろう。しかし、この二首が『未青年』に入れられなかったのは、その仮構意識の手だてがあらわに見えてしまうからではないだろうか。

三首目の歌の「氷雪」の意味は、「①こおりとゆき、②心情の潔白廉直なさま」とあり、建の意図としては、②の意味、「けがれなく、まっすぐな心情」と墓標を結びつける意味を込めて「氷雪」を使用したと思うが、「水雪」に改稿されたことで、雪は「水分の多い雪」という物になり、「墓標」に焦点が絞られてクローズアップすることになった。四首目の歌は、下句の「少年は意外に昂ぶり易き」が削除されている。花房をむしりつつ蕩児の詩を呟くというどこか狂気に似た行為が、改稿後は、花房をむしりつつひとり読む、という平静な様態に変わっている。そのことで、狂気に近い少年の昂ぶりは、表面から姿を消し、歌の奥行きを深くする。歌としては改稿されたものの方が、いいと思うが、当時の建の仮構意識は、少年の昂ぶり易い神経の表象にあったのだろうと思う。

「海鳴りのごとく愛す」は強い印象を与える言葉だ。君がいうその言葉に、私の胸も怒濤のように激しく燃えて応えているという君と我の強い気持ちが表されている。改稿は、「言へば」が「書きしかば」に変えられたことで、激しいやり取りは自己の内面を見る冷静な気持ちとして提出されている。少年は、カソリックの告解に似た告白をする。「告白ばかりする」が真実を裏切っていることを暗示している。この歌は直接的な表現だが、「くちびるを聖書にあてて言ふごとき」の直喩が作品として自立した世界を成立させているといえる。「雪やみて」の歌も、気泡ばかりなら、恋慕は蒸発して消えてもいいところが、「熟るると思ふ」とまとめられていて、常識を裏切っているところに作品の世界が表れる。「雪の日」七首には、自己の気持ちに近いところの表現と、作品世界を仮構しようとする意識が混ざり合って提出されていることがわかる。

次の五月号に建の作品はなく、六月号に「星川さん」八首が掲載されている。この「星川さん」という人物については、実在するのか、創造された人なのか私は手掛かりを持たない。

湯にひたり首へ菖蒲の葉を巻けり君とわかれし喉さむくして
男泣きして去りし日の怒濤よりつづく激しき君が浜の日よ
ギヤマンの皿に苺をつぶしつつ赤き色香のなか君遠し
与へあふいのちなき夜のわれのため彫られてありしラオコーンの像
異土の空やさしく澄めよ花壺に花なき夜をわが眠られず
君がつくる罪の歌などそらんじて憎めり夜学の疲れの中に
霜ばしら高き異郷の荒くれの群れにまじりて綱曳く君か
夕焼けの火影となりてわが立てば愛して摑む何ものもなし

この作品中、『未青年』に所収されたのは、「与へあふいのち」の歌一首だけ。ほかの歌は、君＝星川さんのイメージが強く残されていたので、『未青年』に入れなかったのだろうと推察する。別れた星川さんは浜で綱曳く漁師なのだろうか。現実に近すぎると言えばいえる。その中で、ラオコーンの歌だけが、星川さんと離れている。ギリシャ神話の人物像は現実からもっとも遠いゆえに、作品世界を現実から引き離し、自立する。

このあと、七、八、九月号に建の作品は掲載がない。同時期、角川「短歌」八月号に「未青年」五十首、十月号に「海の死」四十八首、十一月号の「新唱十人」に「生誕」百首が立て続けに掲載される。その方に力を注いだために「短歌」には作品は無しということになったのだろう。「短歌」十月号に、「十代前期」八首、十一月号に「孤影」五首が掲載されて、十二月号には作品はない。

十代前期（十月号）

恋へる名を書きて浮かべし笹舟を沈めて雪の降りつみし日よ
残酷なまで胸あつし少年の日の赤き眼を描きし自画像
雨けむる花市みつつ胸板にしづくする愛のよどみを聴けり
憎しみの増す眼の前に華やげり雨に花冠のうなだるる園
君去りしのちの虚ろに眺めゐつ挽かれし硝子の青き切口
炎塵を吸ひて描きをり君の胸に埋めゆくべく燐燃ゆるとき
吊窓をあげて夜風に吹かれつつ少女期の母の詩を口ずさむ
銀河よりなだれくる風抗ら《ママ》ひて涙のままの眼を白く刺す

孤影（十一月号）

少年の祈り問ひつめる若き腕遠き聖堂をかひ抱くごと
吾をあばくは吾と知る日に傷負ひて帰りし赤毛の犬を眩しむ
寒風に削がれつつうすき耳たぶが夕暮れ早きネオンににじむ
綿雲にかたき青緑の裂け目ありてつめたきわれの心を吸へり
鉄棒に黒き孤影を絡ませてわれは雲明りの夜を統べゐし

これらの作品から『未青年』に所収された歌はない。どの歌も、言葉は、残酷、憎しみ、炎塵、刺す、傷負う、削ぐ、裂け目などと過激だが、歌は沈静な世界を表象している。「短歌」十一月号には「相互批評」という欄があり、稲葉京子と春日井建が前月号のお互いの作品を取り上げて批評している。稲葉は建の「君去りし」と「雨けむる」「憎しみの」の歌を取り上げて、青の非情な美しさ、花を見る聡明な眸、胸板にしずくする愛の言い様のない美しい表現、とそれぞれを評している。建の歌が持つ美の世界は、誰もが認める特質だろう。その建自身が、稲葉の歌の「純粋な美しさ」に触れて、批評の中で語っている部分に、建の詩や美に対する考えが記されているので、一部を引用する。

現代に生きる文学としての責任を考えるとき、短歌と言えどもこの巨大なメカニックに巻きこまれた社会にひしめくぼくら人間の救済を真実を歌わなければならないでしょう。しかし、一方の場において、こうした〝詩〟を守ることも必要だと思うのです。短歌は衰弱しすぎました。栄養を与えてやらなければならない。美への渇仰がどんなに人間性の奥深くに根ざしたものであるかを、文学以前の立場でもう一度しっかり考えなければならないと思います。

ここには、美への渇仰が人間の本性と深く結びつくものであることが語られている。そこにも現代の詩の必然性があると、十九歳の春日井建は考えていた。

◆『未青年』に所収されなかった歌の意味――一九五八年の「核」から

一九五八（昭和三十三）年という年は、春日井建にとって作品が角川「短歌」に掲載されたり、日比野義弘らが創刊した名古屋地域の短歌の同人誌「核」に参加したり、と活躍の場が広がった年でもある。「核」は一九五八年一月に創刊された。岡嶋憲治著『評伝 春日井建』によれば、建も創刊号から「第八号までの八冊に短歌作品九十七首を寄せている。」と書かれているが、私が二〇一九（令和元）年十一月下旬に、「文化のみち二葉館」に春日井建の資料の閲覧に訪れた時には、「核」の2、3、6号は所蔵されていなかった。それで、ここで取り上げるのは、創刊号、4、5、7、8号の作品という事になる。「核」創刊号には建の作品「少年」十五首が掲載されている。

少年

裸木より風くると双掌あげしかど何もつかめぬ君去りゆけり
昂ぶりて厚きその肩にあてし歯も冷たくふるふ君なき冬は
鳩を巻く蛇を大地に叩きつけ打ちつつ打たるるものなきわれか
濃き胸毛の上にうづめてわが唇がかつて太古を恋ふと嘆けり
愛などと言はず抱きあふ原人を好色と呼ばぬ山河《さんが》のありき
君にいのちを食ひちぎられし獲物なれど目玉うるませて喜びゐたり
水色の空にしづくしうすれゆく虹よ去るものをなほ追ひたくて
淫楽のはてしベッドにうづくまりなほ舌熱く酔ひえしわれら
廃家の庭戸おす音きしむ夜の道恋まだ知らぬ日よりさみしき
太陽が欲しくて泣きし悪童の日より愛するもの遥かなり
黒髪を乱して哭ける黙劇を見てより渇くわれもうつくし
追ひゆけぬわれとシーツを嚙みて泣く老いし善意のちちはは持てば
学ぶべき月日に恋して得たる糧われは一途に燃ゆる胸もつ
遺書をかくごとく静けき悲しみの渦にもまれて情事をしるす
疑はず生きて傷つきし夜の明けに愛するのみをわが知恵としぬ

この「少年」十五首のうち、一首目から「水色の」の七首目までと十三首目の「学ぶべき月日」の歌、あわせて八首は、一九五八（昭和三十三）年の「短歌」二月号にすでに掲載された作品である。ここではその八首を除く作品について書こうと思う。残りの七首のうち、「黒髪を」の歌は、「見てより」を「見しより」と改稿されて『未青年』に所収されているが、そのほかの六首はいずれも『未青年』にも『行け帰ることなく』にも取られていない。

なぜ、この六首がどこにも収められなかったか、といえば、例えば、「淫楽の」の歌は下句の「なほ舌熱く酔ひえし」が、上句の情況を支える表現としては普通過ぎて、「淫楽」という語が十分に活かしきれないからではないか。次の「廃家の庭戸」の歌も、下句の「恋まだ知らぬ日よりさみしき」は若い少年の抒情としては常套的表現で、廃家の庭戸を軋ませて入ってくる得体のしれない怪しさにまで歌の世界が到達していない。「太陽が欲しくて泣きし」の歌は、「悪童の日より」の「悪童」と書かれることで逆に悪童らしくないことを明らかにしてしまっている。「追ひゆけぬ」の歌は、去ってゆく君を追ってゆけない我は、シーツを嚙んで泣いているというが、追ってゆけない理由が、下句で明かされている。老いた善意の父母がいるから、という理由は、常識的、道徳的だ。「遺書をかくごとく」の歌も、遺書と「情事をしるす」ことが直喩で表現されるところに、二つの言葉の取り合わせの作為が見えてしまう。そうなると、リアルにもならないし、作品世界の手前で立ち止まらざるを得ない。「疑はず」の歌も、下句で、愛することを知恵（傍点筆者）とするところが、傷つく自己を救済してしまう。これらのどこにも所収されなかった歌は、「淫楽」「悪童」「遺書」「情事」など、過激な言葉と意味深い情況を提示しながら、下句に常識的で倫理的、理知的な素顔が覗く。あとから読み返して、建は、そのことに気づいたのではないだろうか。「黒髪を」の歌は、髪を乱して哭いているのは、観劇の場面であり、下句の「見てより渇くわれもうつくし」は、ナルシス的な甘さもあるが、劇に触発される我の内面を洞察し、それを「うつくし」ともうひとつ外から自己を見るという二重の客観性を持っている歌といえる。一首の歌の構造を多層的に活かした作品だからこそ『未青年』に所収したのだと、思う。

この後、「核」2、3号は雑誌の現物が無く、作品を見ることはできなかったので、4号を見る。4号には、「花の芽」と題された歌十首が掲載されている。

花の芽

緋の帯のめぐる機械に巻かれゆくわが身か君を職場に訪へり
鬼ごつこの鬼の子の父を愛しゐて追はれゆく花壇の血のいろの花
半獣の生血青ざめ身をめぐる花冠を大地に踏みつぶすとき
抱かれ伏す瞳をよぎりし花の芽の揺るるくれなゐに息切れゆかむ
石壺に漬ける青梅雨季の夜をわななき赤くただ熟れてゆけ
告白ののちのうつろを埋めたくて群れ咲く芥子の園にころぶす

草林に声ひきしぼる地虫より渇ききりしかもわたしは泣けぬ
楽鐘のひびく夜天に潤ほひて立つ街無縁の人らさざめく
石膏の像をまさぐる指さむし妻をにくむと云はしめし日は
きみのため煽らるるいのち美しく眠れぬ夜の遠き海鳴り

この十首中、「鬼ごつこの」、「半獣の」、「石壺に」の三首が『未青年』に所収されている。「鬼ごつこ」の歌では、鬼の子を愛するのではなく、その子の父を愛しているという情況は、異母兄弟なのだろうか。互いに父を独り占めしたい気持ちが、追う、追われる関係の鬼ごっこという遊びのなかで、花壇の赤い花に象徴されている。「血のいろ」という言葉も、その背景に血縁関係が意味されていて、ただ単に目を引く刺激的な言葉として使われているのではないことも分かる。「半獣の」の歌も、生々しい血が詠まれているが、その血はなぜか恐怖や衝撃で青ざめている血。半獣は、上半身か下半身が獣で半身が人間の姿をしているもの。背景にギリシャ神話の半獣神のイメージを置いているが、花を踏み潰す行為に、自己の内なる獣性を意識している歌ともいえる。「石壺に」の歌も、シソに赤く染まっていく梅漬けの歌ではなく、下句の「わななき赤くただ熟れてゆけ」が、壺のなかの青い梅を、震えながら成長してゆく少年の喩にまで押し上げている。

これらの三首が、歌集『未青年』のテーマに合っているということも分かるが、なにより歌として、短歌の構造的な喩法を活かして、重層的な世界を一首の中に構築していることが、この三首が

『未青年』に所収された大きな理由だったと思われる。
「核」5号には「手術」という題で十首、7号に「氷刀」十首が掲載されている。

手術

わが体を切りさくメスの静謐に泌みて木洩れ陽の緑したたる
兇刀に裂かるるおのれを愛しみしか謝肉の森の沓き蠻人
からだ切る痛み逃れむとひた恋ふは抱かれし夜の褐色の首
手術する赤裸をおほふ白き布酔ひし嗟嘆の声ほとばしる
病廊を運ばれゆけば青き灯が葬衣のごとしさやめきて降る
ラファエロの聖母を架けし夜の部屋に母が握ればか小さきわが指
ポール・ポール母はほほゑむ少女期に愛つげし異邦の少年の名
夜の窓にさかさに映り清かりき病みて頬すぢ青きわが貌
白百合の茎のみどりに爪をあつ愛さるるものは傷にわななけ
手術台に苦しみをらむ青年を愛して深夜華やぎてゐき

氷刀

にはか不具がベッドにかたく縛られし夜を獣園にそぼ降る陰雨

叛きたる者もみにくく帰りきて乳首のしたのしきりに寒し
女に燃ゆる男の脚が石膏の足枷のなか絞《し》められてをり
病む猫をあたためながら寄る窓の針葉樹蒼きひかりをこぼす
雨やみて茎鮮しき草林に病めるわが猫さまよひゆけり
原人の素脚のごとき樹幹より生きいきとして太陽匂ふ
わが腕に巻くべき首を恋ふる夜の鏡にうつりし壁の火刑図
灯を消せば鮮しく澄むギプス刀くらくらとけものの血が戦けり
背をのぼる風冷たかり荒くれの弱音聞きしと身じろぎしとき
手術せし脚傷いたむ夜をこめて氷刀が冬の樹木を削げり

この二十首の中で、『未青年』に収められた歌は「氷刀」の「叛きたる」と「女に燃ゆる」、「雨やみて」の三首。反逆して出て行った者の帰宅のきまり悪さを、乳首の下のうそ寒さに語らせ、石膏で固められた脚の状態を、「足枷」、「絞める」という語で女との関係性に飛躍させる。濡れた草林に出てゆく病気の猫の寄る辺なさなど、三首は建の歌の力を十分見せてくれる。手術や骨折が、現実かどうかは分からない。創作の世界が多分に入っていると思う。ただ、「ポール・ポール母はほほゑむ少女期に愛つげし異邦の少年の名」という歌は、角川「短歌」（一九五八年十一月号）の「新唱十人」の百首のなかに入れられている。これら二十首の歌のなかで、三首しか『未青年』に所収されなかった理由を考えると、エロスやタナトスを表現するには、刺激的、暴力的な言葉や異質な世界の情況描写だけでは、不完全だということである。短歌という定型音数律を持つ詩形は、五句三十一音のリズムが構成要素として強く働き、一首の世界を完結させようとする。それは短歌という詩形の特質であり、逆に大きな障壁でもある。そのことを意識下において建の世界は、構築されていく。

◆「未生の悪」という美の世界へ——一九五九年「核」8号と「旗手」'59／vol4からvol-8

一九五八年から五九年は、一九六〇（昭和三十五）年九月刊の第一歌集『未青年』に向けて、角川「短歌」誌に建の作品が多く掲載されている。一九五八年（昭和三十三）の角川「短歌」八月号に「未青年」五十首、十月号に「海の死」四十八首、十一月号に「生誕」百首（筆者註＝岡嶋憲治著『評伝春日井建』によれば、既存の「未青年」「海の死」「堕天使」「金の糸」を再構成したものだという）が掲載される。また、一九五九（昭和三十四）年一月号には「弟子」三十首、四月号「火蛇」五十首、十月号「血忌」三十首と立て続けに作品を発表している。他に、一九五八年の九月号には、「明日を展く」に建の写真と評論家・荒正人の短い文、一九五九年五月号に〈座談會「文學と政治の谷間」〉（荒正人、近藤芳美、寺山修司、春日井建、中井英夫）など、誌面への登場も始まる。

他にも、同人誌「核」に創刊号（一九五八年）から8号まで参加しており、同人誌「旗手」には、'59／vol4（一九五九年十一月三十日）から参加して「みどりの氷跡」二十六首を発表している。

これまで、春日井建の高校時代の同人誌「裸樹」から、「短歌」「核」などに掲載された作品など年代を追ってみてきた。年代を追えば、この後、角川「短歌」八月号に掲載された「未青年」五十首へ目を向けなければならないところである。が、第一歌集『未青年』と角川「短歌」に掲載された作品を照らしあわせてみると、歌集『未青年』には、角川「短歌」誌に掲載された作品のほとんどと、「裸樹」、「短歌」(一九五五年からの作品)、「核」、「旗手」掲載の作品が再構成されて所収されている。

それで、ここでは、建の作品参加が最後になった「核」8号(一九五九年)の「華」と「旗手」'59/vol-4の「みどりの氷跡」を取り上げる。

「核」8号の「華」には、二十二首が掲載されている。うち十二首を引く。

泉水にしづめる紙面黝ずみて少年被告の血をかたる文字
訛多き不良の群れる血の広場死鶏の眼せりわが若者も
島ごもる虜囚のいたみ木の檻にかがみて鋭き眼を燃やしゆく
飛び散りし羽毛が暗き風象となりて歓語のなかにわななく
首垂るる血の軍鶏にあつまりて勝鶏も人も眩しき眼なり
澄む空を眼に映しをりにんげんの多欲の生贄となりし死屍
沈丁花の淡紫のしづむ昼さがり未生の悪をなつかしむなり
黒羽の屍を蒼く翳らせて雨雲はひかりを巻きこみゆけり

頒ちもつ暗き禁句のひびきあふ夜を霧氷のしづくする窓
仕組まれし流血の跡にみづみづと朱をにじませて光る水霜
喪ひしこころ哀しみ歩む背に綿雪の死衣が被さりてゆく
雪罠にけものも陥ちむ夜の壁に指名犯人の写真が揺らぐ

「華」と題されているが、華やかなものは、広場での闘鶏である。軍鶏はシャモのことだ。闘鶏に賭金をして競わせる。どちらか一方は傷つき死ぬ。歌は、闘鶏の広場に集まる人たちと、そこに私の若者も死鶏のような眼をしてみている。島に捕らわれた捕虜のように鋭い眼で、木の檻の中の軍鶏の品定めをしている。戦いが始まって、鶏の羽が飛び散り、勝敗がつき、歓声が上がる。負けた軍鶏は血を流し首を垂れて死んでいる。対照的な勝鶏と賭けに勝った人達の喜びを「眩しき眼なり」と描写する。一方の負けた軍鶏は死んで、見開いたままの眼に澄んだ空を映している。人間の欲望の生贄になった鶏の屍。流血と欲望と死が描き出す世界は、「未生の悪」として語られる。「沈丁花の」という歌は、『未青年』に「昼」を「午」にかえて所収されている。屍を翳らせてひかりを巻き込んでゆく雨雲、流血の跡の水霜の朱、被さってくる綿雪の死衣、惨のなかの美が、歌を押し上げる。破綻のない美の世界が表出されていることは称賛されるべきことだ、と思いながら、この時代の春日井建の美意識を支えている思想は何か、という思いが生まれる。（筆者註＝この一連では他に、「頒ちもつ」「喪ひしこころ」「雪罠に」の三首が『未青年』に所収）

その私の問いに答えてくれるヒントが、「旗手」'59／vol.4の、春日井建のあとがきの「気焔・奇焔」にある。

○……コクトオの〝オルフェ〟で黄泉の国との仄青い境界をさまよつていた硝子売、ぼくはあのつめたいシネ・ポエムを限りなく愛している。短歌という様式を選択したのも、あるいは僕の感動があの硝子売のように、生と死のあいだを振り子となつてめぐることしかできないからなのかも知れない。ぼくの燃えあがる感動は生きながらえないでいつもはつと急死してしまう。時間はとまり、僕はばらばらになつた感動のむくろを拾いあつめる。それは短い圧縮された詩にしかならない。さて、ながく継続する感動を文字にゆつたりと託すことができる人たち、あなた達へのはじめての呼びかけはどうだつたろうか。とにかく僕は今日もスケート・リンクへ行つてこよう。氷はさむざむしい生と死の境界、リンクの板張りの床の下のはるかに広がつた死の国へ、僕は、はかない刃身のたよりを書いてこよう。

（春日井　建）

全文を引用した。建が短歌という短い様式を選択したのは、感動が急死するので、圧縮された詩にしかならないからだという。それはいいとして、なぜ、僕の感動は、生と死の間の振り子なのか。二項対立的な思考のふり幅しかないのだろうか。それも若さの特権なのだろうか。「未生の悪」へと美の世界を開示する建の思想の深いところに降りてみたいと思う。それを「旗手」'59／vol.4に掲載された作品「みどりの氷跡」の前に置かれた詞書から拾ってみようと思う。

みどりの冒瀆という不道徳な小説があると聞く。ぼくの十代はその冒瀆の土地にとびこむための鍵をまさぐりながら過ぎた。だが原罪の意識のないところにはたして悪があるであろうか。愛憎の確証を何も孕まないところにはたして罪の意識が生れるであろうか。これはそんな無償の不毛地をさまよつた月日の軌跡である。

神聖で尊厳あるものを犯し、穢す場所へとびこむための鍵を探して十代が過ぎた、という。この詞書は、原罪の意識もなく、愛憎の確証も孕まないで無為な月日の軌跡を書いたという内容で、歌の詞書としてはそれで事足りると思う。しかし、もう少し書かれていることを掘り下げてみると、原罪の意識とは、旧約聖書にあるアダムとイヴが神命に背いて犯した人類最初の罪行為で、人間は皆アダムとイヴの子孫として生まれながらに罪を負っている存在だという考え方である。人間は生まれながらにして罪びとであるという意識がなければ、悪もない。その罪の意識は、愛憎の確証を孕むところに生まれる、という。いいかえれば、人間は愛憎を確かに意識すると罪の意識がうまれ、罪の意識があるから悪がある、ということになる。その悪を描く、ということは、人間の持つ罪の意識を掘り当てることになるだろう。それをたどれば、人間存在に絡む愛憎へ至るという図式である。建が悪の世界を表現する意味が少しだけ見えるように思う。

なぜ、私が、ここに拘るかと言えば、それは第一歌集『未青年』のあとがきと関連するだろうと思うからである。『未青年』のあとがきは、「短歌ははじめぼくの免罪符でした。」で始まっている。自己の悪行を正当化するための免罪符という短歌の位置づけについては、あとがきを読んだ時から、気にかかっていた。免罪符や「純潔派的異端《カタリスム》」という言葉が持つ、中世キリスト教的な思想は、建のどういうところからの発想なのか、という思いが、歌集『未青年』のあとがきへの疑問だった。カタリ派がマニ教をもとにしているとすれば、善悪二元論も分かるように思うが、この年齢の春日井建にとって、そこまで思想的だったのか、それは歌集『未青年』を読み解きながら、という事にしたい。ただ、「みどりの氷跡」の詞書は、歌集『未青年』発行の時期とそれほど隔たっていないことを思うと、この時期の春日井建の短歌表現への考え方の一端がうかがえると思ったのである。それを踏まえながら「みどりの氷跡」の作品を見ていこうと思う。

夜をこめてヴィヨンを読めば去年《こぞ》の雪にじみしごとく来たる薄明
青年の氷跡をたどり滑りゆけば愛は刃身《エッジ》に研《と》がれてゆけり
ひるの月匕首《あいくち》のごとくひらめけば君の放浪癖も愛さむ
膝つきて散らばる硝子ひろはむか酔漢の過失美しければ
少年の眼が青貝に似て恋へる夜の海鳴りとうら若き漁夫
死より怖るる生なりしかばせめて暗く花首は夜気に濡れつつなびけ

みひらきて凍れる夜気を吸ひをれば眼は氷穴のごとき深淵

「みどりの氷跡」二十六首中、二十首が『未青年』に入れられている。ここに取り上げた歌もすべて『未青年』に所収されているものである。一首目はフランスの詩人ヴィヨンの詩を一晩中読んでいると、去年の雪が溶けて滲むように日の出前のほのかな明るさがさしてきた、という意味だ。パリ大学を卒業しながら殺人、盗み、放浪の生活や入獄を繰り返したヴィヨンの、奔放な情熱と自由な詩を読んでいるというところが、建らしい。「夜をこめて」や「去年の雪」など和歌との接点を思わせる言葉の使用も意識されていると思う。二首目の「氷跡」は、スケートシューズのエッジが氷上に残した跡だろう。青年の滑った跡を重ねて滑ると、氷のエッジの跡は深くなる。引用の「気焔・奇焔」に「氷はさむざむしい生と死の境界」と書かれているが、歌は冷たい愛の深さを表現する。三首目の昼間の白い三日月を「匕首のごとく」と形容するのも美のアイテムの一つか。放浪癖はヴィヨンに重なり、詞書にあるように「無償の不毛地をさまよつた月日の軌跡」にも重なる。酔漢の過失、割れたガラスを膝をついて破片を拾う仕草、螺鈿細工に使われる青貝のような少年の眼と、若い漁夫との関係、これらはどれも美しい。原罪を意識すれば、死は天国への救済であり、生は試練の場となろう。さすれば「死より怖るる生」は常識だが、原罪を意識しなければ死が怖い。その通念を逆転させて、罪の意識がないことが語られているといえるだろう。眼が冷たい夜気を吸い込んで氷の穴のように深い淵になる。悪を描く深い意味を持つ淵だろうと思う。

2 自我像の根ッ子――内なる権力をあらわにする言葉――第一歌集『未青年』

春日井建の第一歌集『未青年』（一九六〇年九月一日刊）については、多くの論考が書かれてきて、もはやこの歌集を論じることはないのではないか、とも思う。ただ、春日井建の歌をみていくうえで、『未青年』には、私なりに解決しておきたい問題が一つある。

一九八〇年代中頃、春日井建の「詩と短歌」の講座を受講したことがきっかけで、第四歌集『青葦』刊行の時期に中部短歌会に入会し、国文社の現代歌人文庫『春日井建歌集』を求めて、初めて『未青年』など春日井建の短歌を読んだ。そのとき、感じたある違和感……『未青年』の歌の「斬首」「血」「童貞」「死」「私刑」「裂く」「足枷」「磔刑」「刑務所」「男囚」などの言葉に生々しさを感じるより、その悪を表象するある種のスタイルが誇大に見えてしまう、と思ったことである。むしろ『行け帰ることなく』の歌の方が、そのスタイルを吸収して、より物語的な世界を表出し得ている、と思ったのである。また、一つ気にかかったのは、『未青年』のあとがきだった。そこに書かれている「免罪符」や「純潔派《カタリスム》的異端」という中世キリスト教に関連する言葉と、春日井建の思念との関係性が分からなかった。もっとも、春日井建の二十一歳の時の文言を、それから四半世紀後の一九八五

（昭和六十）年の状況に置けば、社会状況も文学の情況も大きく変わっているのだから、私の感じた違和感も、当然と言えば当然だろう。しかし、春日井建の歌の悪や美意識やエロスの定式の根底に何があるのか。その答えを見つけたい。

＊

歌集『未青年』について書かれた論や特集、対談、建自身の執筆したものなどを読み進めるうちに、春日井建の言葉でずっと気にかかり、印象強く残っているものがある。それは月刊誌「短歌往来」（二〇〇〇年四月号）の「編集長インタビュー／春日井建」の話の中のこと。西欧の文芸や戦前の日本文学の影響についての質問に答えて、春日井建は次のように答えている。

春日井　読みましたね。幸せな読書をし、幸せな友達関係の中で遊んでいたというところと同時に、何か一点…。ただそれは僕だけじゃなくて、あの時代を生きた人は、そして感じやすい人なら気が付いていて、そして根ッ子のところを持ったまま今もいるし、持って育ってきたものだと思うんです。（筆者註＝このあと、住んでいた江南の家の庭の無花果の大きな木のことと、家の中に鬱々と病む祖父がいたことが語られる――この祖父のことは、一九九〇年一月二十一日、中日新聞「思い出の背景」にも記されている）／そういう祖父があったこと、あるいは非常に幸せなんですけれども、新聞を読みますと幸せじゃないですね。東京裁判の人達が、東条英機は一分何秒とか、土肥原氏は何秒とか、絞首刑になって命事切れるまでの時間が書かれていたり、子どもの肉が缶詰になっていたとかいう記事を読んだり、周りには本当に恐いことがいっぱいありましたね。今子ども達が壊れるというようなことを言いますけれども、あの時は社会が壊れ切っていましたからね。そういう中で、壊れたものと明るい自然の中で一緒に、幸も不幸も同時に感じてしまわなくちゃいけないような時間があって、それをたっぷり過ごしたという感じがします。

壊れ切った日本の敗戦後の社会状況と、戦争からの解放が、建少年の思考に与えた影響は大きい。これまで、大本営発表の軍部の意向を受けて報道してきた新聞が、敗戦に伴って、戦犯の事切れる時間まで掲載するという、こういう昨日まで信じてきたものが手のひらを返したような扱われ方をするのを目の当たりにした少年にとって、何が正義で何が悪なのか、価値そのものへの懐疑が生まれても不思議はない。

このことに関連して、「幼年期の恐怖」（『未青年の背景』所収）という文章が、中部日本新聞（一九六〇年八月十五日）に掲載されている。『未青年』刊行の直前だ。そこには、「小さな塹壕に隠れて上空をとぶB29を恐れ、応召する父をうらやみながら見送り、血縁の戦死をぼんやりと聞いた」と、当時の印象が語られる。「終戦後初の小学一年生であるぼくは、価値や真実の転倒した教科書の黒くぬりつぶされたページをふしぎな気持ちで繰りながらも、のびのびとした学校生活を送った。」という、その現実的な生活の中で養われた感受性は、「アメリカの飛行機が火をふいて墜落する絵を描いてほめられた幼稚園児であるぼくは、アメリカばんざいの占領時代の社会で自我をめざめさせ、やがて朝鮮やアルジェリアの戦乱を聞きぶざまな議会政治を見て育った。／ぼくらの世代は決して無傷でも、打ちひしがれてもいやしないけれども、おとなを拒否した三つ児の魂は、ぼくらだけにしか理解できないのかも知れない。（略）そして時としてぼくが、あの充実し、美しくもあった恐怖の幼年期にいまなお魅了されるのはいったいなんだろう。戦争悪といってかたづけきれない衝動を多く持っている感情をもてあましながら、政治にアンガージュ（参加）できない精神に属している自分を知らないではいられない。」と書く。

敗戦を境に全く価値の転倒する世界を享受しなければならなかったという大きな矛盾を抱えて、大人への拒否感覚として戦後の自由な時代を感受するという複雑な精神構造が形成される過程が見て取れる。このことを、建が意識したかどうかは別だが、建の意識下に刻印されたのは、権力と悪との関係性だったのではないか。権力の作用によって、正義と悪の関係は容易に反転する。悪を描くことも、正義を描くことも同値である。このことは、ずっと建の思念の奥深くに刻み付けられた世界観といっていいだろう。

また、一九五九（昭和三十四）年五月号の角川「短歌」の「〈座談會〉文學と政治の谷間」（出席者・荒正人、近藤芳美、寺山修司、春日井建、中井英夫）でも話している。京橋辺の喫茶店に入ったとき、自衛隊の大行進に出会い、何十台という戦車の轟々という音で喫茶店の壁まで揺れた。その時感じたことについて、春日井建は、「少し恐ろしかつたんです。」と答えて、その恐ろしさについて、二つの理由を挙げる。

春日井　二つの理由で。まず最初には、曾ての權力へ戻るというそういうものへの單純な恐怖ですが、もう一つは自分の精神のどこかで、そういう秩序を歡迎するようなものが芽生えているというような……僕らの生きてきた時代はほんとうに混沌としていて、なにか秩序が欲しい、ワクが欲しいという氣持の中にいるもんだから、あゝした權力の行進をみるというなかで、そちらへ傾斜するようなものを自分が感じちやうということを恐ろしく思うんです。

春日井　僕は戰爭が終つた最初の小學一年生なんだな。だけど僕の兄貴たちが戰爭に行つて死んだりした、そして自分の内部で死というものを、いま神秘的なものに考えるよりも、もつと怪物みたいな大きなものに感ずるときに幼年期にいた。そういうところから權力というものを實際以上に大きいものとして感ずるんだな。

これらの事を合わせ読むと、春日井建の幼少期、青少年期と時代との関りが見えてくる。建は愛知県の江南市に生まれて、そこで小学五年生まで過ごす。小さな皇国少年は、小学一年生の八月に敗戦を迎える。敗戦と同時に黒く塗りつぶされた教科書を手にし、それと相まって、敗戦の翌年十二月、中部神祇学校校長だった父・濵が「戦時神職を養成した廉」によりＧＨＱによる教職追放となる。中部神祇学校は廃校になり、父は名古屋の明治時計の総務課課長として勤めることになる。

建にとって物心ついたころから幼稚園、小学校入学まで、校長だった父の姿は晴れやかな存在だったのではないだろうか。それが敗戦と同時に、戦争協力者に組み込まれＧＨＱのパージを受けることになった。小学一年生の夏以降、「アメリカの飛行機の墜落の絵」を褒められた事と占領下の情況の大きな違いを、矛盾を、そのまま受け止めざるを得なかっただろう。敗戦後の大人たちの混乱を、態度の変化を、感受性豊かな小学生だった建は、肌身に感じたであろうと思う。建が小学生時代をほとんどそういう環境の中で過ごしただろうと思えば、大人への、人間というものへの不信感が芽生えても不思議ではない。そのうえ、前掲のように、東京裁判の戦犯の、絞首刑で命事切れる時間まで報道する新聞記事には、恐怖を抱いただろう。信じていたものが戦犯になり悪になる。父のパージが、東京裁判と無関係であると分かっていても、ＧＨＱの占領下にある敗戦後すぐの時代に、小学生の心中はどれほどの思いだったか。ただ、家に帰れば、父や母は変わらずに優しく、兄弟も仲が良い生活の場がある。

敗戦後に感じた恐怖が、成長した二十歳の建にも自衛隊の行進に対する感想の言葉の中に「権力」への恐怖という形で残っていることを見る。その恐怖が単純な戦前の体制へ戻るという事だけでなく、逆に秩序や統制を求める自己の内面の権力意識まで届いていることを自覚している。ここで若い建が触れているのは、軍事的なものを含めた国家権力だけでなく、権力を希求する自分の内面について語っていることである。権力は国家と国民という関係だけでなく、個人と個人の関係にも権力関係は生まれる。そこに、建の悪に関する作品の源は、あるといってもよいだろう。

建にとって、その権力に「死」が絡んでいることが大きな要素だ。戦争で死んだ兄や兵士たちと、戦犯として絞首刑になった人の死も視野に入っているところから、「権力」を実際以上に怪物のように大きく感じている。権力とは、「悪」を規定できないところから発している「悪」、不条理や「善」の裏側に張り付いているものまで含む「悪」ではないか。自己の内部の権力をみようとするとき、死が媒介になる建の「悪とはなにか」という問いは「生とはなにか」という問いと同じである。

父のパージが解除されたのは建が中学一年の秋だった。建は「季刊 現代短歌 雁1」創刊号（一九八七年一月刊）の自筆年譜に「秋、パージが解除した。わが家の「戦後」が終った。」と記している。一家は一九五〇（昭和二十五）年三月、名古屋市昭和区曙町に転居し、建は、吹上小学校六年に転入する。翌年、パージが解除される。名古屋市千種区光ケ丘に転居するまで、ちょうど十二歳から二十五歳までのおよそ十三年間をここで過ごした。この曙町の建の住まいの近く、吹上小学校の近くには、赤いレンガ造りの大きな名古屋刑務所（一九六五年に愛知県みよし市に移転）があり、鶴舞公園も近くにあった。その鶴舞公園は戦後ＧＨＱに接収され、公会堂（一九五六年に名古屋市に返還された）や噴水のある場所は、金網で仕切られて日本人は入れない場所になっていた。公会堂の屋上には星条旗がはためいていたことなど、この当時の鶴舞公園の様子についても建は、中日新聞の「思い出の背景」（一九九〇年一月二十八日）に書いている。

建の中学時代は、〈わが家の「戦後」〉から解放され、戦後民主主義教育のなかで、自由に成長していく。社会は朝鮮戦争の特需景気で経済は復興し、映画「禁じられた遊び」が日本で公開され、テレビ放送もスタートする。高校時代には、冷蔵庫・洗濯機・テレビが三種の神器と言われ家庭電化時代が到来。エルビス・プレスリーの登場、石原慎太郎の『太陽の季節』が芥川賞を取り、太陽族が出現し、ソ連は人工衛星一号の打ち上げに成功、東京タワーが完成する。

＊

なぜ、このような建の来歴をたどるかと言えば、ここには春日井建の現実の生活と、彼の思想が形成される基盤があると思うからである。作品は、基本的に作者を超えて自律しており、テクスト論的な多様な読まれ方をされていい。しかし、私が冒頭で挙げた『未青年』の歌への違和感、あとがきの中世キリスト教に関する言葉との関係性などについての問題を解くために、あえて建の言葉を、来歴を集めてみた。ここから、『未青年』の歌を繙いてみたいと思う。

大空の斬首ののちの静もりか没《お》ちし日輪がのこすむらさき　「緑素粒」

『未青年』冒頭のつとに有名な歌である。この歌を最初に読んだ時、斬首と日輪のイメージから、カミュの『異邦人』を思った。主人公のムルソーは、アラビア人を射殺して裁判にかけられ死刑判決を受ける。裁判長に動機を聞かれると「太陽のせいだ」という。ギロチン（現実には、地面に置かれた幅の狭い簡単な機械）による刑の執行について、ムルソーは、階段をのぼって断頭台へあがることを想像していた。「断頭台へ登ってゆくこと、大空のなかを上ってゆくこと、」という訳語の部分もある。

しかし、この歌に、歌集の冒頭に置かれたエピグラムのような文の「病んだ　紫陽花のような日輪が狂っていた」というほどの禍々しさは感じられない。日没後の静寂は、日本的な抒情に和し、残照の「むらさき」は、逆に狂気を払拭する。また「大空の斬首」について、「没ちし日輪」を大空の断頭とイメージすれば、時空そのものへの断罪という意味にもとれる。斬首という強い言葉が、劇的に日没後の残照の美しさを引き立てるところに、春日井建の歌の独特の美意識がある。が、敗戦後を語る建の言葉と合わせて考えると、誇大に思える「斬首」という言葉には、戦前の体制の権力、戦犯の絞首刑、自己の内部に意識した権力などの根底を、あらわにしたかったのではないか、とも思われる。

童貞のするどき指に房もげば葡萄のみどりしたたるばかり　「緑素粒」

この歌もよく取りあげられる歌の一つである。「童貞」という言葉が様々なイメージを触発する。童貞であることに純潔の誇りをみたり、少年の自慰行為とナルシシズムをみる人もいる。また違った見かたをすれば、聖書には、新約、旧約のなかに葡萄酒や葡萄の木や枝など、葡萄という言葉が多く出てくる。その中の一つ「ヨハンネスへの黙示十四章十四〜二十節」には、すでに熟している地上の葡萄の房（悪人）を取り入れ、神の激しい怒り（神の最後の審判）の絞り桶に投げ入れると、葡萄は踏まれ、絞られた血が桶から流れ出て広がったことが記されている。悪人に対する罰の激しさを表す記述だが、歌の葡萄のしたたるしずくを、黙示録の記述に照らして悪人の血と読むことは、読みすぎだろうか。なぜ聖書との関連を持ち出すかといえば、聖書に関する歌「くちびるを聖書にあてて言ふごとき告白ばかりする少年よ」、「旧約をとぢて展きし神話よりわれの魔弾の指はふるひき」なども見られ、『未青年』の最後には旧約聖書の「洪水伝説」になぞらえた章もある。宗教観を外して読めば、旧約の世界は物語に溢れている。建の読書経験のなかに聖書も含まれていただろうことが窺える。

「水母季」

学徒隊の血の残像よしみじみと煙れ環礁《リーフ》に雨たばしれば
テニヤンの孤島の兵の死をにくむ怒濤をかぶる岩肌に寝て
泡立ちて月射す夜は白波も酒を醸せよマリヤナの沖
大空の吊橋のごとく揺れながら吹く風よ異郷に兄は死にたり
水葬のむくろただよふ海ふかく白緑の藻に海雪は降る

水母は夏の季語。季は、一定の期間をさすから、「水母季」は、水母の発生する夏の季節のこと。毎年八月十五日はそこにある。海に泳ぎに行けば、その海は兄の戦死した海につながっている。テニヤン（テニアン）は、西太平洋北マリアナ諸島中の小島でサイパン島の南に位置する。日米の激戦地だった。戦争は多大な損害を被って日本の敗退に終わった。兄というのは、建の話に出てくる「血縁の戦死」、「ぼくの兄貴たち」という存在だろう。ここでは「兄」という一般名詞が使用されることで、個人的な関係性から距離が置かれている。その距離に物語性が生み出される。「学徒隊」は、学校に在籍のまま陸海軍に入隊し一九四四（昭和十九）年末から戦争に動員された学生たち。マリヤナ（マリアナ）沖海戦で一九四四年六月十九、二十日の二日間で三千人以上が戦死したという。海に泳ぎに来て、遠く戦死した兄を想い詠われた歌。「血の残像」も「怒濤」も「水葬のむくろただよふ」も戦死した兄たちのうえに置けば、過剰でも誇大でもない。「しみじみと煙れ」、「死をにくむ」には哀惜の情が表され、「白波も酒を醸せよ」は死者への鎮魂と穢れを祓う意味も付加されている。水葬にされた死者たちは深い海底に沈み、その光景は、プランクトンの死骸などが白く漂い雪のようにみえるマリンスノーの世界。喪失感を抱えた美しい歌だ。

現実の戦争死を素材にするときの歌は、「悪」を離れる。

「奴隷絵図」

ミケランジェロに暗く惹かれし少年期肉にひそまる修羅まだ知らず
胎壁に胎児のわれは唇《くち》をつけ母の血吸ひしと渇きて思ふ
有頂天に生きてみづみづと孵化しゆく少年の渇を人らは知らず
火祭りの輪を抜けきたる青年は霊を吐きしか死顔をもてり
青白き水炎まきて棒《ポール》立つ選手ら去りし雨のグラウンド

「修羅」や「母の血吸ひし」「渇」「孵化」「霊を吐きしか」などの言葉は、一首を際立たせる役割を担っている。ミケランジェロのダビデの像は美しい。そこにあえて「肉にひそまる修羅まだ知らず」

と、少年期の純粋さと同時に、肉＝身体に関する争いの絶えない修羅があることをいう。肉と修羅という言葉を使うことで、精神を深く掘り下げ、肉体へ投げかける。二首目の胎児は、児の側の意識を表象する。普通、母は胎内で児を育み、胎児は臍帯を通して栄養を受け取る。その状態を胎児の自我という視点でみたら、生のために母の血を吸って成長したということになるだろう。三首目は、表面的には物事に熱中して活き活きと成長する少年たちだが、彼らが抱えている渇きを人々は知らない、誰も分かってくれないという思いが書かれている。四首目の火祭りは、鞍馬の火祭が有名だ。その神事に携わり、炎に照らされた青年の顔の描写が美しい。「霊を吐きしか」、「死顔」という言葉が、青年の生の裏に張り付く死を浮き彫りにする。肉にまつわる修羅、胎児の貪欲な自我、少年が抱える渇き、神事に高揚した青年の顔にある死など、歌は、存在の裏に隠されている自己の内なる生の権力をあらわにする。「青白き」の歌の「棒立つ」に性的なイメージを感じる人もいるが、これは、そのまま叙景歌としても読める。水炎は、水煙だろうか。試合が終わり、選手たちが去って、水が細かく飛び散って煙のように見える雨のなかに立っているのはラグビーのゴールか。試合の熱が残っているような感じを、水炎という言葉で表した。こんな風景を学校の放課後のグラウンドで何回も見たような気がする。

「火柱像」

両の眼に針射して魚を放ちやるきみを受刑に送るかたみに
夕焼けて火柱のごとき獄塔よ青衣の友を恋ひて仰げば

刑務所の倒影がしずむわが街に無法の熱き眼はひしめけり

「両の眼に」の歌に、主人公・佐助が、盲目の春琴への思いを表すために自分も同じように、両目を針でさして盲目になるという谷崎潤一郎の小説『春琴抄』を思った。歌は、魚の両眼に針を射す。刑を受ける君を思い出す種としての行為は、残酷である。谷崎の佐助の行為も過激だが、自傷行為だ。しかし魚への行為は、他害行為である。これは悪意や悪事ではなく愛でも恋でもない。心的なバランスの欠如の表象と読みたい。それもまた青少年期の特徴である。内的な権力の表象だ。二首目、三首目は現実の家の近くの名古屋刑務所を創造領域に引き込んで歌ったものだろう。青衣は一九五五(昭和三十)年まで日本の囚人服の色として用いられていたという。刑務所の中の友を思って見上げる獄舎の塔が夕焼けに火柱のようにみえる。友を恋う気持ちを火柱のような獄塔が象徴している。三首目は、わが街の様子を感じたままに表している歌だ。歌の背後に現実を置くと、誇大なものとそうでないものが見えてくる。

「血忌」

産褥に臥しつつ母はその日より愛しすぎゐて苦しみしなり
荒蕪地の野に曇天に放たれし血忌の朝のけものかわれは
〈白毛女〉観し日に母はくらぐらと語りき江流の杳き秧歌《ヤンコ》を
弟に奪はれまいと母の乳房をふたつ持ちしとき自我は生れき

「血忌」とは血忌日のこと。血にまつわることを穢れとする。建は「故郷について」（現代歌人文庫『春日井建歌集』国文社）で「血忌の日というのは、中国のある地方の風習で、ありとあらゆる生物が解放される日である。」という。「血忌」の作品は、中国の江南を故郷にして書かれた想像の作品で、血を忌み、生命を厭い、生きることを怖れる少年の物語だという。血を忌むということは、女性の産褥も忌みの対象だ。一首目の母が愛しすぎたのは、生まれてくる子どものことだろうか。「荒蕪地」は荒れ果てて雑草が生い茂っている土地のこと。野に解放されたわれだが嬉しくない。「けものかわれは」に、疎外感が表される。産褥の連想から、母の身体から生まれることも解放だとすれば、それも血忌に繋がっている。次の歌の「〈白毛女〉」は、一九五五年に日本で公開された中国の映画の題。中国の革命劇だが、これは建の創造ではない。実際に上映された映画をもとにして、この歌は作られているともいえる。江流は中国の河川長江のこと。秧歌は中国農村の田植え歌。母が遠い昔の自分の故郷の中国の長江のことや田植え歌のことを話した、という内容だ。作品の物語化は、以後も建の連作意識を実現する方法だが、この場合は、自己と離れすぎてしまう感がある。むしろ自我の自覚の歌にある、リアリティが自己の内面を映している。

方舟より呼びあふ声すわが名古屋ソドム市に〈生めよ増殖《ふや》せよ地に満てよ〉「洪水伝説」
叫びたるいまはの声は集りて水の伽藍へ呑まれゆきたり

水没の闇にひしめけさはやかに光りて昨日の死者たちの眼は
腐食熱むなしき胸を抱くさまを機上より見おろすは首相閣僚
夕映えのきはまる空は赤錆びて人間焼却炉となる日を待てり
私娼窟のごとき天幕《テント》に禁色の生終へて死者ら手を伸べあへり
救急車の尾灯せつなく過ぎしのちまた冷えびえと潮枯れし街

「洪水伝説」の章だが、これは一九五九（昭和三十四）年九月二十六日、伊勢湾台風の惨事の様子を旧約聖書の「創世記」の記述に模して詠われた作品。遅れて『未青年』を読んだ私にとって、「洪水伝説」の章は最も印象的だった。この章の歌は、他の歌と色彩が違うように思われた。それは、大きな自然災害を作品化したときの表象意識の問題かもしれない。そういうとき、作者自身に問われるのは、事柄に対する作者の立ち位置である。それが決まらなければ作品は書けない。建もまた、報道される伊勢湾台風の甚大な被害を受け取り、作者としてどのように作品化するべきかを考えたことだろう。伊勢湾台風の高潮によって名古屋市西部は泥海と化し、死者行方不明者、全壊流出家屋など大きな被害が出た。

「創世記」のノアの方舟の話は、洪水によって神に滅ぼされたソドム市が書かれているが、泥海に浸かった名古屋市がそれになぞらえて作品化されている。一首目の、「〈生めよ増殖《ふや》せよ地に満てよ〉」は、水が引いた後の聖書にある有名な神の言葉だ。水に呑みこまれた人々の最後の叫び、闇に光る死者たちの眼、その惨状を飛行機で視察する首相や閣僚たちの在り方、おびただしい死者たちの数、天を冒瀆するような、人間焼却炉や私娼窟という語も、この悲惨な現実を超えることはない。救急車の尾灯の赤が、潮の引いた街に寒々とした光景を映し出している。ここにある言葉は、惨状の現実と釣り合っている。どんなに物語化され、誇張された言葉も、大きな惨状の前に置かれたとき、現実の大きさを超えられないことを改めて思う。「洪水伝説」の章には、現実の事柄と向き合い、「機上より見おろすは首相閣僚」という事実が差し挟まれて、政治家への批判も明確に表れている。建の意識の在処を見る。これらの歌を、その後の阪神淡路大震災、東日本大震災に遭遇した折の歌としてみても、普遍的な表現として価値を持つだろう。

＊

　こうして見てくると、春日井建の歌の、悪や美意識、エロスやタナトス、男色の世界の過剰な言葉、誇大な表現の世界は、内なる権力を自覚し、それをあらわにするための表象であるともいえる。あの敗戦後の社会の崩壊と混乱のなかで、育まれた春日井建の鋭い感受性は、価値観の転倒だけでなく、「悪とはなにか」「生とはなにか」を自己に問う事を課した。過剰な言葉、誇大なスタイルも単なる「悪」を「エロス」を描くのではない。その背後にあるもう一つの顔、内なる自己の権力意識まで錘をおろしそれを表面に引き出して問う。それは自己を偽らない建の自我像でもあろう。だから、現実の事柄に向き合って詠われた歌は、いくら物語化されていても、表現としての普遍性を持つものになっている。

あとがきの「免罪符」や「純潔派的異端《カタリスム》」という中世キリスト教的な言辞については、その宗教の教義などについて言及している文章を見ることができなかったので、建の内部でどこまで「純潔派的《カタリスム》異端」へ踏みこんだ理解がされているのかはわからない。ただ、聖書に関する歌や、「洪水伝説」の章などがあるところから、旧約、新約聖書の読書経験が作用しているのではないか、ということだけは理解できたような気がする。

3 若さを蕩尽する生き方を選ぶ——第二歌集『行け帰ることなく』

春日井建は、『行け帰ることなく』（一九七〇年七月一日発行）を出したあと、短歌を止めた。『評伝春日井建』（岡嶋憲治）によれば、建の「歌のわかれ」は一九六五（昭和四十）年の初めころだというから、歌集刊行よりだいぶ早い時期である。『行け帰ることなく』の「あとがきに代えて著者の肖像」を読めば、『未青年』以後，二十五歳までの作品三百五十首が収録されていることがわかる。この歌集で注目されるのは、冒頭の「鬼」。「トヘトヘ　トーレ／トヘヘロ　トーレ／鬼祭の囃子」という短い添え書きがある。

どろどろと太鼓鳴るとき神の座にひとらひれ伏す雪くらき村
六十余州の神をあつめて鬼うつと桜の撥《ばち》は異端にむごし
山の祭さざめきひとは鬼追ふにわれに似て鬼はなぜか逃げまどふ
悲しみを問へ問へ問へと笛の音いつしかも鬼は舞ひ狂ひたり
追儺《つひな》すと囃しにぎはふ鬼祭この世ならねばなべて追はれつ
蕩尽の性にかあらむ泣きじゃうご鬼は若衆を哭きていつくしむ
見捨てられ追はれし村も遠ざかり鬼のしづかにねる雪の洞

鬼祭、と書かれているが、これは愛知県の奥三河地方、北設楽郡に七百年以上も前から継承されている花祭を題材にしている作品である。起承転結を有する物語構成を持つ連作。これまでも、建は物語性を持つ歌の世界を創作してきたが、「鬼」は花祭の始まりから終りまでの行程に、鬼に仮託して建の物語を語らせている。「どろどろと」の歌が、「鬼」の章の冒頭の歌。神座に神を迎えて、村人はその前にひれ伏す。神事の始まりである。日本全国の神を集めて、桜の撥で鬼を打つ。鬼は異端のもの。共同体になじまない、正統から外れている存在である。村人は声をたてて鬼を追う。逃げ惑う鬼の姿はわれに似ているという。追われ逃げ惑いながら、鬼は湧き上がる悲しみを自己に問う。追儺は悪鬼を払い疫病を除く儀式で、鬼はすべての疫を負わされて追放される。行きずりに唾された若者を哭いて愛する鬼は、自己自身が尽きるまで求める一途さを表す。村から遠く追われた鬼は雪の洞に静かに眠る。この世になじめず、悩み、惑い、舞い狂い、哭き、寒い雪の洞に一人孤独に隠れる鬼に建の姿を重ねて読むと、『未青年』で華々しく歌壇に登場した建が、歌のわかれを決めるまでの複雑な心境を見る思いがする。

建は、この作品の村人は、平和な生活を送る人たちで、鬼はそれに対する異端。鬼は当時の自分の影であり、一人になって隠れてしまうという最後の主題を持って作ったという。この「鬼」という作品を作った時、歌を止めるべきか、書くべきか、必死な状態、カオスにあった、と後日「一九六〇年代の成果と現在」（「短歌研究」一九八一年八月号）で語っている。もともと異端の作品を書いていたが、それは作品の中だけでなく自分の存在そのもの、生き方とかかわっていて、その密度が濃くなり追い詰められたところで、これまでとは別な生き方を選ぶことにした。言葉よりも若さを蕩尽し尽くす生き方が自分にぴったりだと思い、伝統定型詩の言葉が全然身に添わないと思った、と語っている。

そして、この歌集の中でもう一つ「鬼」の後に書かれた「青い鳥」の章の歌も重要な意味を持つ。これについては、「言葉から解放されてしまってね。茫々としたところで、漂いながら詠っていますから、もうあまり格闘がないんです」（前出の「短歌研究」）と言っているが、異端に固執したものより、力が抜けていい作品になっていると思う。

海つばめ膨らむ潮にのまれんと泛けり常世《とこよ》の青くぐるべく

岩棚に寝ころぶわれと海つばめ日ねもす無縁に親しみあへり
潮あかり顫へてとどく岩に寝て燕の誇りをわが誇りとす
雲の峯猛りはじめし沖へむけてわれの燕は翔びたち行けり
青海原に浮寝をすれど危ふからず燕とわれとかたみに若し
水棹《みづさを》をさす音もせぬ夜のしじま薄き眠りをねむりゆくなり

海つばめは、海面に遊泳し、海面をかすめて飛ぶツグミや雀くらいの蒼灰色の鳥。海つばめは、はるか彼方の黄泉のくにへ通じる蒼い海を潜り抜けるように、波頭にのまれるように浮いている。自らの存在を波に任せて浮いている。自我を離れ、自然に身を委ねる在り方だ。岩棚に寝転んでいる自分と海つばめの無縁な関係も、一日中見ていればそれも親わしく思われる。お互いに束縛されない自由がそこにある。キラキラした潮のひかりを受けながら、一羽で飛ぶ自由な海つばめの誇りを今は自分も持つことができる。そのつばめは雲の湧き立つ沖に向けて飛び立っていった。それはこれからの自分の未来を見ているように思われる。海原に浮いている不安はあるが、つばめも自分も若いから危うさを感じない。棹さす音もしない静まり返った夜、ゆっくりと眠りについてゆく。この一連には、落ち着いた心で、自分の存在に向き合い、未来にむかって飛び立とうとする、ゆったりとした時間が流れている。無関係の関係であることの自由を知ることは、独りの寂しさを引き受けることでもある。全き自由は孤独でもある。それを覚悟して次へ踏み出す。海つばめの自由は建の未来を表している。

歌とのわかれを決断した後の気持ちが、歌に反映されて言葉にかかる負荷が軽減されているのがいい。

歌のわかれを決めるまでの躊躇を詠った「鬼」を歌集の最初に置き、「青い鳥」を歌集の最後に配した意識的な構成は、この歌集が「歌のわかれ」という大きな意味を持つものであることを語っている。その間に組み込まれた作品には、建独特の性とエロティシズムを主題とした歌もある。

逞しく草の葉なびきし開拓地つねに夜明けに男根は立つ　　「アメリカ」
凶行の愉しみ知らねばむなしからむ死して金棺に横たはるとも
蒼白く瞳孔ひらきて発光す死なば見者の眼をなべて持つ　　「人肉供物」
吊られゐる黄の肉塊がしんしんと静もりゐたり人肉供物
死ぬかと問はれ死ぬと含羞《はにか》みいはむ日のこころの薄暮に慰さまむとす

一首目は「アメリカ」の章の冒頭の歌。その歌の前に「私は聞くヴィオロンセロの音を／それは若者の胸の不平だ／ホイットマン」と書かれている。これは、アメリカの詩人ホイットマンの『草の葉』という詩集の「私自身の歌」の第26番の中の二行である。歌の中にさりげなくホイットマンの詩集の名を入れて、アメリカ大陸の開拓地と夜明けと男根が、アメリカという国の力強さを象徴する。二首目は、殺人や傷害など凶悪な行いの楽しさを知らなかったら、死んでから金の棺に入ってもむなしいだろう、という。殺人や傷害を愉しむ「凶行の愉しみ」という語は、一般的に許容されないだろうが、その一般通念を否定するところが、建の歌の世界の特徴である。それを異端といってもいいが、異端は正統があっての異端であり、文学芸術においては正統という概念自体が常に否定の対象であれば、それほど異端でもないだろう。人間の思念や行動は複雑であり、憎しみと愛は同根、表裏の感情を有するのであれば、生と死という反対概念も突き詰めればいつも表裏の関係にあるとも言える。

「人肉供物」の章は、食肉処理場が舞台になっていて、そこで殺される馬や牛と思われるけものが登場する。三首目の歌の「蒼白く瞳孔ひらきて」は、死の対象が定かではないが、死者の見開かれた眼の発光を感じとり、すべての死者は「見者の眼」を持つのだという。見る者とは、他者の眼を持つ人。自己を客観視するという言い方があるが、死者はすでに存在が自己から離れている。まったき他者である。死を媒介にして他者を顕現させる上の句が美しい。次の歌も死が関与している。吊るされるのは、「黄の肉塊」で、黄色人種の人間の肉を想像させる。吊るされているのは、神に供えるための人間の肉という衝撃的な情景である。この歌を読んだ時、私は、村野四郎の「さんたんたる鮟鱇」という詩を思い出した。詩では、吊るされているのは鮟鱇だ。

「顎を　むざんに引っかけられ／逆さに吊りさげられた／うすい膜の中の／くったりした死／これは　いかなるもののなれの果だ／見なれない手が寄ってきて／切りさいなみ　削りとり／だんだん

稀薄になっていく　この実在／しまいには　うすい膜を切りさられ／もう　鮟鱇はどこにも無い／
惨劇は終っている／なんにも残らない廂から／まだ　ぶら下がっているのは／大きく曲った鉄の鉤
だけだ」

魚と人間の肉では死の重みが違うだろうか。この詩の鮟鱇の実在は、人間の実在へと連関してい
る。

五首目は、「死ぬかと問はれ」て、恥ずかしそうに「死ぬ」と答えている日、こころは薄明りの残る夕暮れのように静められている、という。死を賭けた恋の歌である。

建の歌には「死」が主題として扱われる。なぜそれほど死が絡むのか。そのことについて、建は〈現代短歌のためのノート・エロスについて〉(「短歌研究」一九八六年八月号)で、多大な示唆を受けたとしてジョルジュ・バタイユの『エロティシズム』をあげている。そのなかの「エロティシズムとは死を賭するまでの生の称揚である」という言葉が、「私にエロティシズムを見る視座を定めてくれた。」と書いている。春日井建の作品のなかに表れる破壊、日常性の否定、相手の存在の死にひとしい侵犯をともなう暴力などは、このエロティシズムが持つ自分に欠けているものへの渇望、美しいもの、禁じられているものへのエロスであるだろう。そして、エロスとタナトスの密接な関係によって、それらは生の称揚へ、究極の生の追及へ至る。死や暴力が絡む作品は、そういう視座を親しいものとして自らに確信したうえの表現と理解してもいいだろう。生を称揚するなら生を謳歌する歌を詠

えばいいではないか、という声もあるだろうが、反対に死を突き詰めてその先に生を見出すという方法も、質的なベクトルとしては等価である。建の作品のエロスを、美を、死を、バタイユの言葉に返して読むと、そこに建の思想を見ることができるのではないかと思う。

これとは別に、『行け帰ることなく』には、世界的な出来事を主題にした作品もある。「燕のため悲哀のため」の章は、ロシアの圧政に苦しむポーランドの情況が、ショパンによせて詠われている。

霽ごもる日ざしが淡き苗木畑芽ぐめども祖国は解放されず
震へる光とらふる言葉も音響もはかなし彼方にたたかふ同志

「祖国は解放されず」や「彼方にたたかふ同志」などは、言葉が政治から自立できないまま使われていて表層的だ。『未青年』の「洪水伝説」と比べれば物語化の差異がはっきりする。虚実皮膜の分かれ目を見る。

4　生きる悩みを量る天秤――第三歌集『夢の法則』

『夢の法則』（昭和四十九年＝一九七四年二月二十五日発行）は第三歌集とされているが、収録されている作品は、『未青年』と重なる時期か、それ以前の作品であるという。詩「履歴書」と歌二十首、詩「ジイド論」と歌二十首、「海・十首」、「山・十首」、詩「首しめ男」と歌二十首に塚本邦雄の解題「逆夢祈願」で構成された全三十八ページの本である。『行け帰ることなく』が発行され、歌のわかれを果たしたあと、三島由紀夫の自衛隊市ヶ谷駐屯地での自決（一九七〇年十一月二十五日）後の発行である。『夢の法則』の歌に付された詩が歌と同時期に制作されたものか、歌集発行時に加えられたものなのかは分からない。

「履歴書」と題された二十首といえば、一般的には自己の来歴や経歴が詠われているものと思うが、これらの歌はそれとは異なり、ゴッホの絵や宮沢賢治の童話やトーマス・マンの小説『ヴェニスに死す』や『選ばれし人』などを素材として履歴書が描きあげられている。

ちちははのこときれむ彼方ひかり零《ふ》るその日美しくわが老ゆべし
情熱のなき子であれと骨肉に言ひしゴッホを父母は知らず
はね橋はアルルの水を青く截ち離りゆくべき影しみるなり
宇宙駅に着きし童話の少年を慕へば夕べの星生《あ》れてくる
星空のカムパネルラよ薄命を祝ふ音盤《ディスク》のごと風は鳴る
疾風に運ばれて届く病菌と草のにほひに染みて夜があり
運河べりに消毒薬の臭ひゐてヴェニスならねど逢はむひと欲し
選ばれし人と呼ばれし不倫のひとグレゴリウスの手は白かりき
水栽培の白き根毛に日がさして性を育くむ季節あかるし
飛びたてる鳩群れのなかわが愛の象形文字となりてきみ立つ

父母が命絶えると遠くから光が降り注ぎ、その日私もきっと美しく老いるだろうという。履歴書の冒頭から父母の死と自己の老いが提示される。老いを「美しく」とするところが若さだろう。次の二首は、ゴッホ関連の歌。情熱の画家と言われるゴッホが、なぜ骨肉に「情熱のなき子であれ」というのか。そこには情熱の果てをみたゴッホの深層へと言葉をかけようとしている作者がある。「アルルのはね橋」は有名なゴッホの絵。アルルは、ゴッホがゴーギャンと共同生活を送った地であり、お互いの画風の相違からゴーギャンがパリに戻り、直後、ゴッホが耳をそぎ落とす事件を起こした街でもある。そのことを考え合わせると、「アルルの水を青く截ち」の「截」という字の使用、下句の「離りゆくべき影」もゴッホのもとから去ったゴーギャンのことが含意されているとも読める。絵を媒介に履歴を物語化した歌は、作者の履歴の表層を飾る。四首目、五首目は、宮沢賢治の童話『銀河鉄道の夜』が素材になっている。宇宙駅に着き、降りてゆく少年を慕うこころが夕べの星を生み、星になったカンパネルラの薄命を、哀しむように風の音が鳴る。それをあえて「祝ふ」という語を使うことで、歌に違和感を生み、それがさらに哀しみの表象としての効果を生むことを若い建は知っていた。

次の歌の疾風に運ばれて届く病菌は、『ヴェニスに死す』が舞台ならコレラであるが、コレラ菌は経口感染だから、「疾風に運ばれて届く病菌」とは言えないだろう。ただ草の臭いと病菌の届く夜が、作者の見ている世界なのだ。運河べりにはよく消毒薬が撒かれている。「ヴェニスならねど逢はむひと欲し」に小説世界と目の前の現実の運河べりを重ねて、歌の世界が重層化されている。「選ばれし人」は、聖グレゴリウス伝説をもとにした小説で、王家の兄妹の間に生まれた子グレゴリウスが、生後すぐに海に流され、成長後に再会した母親と結婚するという二重の近親相姦の話で、グレゴリウスはその後ローマ法王に選ばれる。不倫とローマ法王の似つかわしくない組み合わせこそ、聖が、神という一面と穢れという消極的な一面を併せ持つものであることを語っている。白い手が聖の両面性を際立たせる。

小学校の窓際に水栽培のヒヤシンスなどが置かれていたことがある。その白い根毛は日に当たって元気に伸びていく。根毛と「性を育くむ季節」が少年の第二次性徴を暗示する。鳩群れの中に立っているきみは、私の愛の象形文字という。きみそのものが愛の対象であることを述べている歌。これらが「履歴書」であるとすれば、絵画や童話や小説を透過した先に作者の履歴が書かれていると思う他ない。実際、書かれた履歴書が、どこまで正確で事実か、ということを誰が保証するだろうか。そう考えると「履歴書」という題で、建が試みたことの意味が見えてくるように思われる。

次に詩「ジイド論」で取り上げなかった歌について少しばかり記しておく。

「ジイド論」

日常を捨てて生きたし光と熱とむしろ音楽に似る初夏の日は
正確な文体をもたらす真摯《サンセリテ》今朝は迷はず友を慕はむ
ジイドよわれは情熱を欲る日もすがら金いろの裸麦に埋れて
天秤に塩と精液この夜更け生きる悩みを量らむとして
告白癖を蔑《な》みしてゐたる朝明けて新しき素行のため起きむとす
健やかさに倦みはてしかば窓のそと暴風雨《あらし》はわれを誘ひてやまぬ

「日常を捨てて生きたし」という思いを持つ日々。初夏の眩しい光や熱は、音楽に似ているという。調子やメロディ、旋律などに気持ちの揺らぎを乗せている。

ジイドは、『地の糧』以後、「新しい自我の意識、新しい個人主義を見出し、その表現にふさわしい古典的な厳しい格調の高い文体と新しい芸術を打ち出すことに将来の進路を求めることになった。」と、『世界文学全集47　ジイド集』（筑摩書房・一九七〇年刊）の解説で、岡部正孝は書いている。ジイドはそれ以後、厳格な形式の中に新しい美を表現する「新古典主義」をめざした、ということである。そういうジイドの姿勢に共感が示されている歌が二首目である。「ジイドよ」と呼びかけている歌は、『一粒の麦もし死なずば』を踏まえて、われの情熱が語られる。次の歌の塩は生命の維持と清らかさ、精液は生殖と濁の象徴として秤にかけられている。若者らしい生きる悩みの重さだろう。ジイドの『一粒の麦もし死なずば』は、ジイドの告白、回想録と言われる。「告白癖」を軽蔑して、朝、新しい素行へ向かう歌は、ジイドの小説形態への批判というより、自分に照らして共感できない気持ちの表明と言える。健やかさに飽きている我を暴風雨が誘う。健全であることより嵐の中に出ていくことを欲する若者の気持ちが語られる。

春日井建の「ジイド論」は、ジイドの小説やジイドの来歴をもとに、「われ」が詠まれている。この「ジイド論」が書かれたころ、ジイドは建の好きな作家だったといっていい。後年、この「ジイド論」について、建は次のように書いている。

> 『未青年』に未収録の初期作品は『夢の法則』としてまとめている。「ジイド論」はそんな作品の一つで、当時のものとしてはわりにましだ、と今では思っているけれど、あのころはその告白性に羞恥心があってノートのなかに蔵っていた。『地上の糧』をはじめ、アンドレ・ジッドは好きだっ

たが、どこか気に入らない部分があって、それがジッドのいささかの偽善性だと気づくころ、私はプルーストに出会った。一方、『失われた時を求めて』の長大な小説に接するかたわら、塚本邦雄や寺山修司の短歌を読んだ。

「短歌」の編集者だった中井英夫氏から作品の依頼があったのは、それから少々のち、私の十九歳の時。その折の歌が「未青年」五十首で、のちに歌集に収めたものの原型である。

（角川「短歌」一九九六年六月号　特集「わたしの歌の出発」）

建がいう「ジッドのいささかの偽善性」とは何か。この文章が書かれたのは、建が五十七歳の時で、プルーストへ興味が移ったのはいつか、という時期は定かではない。が、当時、塚本や寺山の歌を読んでいたといい、その後、角川「短歌」から作品依頼があり「未青年」五十首を書いたというから、時期的には『未青年』発行以後、と考えていい。ジイドの偽善性に気づくころ、プルーストの作品に出合う。そのジイドの偽善性とは何か、という疑問を解くには、ジイドが自費出版したという小冊子『コリドン――四つのソクラテス的對話』（一九二四年）の序の註が参考になる。

註（一）或る種の書物――特にプルーストのもの――のお陰で、公衆は、はじめのうちは知らぬ振りをしていた事柄、若しくは知らない方がよいと考えていた事柄に對して、前ほど恐れをなさず、これを冷靜に見るようになつて來た。（略）……しかし、これらの書物は同時にまた、人々

の意見を大いに誤ったのではないかと私は思う。女性的男子の學說、Sexuelle Zwischenstufen（性的中間段階）の學說――これは戰前かなり古くヒルシフェルト博士がドイツに於て高唱したもので、マルセル・プルーストはこの說に與しているらしい――は、決して誤ではなかろうが、これは同性愛の或る種の症例、――私がこの本の中で生憎論じていないもの――倒錯、女性化、ソドミーの症例のみを說明し論議しているに過ぎない。そして、私の本の大きい缺點の一つは、今にして思えば、そういう病氣の人々を論じていないことだ。（略）しかし、假にヒルシフェルト說が、それ等の人々を滿足させるとしても、この《第三性》の學說は、普通《ギリシャ的戀愛》と呼び慣わしているもの――當事者の双方に於て、何事の女性化をも含まぬ男色――を說明することは全然出來ないであろう。

（三笠版『現代世界文學全集 4』・一九五四年刊）

ここで、ジイドは、プルーストの書物によって、人々は男性の同性愛を冷静に見るようになって来たが、そこには誤りがある、と指摘している。ジイドは、プルーストの書物で論じられる、性的倒錯、男性の女性化、ソドミー（男色や獣姦、少年愛）などを病気の症例とし、プルーストの書物には《ギリシャ的戀愛》＝女性化を含まない男色が説明できていないという。ジイドは、『コリドン』でその《ギリシャ的戀愛》について、称揚している。ギリシャ的戀愛は、年長者の男性が少年を社会人に教育するための少年愛の世界。そしてこの恋愛は「少年にとつては、勇氣への、活動への、美徳への、最上の奨励となり得るのだ。」と『コリドン』の主人公に語らせている。

春日井建がジイドに対して、「気に入らない部分」「いささかの偽善性」を感じたとすれば、それは同性愛の恋愛における倒錯、女性化、ソドミーを病気とし、それらについて論じないまま、ギリシャ的な少年愛の恋愛を「ノーマルな同性愛実行者」として、上位に置いていることだったのではないだろうか。建がその後プルーストやマルグリッド・デュラスという作家の作品に惹かれていく入り口にジイドがあったことは疑い得ない事実であるが。

次に、「海・十首」、「山・十首」が置かれている。それぞれから五首ずつ引用する。

「海・十首」

水脈《みを》ひきて走る白帆や今のいまわが肉体を陽がすべりゐる
わが歓喜告ぐべきひとと帆を繰《く》りし日は暮れ初めつ青潮のうへ
若き手に帆布たためば吹きためし潮風と夏の愛なだれくる
純潔の時はみじかく過ぎ去らむわれに透過光するどき汀
崩れよる白き波浪よわがこころ流砂のなかに埋めて久し

「山・十首」

山ふところに迷ひゐたればさくさくと雪つむ冬木の巡礼は佇つ
倒れ木を踏み越えて兎のゆきし跡いつくしきもの迅《と》く去りしかな
山ふところの墓石は刻む瞬夢童児はかなかるべく雪は舞ひつつ
宵闇のわが部屋の窓うす明り墨染の影ゆきかひしなり
山の堂に跪座して僧の打擲と雪つむ音にひとひ昏れゆく

「海」の歌は、若者の青春そのもののような光景と心情が溢れている。照り付ける夏の陽も若い肉体の上ではすべるように心地よい。海に浮かべたヨットの帆を操り、われと友は海上で日が暮れるまで遊び、帆をたたむとき一挙にその友人への愛を感じている。まだ愛を告白しない純潔の青年期は短く過ぎ去るのだろう。心や体を透りぬけていく光を感じているわれ、がいる。その友への思いを波打ち際の寄せる波にさらわれていく砂に埋めて久しい。映画や物語のシーンのような情景だ。ここで注目しておきたいのは、「今のいま」という時間の捉え方である。この存在と時間の捉え方は、その後も建の思想として最後まで変わることなく、一貫していた。

「山」の歌は、山、雪、兎、墓石、若い僧がモチーフになって、世界を構築している。夏山のように解放されるのではなく、雪に閉ざされた冬山の方を建が選んだのは、夏の海に対する冬の山という対比構成の意図によるとも考えられる。雪山に迷って雪を冠った樹々を見ると、巡礼のように見えるという。そこを兎が走り抜ける。可愛い、いつくしきものは早く去っていく。雪のなかの墓石に刻まれた戒名は「瞬夢童児」。瞬く夢のように短い生を終えた幼い少年という意味だろう。「春夢」（春の夜の夢。人生のはかないさまのたとえ）という語はあるが、「瞬夢」はない。「シュンム」の音をあわせた造語と思われる。そんな宵闇のわが部屋の前を墨染の衣を着た影が行き交う。山の堂では、跪いて座る僧を打擲する音と、雪が降る音で日が暮れてゆく、という。雪の降る冷たい深閑とした冬の山の墓石や、部屋の外を行き交う影には、死が入り込んでいる。これも建の歌の底に流れている変わることのない、生を見る視点だ。

この後に、詩「首しめ男」と歌二十首が置かれている。

「首しめ男」

望遠鏡に都会の星を照準し息つめをれば独裁者めく

孤独こそ権力――銀の星雲を見つめゐし眼を地上へもどす

失ひし恋逐ひやると冷闇にひとりひそかに展く死者の書

魂を占領されゐし哀しみの遥けくて今――自由な在野《フリー・ランス》

太鼓《ドラム》打つ音に攻撃されむため夜の扉の鍵《キー》をまはしつ

望遠鏡で都会の明かりに狙いを定めて、息つめていると、独裁者のような気持ちになるという。銃ではなく望遠鏡であるところが、理性的で少年の戯れを残している。二首目の「孤独こそ権力」という言葉は、自己の内面に向けられていると解する。孤独が支配する被支配者は自己でしかないからだ。空の星に向けていた望遠鏡を地上へ戻してみたものもまた孤独でしかない。三首目は、失った恋への想いは、冷たい闇にひっそりと死者の書の世界が展がるという。「死者の書」は折口信夫の小説の題名。二上山に葬られた大津皇子の死霊が藤原郎女（中将姫）に思いをかけて姫の閨を訪れ、その死霊と契りを結ぶという話。失恋の経験を「死者の書」に結びつける手腕に感心する。魂を占領されていた一途な思いとそれを失った哀しみは、遥かな思い出になって、今は自由な野原にいる存在だという。「自由な在野」に過去との決別のすがしさがみえる。「太鼓打つ」の歌は、「首しめ男」二十首の最後の歌。ジャズやロックミュージックでは、ドラムが激しく乱打される。そういう演奏会場へ扉をあけて入っていく歌だが、音に攻撃されるためにとは、音の攻撃による思考停止状況へ、没我へのめり込むことである。

歌集『夢の法則』は、『未青年』ほどの異端や悪を強調していない。青年期特有の悩みはあれ、むしろ、若々しく清しさを感じさせる。

5　歌への復帰に込められた思想　虚実の織物——第四歌集『青葦』

歌集『青葦』が刊行されたのは、一九八四（昭和五十九）年十一月十日。建はこの歌集のあとがきに次のように書く。

この歌集を創らせたのは三つの死である。一つは父の、二つは私が汝と呼び「わが生のまらうど」と叙した友の、そして三つは三島由紀夫氏の、それぞれ私を真空状態に陥れた死がなかったならば、私は歌という表現への意志を再び持ち得なかった、と思う。

父の死、友の死、三島由紀夫の死が、『行け帰ることなく』刊行を機に歌の別れをした建を、歌に復帰させる契機になったという。実際、父・春日井瀇が一九七九（昭和五十四）年四月三十日に亡くなり、建は、同年六月から、「短歌」の編集発行人を引き継ぎ、歌を書き始めている。すでに建は不惑の齢である。

それから五年後、歌集『青葦』が刊行される。この歌集が、建の短歌復帰後、初めての歌集となる。歌集のあとがきには、自己確認のように【『行け帰ることなく』という歌集を編んだとき、私は再び歌を書くことなど金輪際ないと思っていた。行け帰ることなくとは、修辞ではなく、思想だった。】とも書かれている。「金輪際ない」という強い意志を持った別れであれば、どんな事態に直面しても、歌を書かないという選択もあったはずである。しかし、建は再び歌を選択した。行け帰ることなくが思想なら、転向である。転向という誇りを引き受け、歌に戻り歌集を刊行するとしたら、若さや熱情のほとばしりだけでなく、思想にまで深めた表現世界の提出が必要とされるだろう。『青葦』という歌集には、再び歌を選択した建の新しい思想を表象する表現が込められている、と見なければ、単なる蕩児の帰宅に過ぎなくなる。

青嵐過ぎたり誰も知るなけむひとりの維新といふもあるべく

たった一人の維新は、再び歌という表現を選択した建の決意と矜持であり、『青葦』は短歌を通して文学芸術の表現を世に問う意味を持ったもの、であったと思う。

歌集は、「父母に献ず」、「山脈水脈」、「俤」、「春の餞」の四章に分かれていて、いずれの章の歌も現実に起こった事柄を基底に作品化されている。各章の歌を見ながら、建が『青葦』の作品にかけた表現の思想を探る。

「父母に献ず」の章

山巓を降るしろがね朝なさな瞻《まも》りつつ命終を迎へしならむ　「帰宅」
爾後父は雪嶺の雪つひにして語りあふべき時を失ふ
綺語ならぬ言葉はありやエディプスの峠路の章読みなづみつつ　「大鴉」
薄雲に入れる白月ひとり打つ碁のいつしらに亡き父と打つ　「黒白」
風の揉む日ざし散りぼふ昏れ方に家居広しと母はつぶやく　「帰宅」
四十歳過ぎし独り身の子の無頼羞《やさ》しさや母は花を育てて　「白花」

父と母についての歌。父は、一九七九（昭和五十四）年一月、国立名古屋病院に入院しているから、毎朝、山頂に降る雪を見ていたと書かれれば、あり得るかもしれない。しかし、病室から山巓が見えたかどうかは定かではない。そして亡くなり、二首目のように、その後父は、建にとって、雪嶺の雪という象徴的な存在として心の領域に置かれる。永遠に語り合う事も出来なくなったという認識は現実であるが、雪嶺の雪としての父は、心的な表象である。三首目の歌は、父・濵が死別した妻のことを三十四年後に詠んだ作品「汝を亡くせし日の夕茜悔いしより狂言綺語になじまずなりぬ」への、建の返歌ともいえるが、同時に言語表現に対する当時の建の思想と言ってもよい。

「綺語ならぬ言葉はありや」というのは、詩文や小説など文学芸術において、巧みに飾って美しく（逆に醜い表現も含まれる）表現した言葉でないものがあるだろうか、すべては綺語である。究極、言葉によってすべての事実や真実を語ることは出来ない、という表現に対する思想である。それは、一面、ニーチェの次の言葉と同質な考えともいえる。

四八一　(903)

現象に立ちどまって「あるのはただ事実のみ」と主張する実証主義に反対して、私は言うであろう、否《いな》、まさしく事実なるものはなく、あるのはただ解釈のみと。

（ニーチェ『権力への意志』原佑訳　ちくま学芸文庫）

ニーチェは、事実を重視する実証主義に対して、私たちはどんな事実「自体」をも確かめることが出来ない。だから、事実というものはなく解釈があるだけなのだ、と主張する。「主観」が、すでに仮構が加えられたものとしてあると考えれば、主観も虚構であり、あらゆる認識を解釈の範疇においても考えることが可能だ、と。

とすれば、短歌表現において、解釈はどのような形をとり得るか。三首目の歌に戻れば、峠路の章は、エディプス（オイディプス）が峠で出会った老人（実父）と争い、その老人を殺害してしまうという部分である。建は、父との関係をオイディプスの物語と関連付ける。そのことで、父・濵と建の関係は、エディプス・コンプレックスとして読まれることになる。解釈され、表象された世界が重力を持ち始めるのだ。ここに、建の志向する虚の世界の構成意図がある。しかし、一方で父と子で碁を打つほどの仲でもある。父亡きあと、一人で碁を打っていると、いつか昔のように父と打っている。実の世界が虚の世界と入れ替わる。

母の歌は、日常の生活のなかに置かれている。父が亡くなり、ことに暮れ方は家が広くなったとつぶやく母、四十歳を過ぎた独り者の息子にも母はやさしい。母の像は、実生活に近い場所に置かれ、父の像は、オイディプス神話の関係にはめ込んで、放蕩息子の帰宅という物語化がはかられていることを、私たちは見なければならない。この、実と虚の織物のような世界の表象は、この時の建の思想と言ってもよいだろう。

次の章「山脈水脈」の章で気になる歌は二首。

一瞬を捨つれば生涯を捨つること易からむ風に鳴る夜の河　「ヴェニス断片」
行く者は行けこれよりはけものみち日差あつめて笹鳴りつづく　「谿」

生涯は、一瞬の積み重ねによって成立する時間である。だから、一瞬を捨てるということは生涯を捨てることに匹敵する。人の一生の時間をはかるに、一瞬の今を生きるところに据えるのも、建の思想の一端である。「行く者は行け」という言葉は、他者へ向けられているようで自分にも向けられている。けもの道の笹の音に、先の困難も暗示される。それでも行く、建の決意でもある。
「俤」の章は、「モンテビデオ出身の詩人におけるジョルジュ・ダゼットのように、私はある俤と怖るべき邂逅をした。それなくして私の青春はなかった、とも断言できる体験であった。」（『青葦』あとがき）と書かれ、建の思い入れが強く反映された作品群と考えられる。「モンテビデオ出身の詩人」というのは、イジドール・デュカス（ロートレアモン）であり、ダゼットはデュカスが中学に入学したときの六歳年下の数少ない友人で、「金髪の美少年」だったという。「俤」の章の歌は、当時の建の才を存分に発揮するような物語化と構成が取られている。

男とや沈めとや水圏に棲むものの冷たかりける皮膚の誘へる　「水圏」
水霊と肌《はだへ》あはせて寝ねしかば鱗光のごとしその囁きの
青水窪《アオミナクボ》ノワレラガ臥床トコシナヘナレ　カナシケレ

「ホモ・ファベル」

ワレヲ捨ツレバ愛トコトハニ青水沫《アオミナワ》ナレ　カナシケレ
夕潮は茜をうかべさしきたりわが水霊の額も染まれよ
曳白の悲しみの日に知りしかな水の変化《へんげ》と媾《まぐは》ふ技も
わが生のまらうどたりし友の訃を聞けり薄雪の降れるまひるま
思はざる悲嘆に汝が老《ふ》けたらむ面して汝の父は坐れる
われもまた工人として詩を書かな死なざりし悔に雪ふる無間《むけん》
悲しみを言葉に組める工作人《ホモ・ファベル》狂へ狂へと雪ふりやまず

この「水圏」の作品は、水の域に棲む水霊が男を誘い、肌をあわせて寝ると，その囁きは鱗の光のような妖しさをもって迫ってくる。水の中のこの臥床が二人にとって永遠であれという思いと、私を捨てればこの愛は水の泡になるという深い情交。水霊の囁きが呪文のように都都逸の七・七・七・五のリズム形式で差し挟まれている。夕潮が茜色に染まる光景に水霊の額が美しい。紙と筆を持っても何も書けないような悲しみの日、水の霊魂と情交を重ねることを知った、という。一連が水の霊に誘われた男の物語仕立てになっている。

そして「ホモ・ファベル」の一連には、建が「それなくして私の青春はなかった」ともいうほどの友の訃について詠われている。バイクの事故で亡くなった友。薄雪の降る真昼、突然に届いた友の死の知らせ。通夜に訪れた家には、友とよく似た顔立ちの老いた父親が座っていた。大切な友は逝き、生きている自分が悔やまれる。バイクを組み立てていた友のように、私も工人として詩を書こうと思うが、無間地獄に落ちたように悲しみは深い。悲しみを言葉にしようとしても出来ないほどに、狂おしく雪がふりやまない。

この「俤」の章には、大切な友との情交が、「水圏」のように水霊との物語として、また「ホモ・ファベル」のように、事実に近い形で描かれている。しかし、友の名前は書かれることなく、水の霊との情交も妖しい世界の想像の、虚構の世界に描かれる。ここにも、一人の「俤」を中心にして、虚と実の世界が絡み合って描かれている。

最後の章「春の餞」は、三島由紀夫に献じた一連であり、「短歌による三島小論」である、という。三島由紀夫は、一九七〇（昭和四十五）年十一月二十五日、東京市ヶ谷の自衛隊駐屯地に楯の会会員五人と訪れ、東部方面総監益田兼利陸将を人質にし、バルコニーから演説後、総監室にて会員の一人森田必勝とともに割腹自殺を遂げた。今では周知のことだが、ショッキングな事件でもあった。

わが春に餞《はなむけ》のことば賜ひたる人ありき海潮の盈つれば想ふ　「頌歌」
行く人よ伝へてよ眠りゐる友の楯の胸処の一花くれなゐ
春の時遣《や》れる寂しさ様式の豊穣をわが海となすべし
見しものを見しと言ひ得し春の日を砦となしてわが今日はあり　「砦」

「わが春に」の歌は、この章の冒頭の「頌歌」の一首目の歌。建の第一歌集『未青年』の序を三島が書いてくれたことに触れ、「海潮の盈つれば」は、三島への思いが溢れる心の情態を表す。二首目は、旅人に眠っている友の胸の内の熱い熱情を伝えて欲しいと願う、楯の会の事件を思わせる歌でもある。三首目は、三島の最後の小説『豊饒の海』を意識して、春が過ぎてしまって寂しいが、私は様式の豊かさを求めていくという歌。頌歌の最後に置かれている。そして、四首目は、どんなことも避けて通らないという、建の表現に対する決意表明でもある。

が、この章で、もう一つ、取り上げたい作品がある。「現代伊勢物語」である。「昔男ありけり」で始まる『伊勢物語』の現代版である。建は、「東下りの段を借りたパロディに三島を登場させた」という。作品は、「男があった。その男、散るこそ花と自刃して果てた。年少の友とふたりして果てた」で始まっている。旅の者は、白い水鳥に「死ぬか」と問われる。旅の者は詠った。

死ぬかと問はれ死ぬと含羞《はにか》み言はむ日の心の薄暮に慰まむとす

それを聞いて水鳥は自分の倒影に入り、水底から、谺のように歌が返って来た。

われに似る子よ肉体をのみ恃み生きる汝の悲運の強くあるべし

この二つの歌は『行け帰ることなく』に収録されているものである。「死ぬかと問はれ」の歌は「人肉供物」の一連に、快楽のための死に同意する歌としてあり、「われに似る子よ」の歌は、「浅い春」の中の歌で、友と登山するときのエロスを詠ったものだ。が、この「現代伊勢物語」の中に入れると、「白い水鳥」が三島の霊であり、「旅の者」が、建として読まれる可能性を含ませて、制作されている。

このように、『青葦』の歌は、現実や事実と近いところにモチーフをとりながら、実と虚が織物のように編まれ、絡み合いながら世界を表出している。この方法の根底に確信的な芸術論をみるなら、近松門左衛門の「虚実皮膜論」ではないだろうか。

芸といふものは実と虚との皮膜の間にあるもの也。成程今の世実事によくうつすをこのむ故、家老は真の家老の身ぶり口上をうつすとはいへども、さらばとて真の大名家老などが立役のごとく顔に紅脂白粉をぬる事ありや。又真の家老は顔をかざらぬとて、立ち役がむしやくと髭は生なり、あたまは剝げなりに舞台へ出て芸をせば、慰みになるべきや。皮膜の間といふが此也。虚にして虚にあらず、実にして実にあらず、この間に、慰みが有たもの也。

（角川書店『日本古典文学　近松』大久保忠国編――『難波みやげ』穂積以貫）

何事も事実に添うことを大事とする現在だが、現実の家老が顔に白粉を塗ることはないからと言って、舞台で役者が現実の家老のように髭もそらず、剥げた頭で登場したら、観客を楽しませることが出来るだろうか。だから、舞台は、虚であって虚でなく、実であって実でない、この間に真実が生み出される、という。近松のこの「虚実皮膜論」は、事実と虚構の微妙な接点に芸術の真実があるとする論だが、建は、歌から離れて舞台や演劇に携わるうちにこの方法に確信を持ったのではないか。歌の世界に虚実皮膜という表現を実現する。その思想を持って『青葦』一冊は、刊行された。

建は、あとがきに「現象は過ぎ去る。私は法則を求める」という、イジドール・デュカス（ロートレアモン）の『ポエジーⅡ』の中の言葉を引いている。ロートレアモンのように、過ぎ去る現象を直視し、ニーチェのように事象を解釈し、「綺語ならぬ言葉はありや」という言語表現の思想の上に、言語芸術としての短歌を再び選択した、春日井建が確信もって『青葦』に展開してみせた法則は、虚と実の接点に生み出される建の世界の解釈＝真実であったのだと思うのである。

6　ただ鎮もれる言葉の蔵――第五歌集『水の蔵』

歌集『水の蔵』は、第五歌集であるが、発行は二〇〇〇（平成十二）年六月十八日で、第七歌集

『白雨』は一九九九（平成十一）年九月刊、第六歌集『友の書』は一九九九（平成十一）年十一月刊であるから、刊行順と歌集の序数とは異なっている。これは、歌集に収められた作品の制作年を優先して、歌集の序数がふられたからである。『水の蔵』の内容は、一九八四（昭和五十九）年から一九八七（昭和六十二）年の頃の作品を中心に纏められている。『友の書』は、一九八七（昭和六十二）年から一九九六（平成八）年までの作品。『白雨』は一九九七（平成九）年から一九九九（平成十一）年の「短歌研究」での三十首八回連載の作品を中心に収録されている歌集。それで、ここでもふられた序数に従って、第五歌集『水の蔵』から見ていくことにする。

なぜ、早い時期の歌を収めた歌集の発行がこんなに遅くなったか。その理由について、春日井建は『水の蔵』のあとがきに「当時私の歌集作成への意欲が薄く、校正の段階で中断してしまった。」と書いている。校正の段階で歌集作成の意欲をなくすということは、何か原因があるのだろうか。そのことについては、何も書かれていない。ただ考えられるのは、この時期、すなわち、『青葦』が発行された翌年、一九八五（昭和六十）年四月より、それまで愛知女子短期大学（現名古屋学芸大学短期大学部）非常勤講師だった建は、同大学の人文学科国語国文学教授に就任した。年齢も四十七歳、生活もあり、定職につくことは必要なことだったと思うが、教授という身分で、有形無形の制約があったのではないかと推察される。そのことが、作品の世界に影響を与えたのか、この時期に制作された『水の蔵』の歌には、春日井建の歌の持つ美意識や言葉による世界の構築意識から一歩退いて、現実の素材を扱い、オブラートに包んだように内省的な苦悩の表現が見られる。

それを、菊池裕は「親和力へのシフト、作風の転換期」（「短歌往来」二〇〇四年十一月号）と見、堀田季何も『水の蔵』が「後期歌集の芽を内包している」（角川「短歌」二〇一八年十二月号）と見ている。確かに、あとから春日井建の作品世界や文体を分析すれば、二人の見解も理解される。しかし、私はこの時期の教授就任という出来事によって、これまでの自由で解放された芸術・文学の表現の世界と、教職という決められた枠組みの世界の、相反する情況に身を置く葛藤が、当然、建の内部で渦巻いていたことだろうと思う。世間並みの壮年の自覚ということで片付けられないものが、抑圧されている自己が、ここに顔を覗かせている。

例えば、次にあげたのは、建があとがきで《「去就」は始めて常勤としての仕事に就いた時のものだ。三島由紀夫や寺山修司を教材とした。》と説明を付している「去就」の歌。

われの身に去就はありて素裸の木々立つ径を往きぬ戻りぬ
薄雪の街をぬけきて友の書を選びゐつ新しく講義せむため
おのづから若葉が撒ける青微光日ざかりながら雨はふりつつ
この木々の間《かん》を吹くときほの明る風の次第を知るひとりなり
壮年にしづかに兆す悲しみやある日の風はわが肩ゆ立つ

一首目は建の説明通りの歌である。職場への道を毎日往復している歌である。二首目も、友の書と書かれているだけで、それも講義の為という歌。三首目は、日照雨の中に若葉が緑の光を降りそそいでいる、という美しい情景だ。四首目の木々の間を吹く風が、少し明るくなるこの「ほの明る風の次第を知る」とはどういうことか。私はこの「次第」、物事の道すじや順序を知るという、物分かりのよい言挙げが気になる。「壮年に」の歌は「この木々の」のすぐ後に置かれている歌である。この風が「わが肩」から立つのだが、風は、壮年のわれの自信ではなく、悲しみの象徴である。

この歌集にみられる語彙や素材も同時代の出来事に取られていて、その出来事が本質をカバーするようにして歌が書かれている。例えば、

寝台はかりそめの空　性愛のダッチロールに墜ちてゆくべく　「秋の巷」

なかんづく夜陰へ消えしオートバイありありと此処殺戮《キリング・フィールド》の巷

黄のサブマリン――汝はガレージに閉ぢこもり油《グリース》の臭ひにまみれをりにき　「イエスタディ」

鏡をば虚無の中枢に射し入れて星を得たりしエドモンド・ハレー　「彗星」

「ダッチロール」は、一九八五（昭和六十）年八月十二日、日航機が8の字状の蛇行飛行のすえ御巣鷹山に激突した事故が起きた時に盛んに使われた言葉。それを背景において性愛のダッチロールが描かれている。また、「殺戮の巷《キリング・フィールド》」は、カンボジアのポルポト政権下の大量虐殺のことだが、一九八五

年に同名の映画も公開されている。「黄のサブマリン」は、「イエスタディ」という章にある歌だが、この章題も「イエロー・サブマリン」も、ビートルズの曲名でもある。「鏡をば」の歌は「彗星」の章の歌で、同じく一九八五年六月四日、ハレー彗星が七十八年ぶりに地球に接近、というニュースが流された。大きな出来事とリンクさせることで、若くして亡くなった友や性愛の歌は間接的な相貌をおびて提出される。

建が『水の蔵』のあとがきに記しているダンディズムの歌、エロスの歌についても、直接性をあえて外した歌い方になっている。

冷え徹る岩頭の鵜のひそけきに身の力はも充ちてゐるべし　「定理」

これは、建があとがきに「鵜に託して当時の私のダンディズムの姿が見える。」と記している歌。充溢力の充てる身体を持つ「ひそけき」存在である一羽の鵜が、当時の建のダンディズムだという。充溢した身体を持ちながら羽ばたきもせず、冷たい岩の上に置かれる一羽の鵜の存在、この動かない、動けない鵜の姿を思うとき、このような姿が建のダンディズムであるとしたら、逆に一抹の虚しさを感じざるを得ない。また、同じ「定理」の章にある次の蟹を食する歌に「エロスとして歌い得た」（あとがき）とも書かれている。

鮮しく緊まれる肉を食まむとす白き軟骨をするりと抜きて
ひと搾りの香気をそそぐわが前の身を全けくむかれしものに
渇望の歇《や》みがたければ息づけるものをおさへて火を通すなり

これらの歌にエロスを見ると言えばいえるが、先の歌と同様に蟹を媒介にした間接的なエロス、抑制されたエロティシズムではないか。『水の蔵』のあとがきは、すでに咽頭の癌治療で入退院を繰り返していた時期でもあり、これらの歌が書かれた当時の情態とは違っていることを考慮しなくてはならないだろう。

というのも、これらの歌が書かれた健康だった頃、春日井建は、「現代短歌のためのノート・エロスについて」（「短歌研究」一九八六年八月号）を書いている。そこには、バタイユの『エロティシズム』を引用しながら、様々な歌人の歌のエロスについて解説しているが、その視座は、「エロティシズムとは死を賭するまでの生の称揚である」「エロティシズムとは生の体験（内的体験）に結びついた一つの体験」というバタイユの言葉を基底としており、〈禁忌を越えて行く危険な領分〉という見方を示しているからである。

この同じ時期に春日井建は「朝日グラフ　増刊　1986 12-20」に、「頌歌」二十首と「薔薇刑」二十首を書いている。「頌歌」の方は、歌集『青葦』に分割[註1]されて収録されている。しかし、「薔薇刑」の歌は、歌集『朝の水』に二首収録されているだけで、ほかの十八首は、どの歌集にも収録されていない

（「薔薇刑」[註2]の二十首は、本書二九七頁に記しておく）。歌の完成度が低かったのか、本当のところは分からないが、『水の蔵』の作品が書かれている同時代に「薔薇刑」のような作品も書かれていることを考えれば、『水の蔵』の作品が、いかに抑制のきいた作品群であるかが分かるだろう。

わが前の視野のかぎりの水の蔵ことばを収めただ鎮もれり　「水の町にて」

歌集の題名が読み込まれている歌である。「水の蔵」は言葉を収めた蔵であり、静かで穏やかに収まっている。しかし、言葉を蔵に収めてしまう、そのような動きのない表現を肯定することは、建の本意だろうか。

落ちて安らぐ春の水かも青年の含羞をわが奪ひつくせり　「水の町にて」
うち伏して寂けきものを起こし吹く風と葦との力学を愛づ　「葦の原」
速やかにすべる半月行く時を守るともなくひとり見てゐき

青年の含羞を奪ったわれも今は春の水のように安らいだ日常にあるが、その安らぎは「落ち」るという意識を伴っている。さびしさを吹き起こすのは風、揺らぐのは葦のような自分、こころの奥底に生まれる揺らぎを力学として捉え「愛づ」という結語で納得している。この力学を納得させなければならないのかもしれない、と穿った見方をするのは、風が「うち伏して寂けきもの」を吹き起こすからである。半月が移動するような速さで時間が過ぎていく。それを肯定や否定の強い意志ではなく時の流れるに任せて、ただ見ているという在り方。それは安らぎでもなく、揺らぎを愛しているわけでもなく、ただ月日の過ぎゆきに任せているだけの存在認識である。そんな自己に迷いや疑問がもたれるのは当然であろう。

渇きたる日々在り経しに伏流の水あらはれて光湧きゐる　「ヨハネ」
憂鬱《メランコリー》の言葉呑みたるくちなはの苦しむならむ月下に垂れて　「瑠璃光」
樹に垂れし光の縷《る》ともくちなはの動かずわれは何を呑みたる
過ぎ去るは無為の時なれ木がらしの雑木林を貫きて吹く　「定義」
寒風に腓《こむら》緊まりて歩みつつ問ひただしたきはわが裡にある　「藍」
朝もやに浮かぶ高層蜃気楼──man《ひとが》 made《つくりし》 but《が》 no《ひとは》 man《ゐず》　「新生」

現在の自分が置かれている情況は、渇いた日々であり、伏流に希望を見出さなければならない。月下の樹に垂れて動かないくちなわは、憂鬱を内に抱え、苦しんでいる。このくちなわは、建であり、建のおかれている現状への思いである。無為の時が過ぎ去っていくのを見て過ごすだけの日常。歌の下の句「問ひただしたきはわが裡にある」こそ自己の内面の自覚であろう。建の現状は、朝もやの中の蜃気楼の高層ビルのようなもので、実体のない存在である、と感じている。

こういう感覚は、一九八七（昭和六十二）年の一月頃にはまだはっきりしていなかった。というのは「季刊　現代短歌1」（一九八七年一月・雁書館）の特集「春日井建」で、春日井は自筆年譜に「昭和六十一年（一九八六）年　歌集『水の蔵』をまとめる。」と記しているからである。ただ、作歌復帰以後の自選五十首中に、『水の蔵』の歌は八首しか取り上げていないことを思うと、『水の蔵』の作品に対して、春日井建自身も、どこかで自分の気持ちとそぐわない感じを持っていたのではないかと思う。

この時期は生活者としての春日井建にとっては、穏やかな春の水だったかもしれないが、文学・芸術としての言語表現を求める建にとっては、制約や抑圧を感じ、抑制のきいた作品を書かねばならなかった時期でもあっただろう。そのことが一番分かっていたのは春日井建自身であったと思う。歌が自分と親和性のない面を持つと思われ、歌集を刊行する決心がつかず、校正まで終わっていながら『水の蔵』の発行は、延期されたのだと思われる。

註1：「頌歌」の章に十首、「砦」の章に四首、「飛込」の章に三首、「潮」の章に三首が収録されている。

註2：「薔薇刑」二十首

「たとへばカラヴァッジョ。私にはあのバロックの空間構成の大画面に描かせてみたい人がある。明暗の濃い浮彫は彼の官能の激しさでもあらう。その激情をもつて、彼はその人の最後を描く。血の秘蹟が必ずや薔薇を咲かせるに違ひない。」

①カラヴァッジョの黄金の光線射しとおり（ママ）部屋の細部を隈取《くまど》りてゐつ
②超男性のひとりたりしかカラヴァッジョ明暗つよきバロックの画家
③明暗の構図きはだち空脛《からはぎ》のしなやかなる者は首を断たれつ
④あはれ昨日かのわが友も初霜の鞘鳴る朝を出でて帰らぬ
⑤濃き闇へ消えたる奔馬ふたたびを日表《ひおもて》に出《い》で光蹴立てよ
⑥陽と闇と交はるにさへ肉感のつめたき波のふるへてやまず
⑦光線を受けて靭帯のかがやくを恃めり裸体こそ盛装なれば
⑧若からぬ肉体の茎と蔓と花徒爾《とじ》なる大事のまへに鍛へぬ
⑨胸筋を鏡にうつしあまつさへ祈りぬ精神にも形を賜へ
⑩見るべきは見たりしのちの夕な夕な官能の浮力に生きのびて来ぬ
⑪縛《ばく》さるる俯角搏《う》たるる仰角のいづれの宙に浮くセバスティアン
⑫縄の目を薔薇のつぼみと呼びしとぞ抽象を求むる貴顕のひとり
⑬薔薇刑はまがなしくして翫《もてあそ》ばるる痛みをいつか翫びゐる
⑭縛されて搏たれてあはれ俤《おもかげ》に屈せししじま白薔薇《しろさうび》咲く
⑮死と生のいづれ味方ぞ欲望は間諜のごとく隙うかがひて

⑯侠気《をとこぎ》の秀でし額に巻きしめるバンダナ月下に冴えて禁色
⑰月あかし膂力すぐれし若者に禁欲といふ刑ありしかな
⑱夜はやさしまして暁闇のまどろみの頸筋《くびすぢ》の血を吸ふ口やさし
⑲生き延びて会ひたき者など無しといへ大蝙蝠に血を吸はせやる
⑳われはかの死者よりすでに若からずされど不犯の仕儀とこしなへ
＊このうち『朝の水』に収蔵されたのは⑤と⑦。

7　時間があらかじめ失われていた歳月のなかで——第六歌集『友の書』

第六歌集『友の書』の発行は、一九九九（平成十一）年十一月十一日である。しかし、内容的には一九八七（昭和六十二）年から一九九六（平成八）年までの作品が収められているために第六歌集とされている。作品が書かれた時期を重視し、歌集にふられた序数順に見ていくことにする。

『友の書』と題されている通り、この期間に交友のあった友についての歌が集められている。なぜ、友の歌として一つの歌集に纏めたのか、という事については、詳しく春日井建から話を聞くことはなかったが、この歌集の発行年が、第七歌集『白雨』（一九九九年九月刊）と同年の十一月に発行されていること、この年の三月に建は中咽頭癌がみつかり入院治療が開始されていることを勘案すれば、『友の書』は『白雨』とほぼ同時期に纏められたものであると推察される。それゆえ、歌集の構成にもそのことがいくらか影響していることもあるだろう。

　ただ、歌の制作された時期は、建が、愛知女子短期大学の教授として勤めだしてから、三年目に入ろうとしていて、大学という職場がどういう場所かということもおおよそ理解されて、それに順応する日々が続いていたことと思う。『友の書』のあとがきには、「この時期は私の壮年時代に相当するが、時間があらかじめ失われていたような歳月で、今に今を重ねる生き方には、常なる現在があるだけで未来も過去もないように思われた。」と書かれている。

　この「今に今を重ねる生き方」について、岡嶋憲治は「短歌研究」（一九九五年五月号）の建の文章を引用して「一瞬と悠久」「弛緩と緊張の共存」を見ている（『評伝 春日井建』）。

「短歌研究」に掲載された建の文章は、自作の「今に今を重ねるほかの生を知らず今わが前の潮しろがね」（筆者註＝『友の書』では「今に今を重ぬるほかの生を知らず今わが視野の潮《うしほ》しろがね」と改稿）を引用し、《「今に今を重ねるほかの生」を知らないで今日まで過ごしてきた。／幸福な気分を詠ったものとして表現してみた／一種の危険な緊張感をはらんでいることには変わりはない。》と書かれている。

　瞬間の連続を時間ととらえれば、私たちが感じる時間は常に現在しかなく、「今に今を重ねる」時間ということになるだろう。「幸福な気分を詠った」と、「危険な緊張感をはらんでいる」という相反する気持ちを一首に込める歌は、建独特の言葉のスタイルでもある。が、もともと存在とはいくつもの背反を内包しているものだ。どの面を強調するかによって歌の内面は様々に変化する。私は『友の書』のあとがきの「時間があらかじめ失われていたような歳月」という文脈には、未来も過去もない、目の前の今という時間を重ねていくだけという生き方に、一瞬の時間を積み重ねていくだけの刹那的な感受性を思わないわけにはいかない。『友の書』のあとがきを普通に読めば、自己を押し込めて、平穏な日常をやり過ごしていくということではないか、と考える。

とはいえ、この時期の建は健康で、家を建て替え、中部日本歌人会の委員長に就任し、平成四年度の愛知県芸術文化選奨文化賞を受賞し、「いきいき中部」（建設省・現国土交通省の中部地方建設局ＰＲ誌）の巻頭詩の連載も始めている。それらは、常人からしてみれば、それなりに意味のある歳月だと思うが、自由な生き方を求めてやまない建にとっては、「時間があらかじめ失われていたような歳月」に感じられたのだろう。

ただ、この時期には、アフガニスタンの友人アマダカ・レザイ、中国の楊や陳、短命を告知された若い友人などが、建の周りにいたことも、歌集のあとがきに記されている。これらの友人については、岡嶋憲治著『評伝　春日井建』の第五章「今に今を重ねて」にくわしく書かれている。歌の解釈や建の気持ちの推移など、「私が当事者たちの私生活を知りうる距離にいる」と書く岡嶋ならではの思いが込められた記述である。そちらを参照していただけたらと思う。そこで書かれている事柄、歌を引用しながら説明されていることなど、ほぼ私の知っていることと重なっているので繰り返さない。

では、作品についてみていきたい。

「陰鬱なる美青年」とは死の喩とぞグラックの書に親しみてきつ　「友の書」

『友の書』冒頭の一首である。ジュリアン・グラックの小説『陰鬱な美青年』（一九七〇年筑摩書房・二〇一五年文遊社）の主人公・アランという青年は、謎多き存在として、夏の海辺のホテルに現れ、ホテルの客たちと親しい関係を続けながら、最後に毒の入ったコップを飲み干す。翻訳者の小佐井伸二は、「アランとは死である」と、そのあとがきに記す。グラックは、暗喩的な方法ではなく、死を我々の前に現前させたという。この小説の主人公アランは美しい青年であるが、彼の存在はそのまま死を表象するような存在として描かれている。『友の書』のあとがきには次のようにも書かれている。

> ジュリアン・グラックに『陰鬱なる美青年』という小説がある。この主人公は死の喩として登場し、冷静かつ正確、何ごとにも動じない絶対的な存在として描出された。私はグラックを通して随分と死と昵懇になった。

「私はグラックを通して随分と死と昵懇になった。」という言葉に、建の何が意識されていたのかは知るすべもないが、アランという小説の主人公の行動が最終的にはすべて最後のシーンの死に向かっていたことだけは、この小説を読めば理解される。とくに自死を回避する可能性はいつでも自らの前にあるのに、アランにとって死は向こうからやって来る絶対的なものであり、避けるという選択肢を欠いているものとして描かれている。確かに、死の偶然性は誰にも予測不可能であり、生との断絶の契機でもあり、死は生のすぐ隣に存在するものでもある。死と昵懇になるということは、死が身近なものとして意識下にあったということだろうか。『陰鬱な美青年』に仮託して詠まれた歌の「汝」という存在は、後に「病む友」として歌に詠まれる。

「幸運」

放送局いできて向かふ市の真中イグアナを飼ふ小さき部屋へ
朝な朝な目ざめてまずは目に追へり緑の欲望のごときイグアナ

「欲望の法則」

わが胸を撫でてをりたり這ひゐたり汝かイグアナか定かならざる
感毛に小虫がふれて閉づる葉の袋のごとしあはれ欲望

放送局の仕事を終えて向かうのは、汝がイグアナを飼う市内の小さな部屋。緑色のイグアナを毎朝目に追う気持ちは、まるで欲望のようでもある。目覚めて、われの胸を這っている感覚が、イグアナなのか、汝が撫でているのか、はっきり分からない。けだるいこの小さな部屋の汝との時間がそこにある。欲望というものは、小虫に触れて葉を閉じる食虫植物のようだと詠われている。

その汝が、「病む友」となる。

病む友を連れだして来し防潮堤いつか堤を越す潮やある　「水際にて」
街並の輪郭を消して雨降れり行方知れずの友を思へる　「消失点《バニシング・ポイント》」
小波瀾ありしわが過去ふりむけば息つめて物象をただ見てゐたり
生《あ》れし日ゆ人は余生をちぢめゆくものとし思ふ潮風の中　「on the edge」
浅き眠りに就きては醒むる薄明にまた思ふ友は病を得たる　「彫刻」
苦しみを美《は》しく形とせしものの非情を愛しきたりぬわれは
青春は一刻にして永遠《とは》と思ふ大理石の皮膚老ゆるを知らず

病む友と一緒に水際の防潮堤まで来て、いつかこの堤を越えてくる潮のことを思う。それは友の病の限界の事でもある。そんな中、友は行方知れずになる。確かに、そういう一時期もあったと聞くが、ここに引用した二首目、三首目の歌は、「消失点《バニシング・ポイント》」と題されている章の歌であり、ジェイムズ・パーディの小説『アルマの甥』を取り入れて、物語仕立てにされているものである。だから、この歌の「行方知れずの友」については、岡嶋憲治が『評伝 春日井建』の第五章に書くように、〈「わが生のまらうど」と叙した友〉（歌集『青葦』あとがき）である可能性が大きいだろう。友が誰かがはっきり示されない方法で描かれる世界。それは、虚実皮膜を歌の思想とした建にとって、自由な創作につながる道だったのだと思う。
三首目の、波瀾のあった自分の過去を振り返れば、ただ息を詰めて物事を見ていただけだったという自省、四首目の人は生まれてから余生を縮めて生きているものだという認識、どれも冷静な思想と分析だが、その理性的な歌の裏には、五首目のように、友のことが気になって眠れない日々があることが明かされている。この「浅き眠りに」から六、七首目の三首は、「彫刻」という章の歌で、ローマのカピトリーノ美術館にある「瀕死のガリア人（ゴール人）」という彫刻に仮託して、病む友を重ねて詠ったものである。苦しみが美しい形になっているものの非情を愛してきた我、という突き放した美意識の表象、老いることのない永遠の皮膚感を大理石の像に見出しながら、「青春は一刻にして永遠と思ふ」と詠う事は、永遠ではないことを最も知っているものの歌でもある。ここに、私は、アイロニーではなく、対象やものを自己の美意識に閉じ込める、春日井建独特の美の表象のスタイルを見る。そのスタイルは、ある時は冷酷で静謐で美しい世界を持つが、時として過剰な細工を施した美術品のように思われるところもある。もっとそのまま、ストレートに詠んでもいいのではないか、と建の歌を読むときに感じることの一つでもあった。次の母の歌のように。

時よゆるやかに歩め　年齢《とし》高き母が撒く水まぶしく散るを　「白」
母の耳には届かずわれも告げざれど風が鳴らせる草の竪琴　「草苑」

高齢な母への優しい思いが、水が光を散らすなかに母の姿をみて詠まれている。草の竪琴が奏でる音楽を、母を見守る中に静かに聞いている。母への愛に溢れた感情が素直に表現されている歌である。

さて、この病む友とは別に、この時期の建の周りには、大学関係の外国からの留学生など様々な人達がいた。その中のペルシャ人の友人、レザイについての歌。

わが友はペルシャ人千年の時かけて高地に吹ける風をまとふも　「アレキサンダーの鏡」
反政府活動に父を失ひきのちの日を東邦に学びて生くる
アフガニスタンの留学生とわが孤独かたみに均りあふ春と思へり
ペルシャ人わが友レザイこの日々を苦患のうちに過ごしてゐむ　「岬」

ペルシャの歴史は古い。アフガニスタンになってからも一九八九年から一九九二年まで「アフガニスタンの内戦」が続く。この作品の初出は、角川「短歌」一九九〇（平成二）年七月号だから、この時代のアフガニスタンの状況は、内戦状態にあったといえる。歌に詠まれているレザイという青年も、父を反政府活動で失い、留学生として現在、日本で学んでいる。建は、遠い他国で学ぶレザイに、その青年の孤独と自分の孤独の重さを同じように感じている。留学生は時期がくれば帰国する。四首目の歌は、帰国したレザイを思い、今も苦しみや悩みのなかで過ごしているのではないか、と気遣っている。

天安門騒がしからぬ朝を歩む過ぎし六月忘るるなけむ　「楊柳」
貴妃とおなじ姓よと楊《ヤン》の笑むからに絮毛光りて舞へる日ざかり
遠方より来たりし朋ぞ三絃に母歌《モウコ》を織くうたへり楊《ヤン》は　「児歌《アルコ》・母歌《モウコ》」
くちびるを切りつつ遂に音の出でぬ葉を吹きてゐし少年の日や
中国の少年楊《ヤン》も吹きしといふリーフ・フルート澄みゐたるべし

中国の北京の天安門広場を訪れた時の歌は、天安門事件のことを「過ぎし六月忘るるなけむ」と詠まれている。一九八九年六月四日、天安門広場を中心に起きた民主化運動の武力弾圧事件で死傷者の数は数千人ともいわれている。この歌の初出は、一九九三（平成五）年「歌壇」の六月号だから、その後、日本語を学ぶ学生と北京の天安門を訪れた時のものだろう。万里の長城や西湖を訪れた歌もあるが、天安門事件の歌はこの一首だけである。二首目は「楊」という青年の歌。楊貴妃と同じ姓だと話す楊（ヤン）に、中国の春の風物である柳絮が舞い散る。その後日、楊は春日井家を訪れる。彼は三絃を弾いて「母歌《モウコ》」を歌う。四首目は、建自身の少年の日の、草の葉をくちびるに当てて音を出そうとしたときの思い出の歌。なかなか音が出なかった草笛に「くちびるを切りつつ」という言葉が建らしい。こういう細かな部分にも美意識が滲む。それに対する五首目の楊のリーフ・フルートの音は、澄んだ音色だったのだろう、と詠まれる。レザイや楊の歌は、建が大学教授の時に知り合った友人であり、自ずと彼らとの関係も抑制が働き、距離を取った描き方になっている。

しかし、「汝」と書かれ「病む友」と書かれている友の歌は、物語仕立てにしても、欲望の対象であり愛の対象であり、建は死と向き合わざるを得ない状況に置かれることになる。歌集『白雨』には、その「病む友」がもっとはっきりとした形で私たちの前に表現されることになった。

8　書けざるものなどなしといふ檄——第七歌集『白雨』

歌集『白雨』が発行されたのは、一九九九（平成十一）年九月九日である。建に中咽頭癌が見つかり入院治療が始まったのは同年の三月二十九日だが、この歌集に所収されている歌は、すべて癌が発見される以前の健康な時期のものであることに留意しておかねばならない。そして、歌が建の健康な時期のものでありながら、歌集のあとがきは、一九九九年の夏になっていて、すでに癌を発症した後である、ということも心に留めておいてほしい。

歌集に収められている作品は、「短歌研究」誌上に三十首ずつ八回連載された「朝寒」から「新月」までの作品に、角川「短歌」誌掲載の「高原抄」、「忘れ潮」、「雁」誌掲載の「リド島即事」、「歌壇」誌掲載「夏の空」、「短歌研究」誌掲載の「記念写真」を加えて、一九九七（平成九）年三月から一九九九（平成十一）年二月まで、編年体で構成されている。

内容においては、母の歌、妹の夫の死、「記念写真」の章の亡き父や自分の幼少期などの歌と、病む友の歌が中心になっている。

歌集名になった「白雨」は、「短歌研究」誌連載の三回目の作品の題であり、角川「短歌」誌に掲載の「高原抄」と合わせて「第三十四回短歌研究賞」を受賞した作品として、歌集名を「白雨」とすることも頷ける。しかし、建は、歌集のあとがきに、《作品中「運命といふしろたへの驟雨」というフレーズがあります。歌集の名前としたのは、自然現象としての白雨の他に、そうした思いがけなくやってくる運命というものをいささか意識してのものでした。》と書く。白雨は、明るい空から降る雨、夕立、にわか雨のことだが、そのように「思いがけなくやってくる運命」を意識する事柄の一つとして、妹の夫である義弟の突然の死がある。

情報のそとにしてふいに運命といふしろたへの驟雨は襲ふ　「白雨」
運命は会釈して傍を横切れり大過なかりしことこそ不思議　「祝意」

妹の夫（義弟）の突然の死が詠まれた作品である。最先端の情報分野に関係していた義弟の突然の死に「運命」を意識する。運命は、情報のそとのものであり、道理や条理や社会的な事物や出来事の認識、人知を越える超自然的な力によってもたらされる事象である。身近な縁者の突然の死は、建に運命というものを強く意識させただろう。また、死を約された病の友についても運命を思わないではいられない。しかし、運命という語が、この歌集にでてくるのは、前掲の二首だけである。建は、運命論者ではないし、歌は常に自らの運命に抗うような表現を取って来たことを思うと、なぜあとがきにあえて「運命」を意識したことを書いたか、と思われる。それは、歌集『白雨』の作品が、建の中咽頭癌の発症前のものでありながら、あとがきの書かれた時期には、建の中咽頭癌の発症による入院治療が始まっていたことも「運命」を意識した大きな要因だったのではないか、とそんなことも思ったりした。もし、建の癌の発症が無ければ、このようなあとがきになっていたかどうか、である。

それはさておき、歌集が、「短歌研究」の三十首、八回連載の作品を中心に編まれていることに対しても、連載ということを考慮して「作歌姿勢を常より少し実人生に近いところに置くことにしました。従って、「朝寒」から「新月」までの八篇は大方私の身近にある主題を求めることになりました。」と、建はあとがきに記している。主題を身近なところに置き、実人生に近いところで詠うという姿勢をあえてあとがきに記すことで、建は何をこれらの作品に課そうとしたのか。

これまでの建の歌に対する思想は「虚実皮膜」だと理解してきた。実際、作品に書かれた事柄は事実と虚構の曖昧さの中に言葉や情景が溶かし込まれていて、そこに独自の世界が構築され出現していた。その虚実皮膜の世界を支えていたのが、短歌の定型と建の独特の美意識から生み出される言葉だった。身近な「実人生に近いところ」に寄せて詠うということは、作品の世界が、「実」にウエイトを置いているという宣言のようでもある。
確かに、夫を亡くした妹も高齢の母も、免疫の病に苦しむ友も私の知る限りでは「実」である。建の実人生に添った事柄の一つでもある。しかし、あえてそれを記すことによって、留めておきたいという欲求をうみだしたのは、歌集最後に置かれた歌の「書けざるものなどなしといふ檄」という決意だったのではないか。その決意が歌集『白雨』の冒頭、連載第一回の「朝寒」の章から始まっていることは、この歌集を最後から最初に戻って読み返すとよくわかる。「朝寒」の章には、身巡りに題材をとりながら、その先にある死に対峙している「書けざるものなどなし」という建の強い意志を見る。

在ることの意識たしかに目ざめゆくトラジャ・カロシの豆挽きながら
鴨のゐる春の水際へ風にさへつまづく母をともなひて行く
理《ことわり》の外とも見えて訃の報がとどきぬ妹は寡婦となりたり
泣きしのち少しうつけてこの朝寒《あささむ》母は逆縁を受け入れむとす
死を宿し病むとも若さ大雪の朝の光を友は告げくる
免疫力弱りてあれば遠ざけよ雪虫を先だてて来たる寒気を
長ければ辱《はぢ》多しとぞ寒の日の徒然ながら読む賢者の書

黒皮の机上に置ける書のひとつ四十にたらぬ死をよしとする
さあれ一日一刻永く在らしめよそのときの支度整ふといへ

一首目の「在ることの意識」と、対応しているのが、妹の夫の死であり、高齢の母の老い先であり、病む友の抱えている死である。嫌でも「死」は身近なものとして意識されたことだろう。高齢の母の危うさを「風にさへつまづく母」と詠う。義弟の予期せぬ突然の死により妹は寡婦になってしまった。母は、この突然の出来事に驚き悲しみながら、魂が抜けたようにぼんやりと逆縁を受け入れている。

五、六首目は、免疫力が弱くなって死をはらむ病を持つ若い友の歌。後の「祝意」の章には「免疫の病にあれば酔ひ果ててさらに冴えくるHello《やあ》 My《ぼくの》 Sick」という歌があり、この若い友の病をそれとなく暗示させる。病でも雪景色を伝えてくる友に若さを感じながら、寒気を遠ざけよ、と友を思いやる。

一方で、七、八首目の歌は、『徒然草』第七段の「住み果てぬ世にみにくき姿を持ち得て、何かはせん。命長ければ辱多し。長くとも、四十に足らぬほどにて死なんこそ、めやすかるべけれ。」（『新訂徒然草』岩波文庫）を下敷きにして、命長らえば辱も多い、「四十にたらぬ死をよしとする」というように、四十にならない前に死ぬのがいい、と詠う。黒皮の机は、実際に建の書斎にあった机であり、その机にも建の現実における美意識は実現されてそれと相即するように歌は「死をよしとする」

というようにまとめられている。（黒革の机は、現在、名古屋の〈文化のみち二葉館〉に収蔵されている）
これまでの建の美意識が前面に出された歌柄である。

しかし、死の覚悟は病む友への言葉だけでなく、自身を納得させるためのものでもあろう。友への思いやりと死の間で揺れ動く気持ちがよく表れているのが「さあれ一日一刻」という歌である。この頃は、まだ免疫の病＝死というイメージが強かった、その死に慌てふためくのではなく、「支度整ふ」という語の使用が端粛な雰囲気を生み出し、感情が形《かた》の世界で纏めて表される。こういう語の使用が死への厳かな姿勢を表す反面、一日でも一時でも長く生きていて欲しいという誰でも親しい人に持つ思いが、逆に強く浮き出る。相克する感情を露わにする思いを一首の中に取り入れる表現は、比重が現実に傾き、仮構された強い美意識を崩す。言葉で作り出す世界よりも実際の事柄や出来事の方が強く大きいとき、仮構意識は脆弱化する。その分、表現は自分に素直な世界を表出することになる。あとがきの「作歌姿勢を常より少し実人生に近いところに置くことにしました。」ということは、現実が言葉で作り出す世界よりも強く大きかったということの証のようでもある。

この歌集で書かねばならないことの一つに病む友の事がある。この友については、『評伝 春日井建』（岡嶋憲治著）でも詳しく触れられているのだが、歌集の内容としても、現実のウエイトが作品に大きく作用した重要な事柄の一つでもある。

短命を約されし友　はや一年二年は過ぎてけふ玄鳥帰　「塩の山」

患《や》む友を思ひをりしかば白暁にファントムペイン*われに兆しつ　「忘れ潮」

＊実在しない痛みを感じること

免疫の病、短命を約された友、その友のことを思いやれば失くした体の一部が痛みを覚えるような感覚にとらわれる、という。病名を告げられてから二年が過ぎようとしている。その友を伴って訪れたイタリア・ヴェニスのリド島での作品が「リド島即事」である。

死などなにほどのこともなし新秋の正装をして夕餐につく
日逝き月逝きこの蝕の夜にわれら会ふかぎりなく全円に近き幸福
いづこにて死すとも客死カプチーノとシャンパンの日々過ぎて帰らな

一九九七（平成九）年九月十一日から十八日までの八日間の旅行と『評伝 春日井建』にある。ちょうど十七日の皆既月食に遭遇する。死を意識してはいても、今日明日という切迫した状況ではない友と二人の旅行は、ある意味、思い出作りでもあり、正装して夕食を共にすることは嬉しい事である。「死などなにほどのこともなし」と言ってしまうことで逆に死を際立たせる表現、「かぎりなく全円に近き幸福」と書くことで、皆既月食の不吉さや不安を払拭しているようで逆に限られた幸福の時間を表象する。こういう表現は建独特の美意識のもとにあるものだろう。映画「ベニスに死す」の舞台である地への友との旅は、友の死の予感の中で歌となる。しかし、現実には、現実の苦悩が付きまとう。

みづからは知りつつ親に告げざるは臆病と偏見いづれわが友　「バース行」
告げ得ずて来たりしを今告げなむと決めて正餐の卓につきたる　「塩の山」
その母への告知を強ひしは吾にしてサンタ・マリーア汝が歌ひゐる　「祝意」
いまだ為し得ざるひとつは汝が親への告知この秋の大事と思ふ　「秋の水」

自分の病を知りながら、親に告げない友に対して臆病なのか、偏見を持つゆえに告げることが出来ないのか、と友に、その母への告知を強いる我。友の母に病のことを話すことは、大事なことである、というのが建の考え方である。一般的、社会常識的と言えばまったくその通りである。それでいいのだ。春日井建は最初からそんなにはみ出してはいないのだ。誰でもが持つ感情や思いや行動を、言葉の世界では虚構もデフォルメも自由に書くことが出来るだけのことである。その術を早い時期に熟知し、その醍醐味に惹かれ、悪意や美意識の世界の表象を自在に構成したということだと思う。その早熟な才能は余すなく『未青年』に発揮されていたし、それは正当に評価されていい。が、ここに来て「実」に近いところで作品世界が展開されることになろうとも、それほど驚くようなことでもないと、私には思われる。それは、『未青年』の中の伊勢湾台風の被害を「洪水伝説」に準えた歌を読んだ時の私の思いと繋がっている。実際に名古屋市港区で伊勢湾台風の被害の中にあった私にとって、「洪水伝説」への準え方は、それほど特異なものではなかった。事実の出来事の衝撃の方が、これらの表現の重力を超えていたということだが、言語表現の妙と限界を思ったことでもある。とても私的な観点で作品と向き合うことの偏向を承知で、私は、仮構の中に建の表象の思想の根底を見つけたい。

「記念写真」の章の歌は、戦後の建少年の様子を如実に表していて、病の友の歌よりも、むしろ建らしい歌であり、特に興味深い。

身めぐりのあまたなる貧　孤児の飢ゑ　映像ならず見て育ちたり
坊主頭を揃へて写真に収まれる青空教室の少年われら
少年Aにてわがありし日の焼野原思へばなべて毀れてゐたり
帰還せし軍服の父を避けをりき安息の場所たりし木の上
飢ゑゐたる少年の日を憶ふとき胃の腑のうちに月光はさす
透きとほる痛覚のみが残りゐる幼き日々のわが無分別
接収地とふ一劃ありきアメリカの旗はためける外光派的芝生
外光の明るさ軽さアメリカの表層を生きぬわれの戦後は

一連は「記念写真」と題されて、作品中にはベトナム戦争下のソンミ村の虐殺や、マルグリット・デュラスの小説『ラマン』や、現在のホーチミン市の歌も混ざる構成をとり、作品を仮構しているようにみえるが、それは思い出に伴う情緒を避けるための一つの手法であると、言ってもよい。敗戦後の少年建の様子は、貧困と飢えと青空教室、焼け野原とアメリカの接収地の横での生活、これらはその時代の敗戦直後の日本の子供たちのありふれた状況で、建もその中の一人にすぎない。アメリカ軍の占領下で育成された、不安と不確かな未来と大人への不信感は、「夏の空」の章の次のような歌として、現在まで消えることはない。

死がいつも身近にありし幼き日忘れさせじと降る蟬しぐれ
焼跡に育ちしわれら戦ひの現在をおもふ夏来ればなほ

夏がくれば、いつも思い出す死と隣り合わせの幼い日々の記憶。焼け跡育ちの年代のわれらは、敗戦の夏のことを現在の戦の上に思い起こす、という歌である。敗戦後の少年の記憶は、現在もなお鮮やかに身内に強く残っている。ここに建の原点を見てもいいように思われる。『未青年』は、成長過程の青少年が通過する精鋭な感性の一面を描写したものとして、特異な歌群だった。しかし、その根底には敗戦後の少年の素直な感受性も共有されていたといえる。むしろ、これらの作品のほうが、素の建に近いのだろうと思う。その感受性が、敗戦後の日本の状況を受け入れ内面を育み、表現の陰影と思想は『白雨』においては次のように表現される。

またの日といふはあらずもきさらぎは塩ふるほどの光を撒きて　「祝意」
月代も水も器にしたがひてさらさらさらさら形を定む　「新月」
まなうらの残影は無駄なき点と線かく簡潔に使へことばも　「塩の山」
朔の月の繊きひかりが届けくる書けざるものなどなしといふ檄　「新月」

またの日、次の日はないという強い断念に、如月の冷気の中の塩の粒ほどの光の散乱が、かすかな揺れを生じさせているが、ここに、事に向き合う建の透徹した思想を見る。二首目は、月の光も水も器に従って形を変えるというように、変容することへの肯定である。そして、見えているとおもわれる面影は、明確な点と線である。なれば、言葉もこのように簡潔に使えという。そして、書けないものなどないのだ、と内側から声がする。これらの歌に、建のゆるぎない思想を読み取ることが出来る。すべてのものは変容する。今という今こそが大切であり、表現の言葉は無駄なく簡潔に使うことで見る事の深奥に近づく。何よりもすべてを見、すべてを書くこと、それが言語表現者としての春日井建の思想であると、私は確信する。

9　造型される井泉の世界――照り返す光として――第八歌集『井泉』

歌集『井泉』（二〇〇二年十一月十日刊）には、一九九九（平成十一）年から二〇〇一（平成十三）年末までの作品が所収されている。この時期は、建の中咽頭癌の発病と入院治療、母・政子の死という思いがけない出来事が起きた時でもある。世界では、アメリカで二〇〇一（平成十三）年九月十一日、同時多発テロによりニューヨークの世界貿易センタービルが破壊され、アメリカ政府はイスラム過激派指導者のオサマ・ビン・ラディンを首謀者と断定し、対テロ戦争を宣言し、アフガニスタンへの軍事攻撃を開始した。歌集の内容もそれに関連して、癌の発病、入院、温泉での加療、同時多発テロ関連、母・政子の死が詠まれ、時系列に沿った構成がなされている。

雪を得て街はあかるむ昨日《きぞ》敷きししろたへに積むけふのしろたへ
扁桃《アーモンド》ふくらむのどかさしあたり衿巻をして春雪を浴ぶ

歌集冒頭に「春の雪」と題された二十一首が置かれている。一九九九（平成十一）年、角川「短歌」

三月号に掲載されたものである。作品は掲載時より二カ月前に制作されていることを考えると、当時、一九九九年一月の十日前後には、名古屋にも日を続けて雪が降っている。そして一首目、二首目とこのように歌が並んでいる。

昨日の白い雪の上に今日の白い雪が積み重なっているという、新しい年の初めの雪から歌い起こされて、二首めの歌は、咽の異常を感じ風邪をひいたのか、と思っていた時の歌である。「扁桃」にアーモンドというルビの使用にも建の細かい意識の働きを見る。この一連の後にただ一首の「エロス」という章がある。

エロス――その弟的なる肉感のいつまでも地上にわれをとどめよ

この歌については、歌集のあとがきに次のように書かれている。

病気を知ったのは突然だった。巻頭に置いた「春の雪」の中では、「扁桃《アーモンド》ふくらむのどかさしあたり衿巻をして春雪を浴ぶ」と軽くうたっていた咽頭に腫瘍が見つかり、病院へ出かけた日に即入院となった。その夜作ったのが「エロス」である。私はプラトン風にわがエロスにむかって、「いつまでも地上にわれをとどめよ」と懇願した。

腫瘍が見つかり即日入院という事態は、建にとって驚くべき出来事であったろう。一ページ二首組、連作の形を取る歌のなか、一ページに、ただ一首のみ「エロス」と題されている。それが入院という突然の予想もしない事態に直面した建の心の内を物語っている。「いつまでも地上にわれをとどめよ」という下句を、あとがきと合わせて読むと、余計にその時の心情が思われる。しかし、そんな時にさえ、上句の「エロス——その弟的なる肉感の」という語句にかけられた創作意識を見逃してはならないだろう。

「プラトン風に」とあとがきにあるので、プラトンの『饗宴』（森進一訳・新潮文庫）の中、「愛の神《エロース》」について様々に語られているものを、大雑把に取り出せば「愛の神《エロース》」とは「神々のなかでもこよなく若い、また永久《とこしえ》に若い。」（「アガトーンの話」）のであり、「自分に欠けているものを対象にするもの」（「ソークラテース、アガトーンと語る」）であり、「死すべきものと不死なるものの中間にある」「愛の対象は不死でもある」（「ソークラテースの話」のディオティーマの言葉）など、プラトンの「エロス」についての考えを知る記述がある。

「エロス——その弟的なる肉感の」は、その永久の若さを持つわが「愛の神《エロース》」に向かって、その対象たる不死を求める。あとがきには「懇願した。」と書かれているが、歌の世界は、プラトンの『饗宴』の世界を潜ませて、どんな事態に直面しても仮構の世界を手放していない。

次の章からは、入院して放射線治療を受けながら、病に対する建の揺れる気持ちが描かれていく。

コバルトの照射したたかに灼きしかば健やけき舌はいつ戻りくる　「牀上」
片方は天使が引くとファウストは言へりもう一方の手もわれは知る
朝な夕な点滴をして患《や》みし日は渦中に揉まるるやうに過ぎにき　「寒の日」
すこしづつ声とりもどす恢復期いかに在るとも花ふぶきせよ　「さくら」

コバルトの照射という治療を初めて受けて、舌の感覚を失くした時の不安感は常に隣の死を予感させる。二首目は、ゲーテの戯曲『ファウスト』が引用されて詠まれている。『ファウスト』は、神が人間の理性を代表すると認めた真面目な主人公・ファウストが、現世の欲望と引き換えに誘惑の悪魔メフィストフェレスと死後の魂の悪魔への服従という契約を交わす物語。ファウストの片方の手を引く天使は神の使いだが、もう一方の手を引くものは、悪魔メフィストフェレスだろう。癌という病に罹り、生と死の狭間で揺れる気持ちさえ、作品化される時には『ファウスト』の世界と重層するような世界が創造されている。先のエロスの歌も、ファウストの歌も、歌の背後に別の作品世界が重ねられていることは、作品を見ていくうえで、彼の表現の思想ともいえる大事なポイントである。一日中点滴をされている入院生活のやり場のない気持ちは、渦に揉まれているように過ぎたと表されている。この時の入院は五カ月余で退院となり、四首めのような歌も詠まれている。「いかに在るとも」が全快ではないことを暗示させる。

このように一方に病を持ちつつも、次のような作品があることも特記しておきたい。

闇の奥醒めゐしならむ羅《うすもの》のはなびら朝を冴えざえと咲く
いつせいに咲く羅《ら》しろたへ一山《いっさん》をふはりとおほふ薄きひかりに

「さくら」と題された章の歌。一首目は、闇の奥に、桜の薄絹のような花弁が、朝の白い光のなかに冴えざえと咲いているという。二首めも桜の花を羅《うすもの》に喩え、全山満開の桜の様子を、山が薄いひかりにふはりと覆われているようである、と詠われる。二首とも、静謐で透き通るように美しく、独特の緊張感を持つ歌である。こういう歌の世界が様々な建の歌の一番奥底に常に生まれていることを、私は時々思い出す。

しかし病は癒えることなく、抗癌剤治療のための入院を余儀なくされる。そんな建が仮構したのは「夜見」の世界。

書きあまし見のこせしまま純青《ひたさを》に過ぎなむ時を肯はむとす
書きつくすより書きあます豊饒の視座にぬばたまの夜見の面影
井泉に堕ちしは昨夜《よべ》か覚めしのち生肌すこし濡れてゐたりき
見守りてくれしはむしろ眠りゐる汝とぞ思ふ夜見帰りつつ
時じくの香菓の実われの咽に生《あ》れき黄泉戸喫《よもつへぐひ》に齧《かじ》り捨つべき

夜見ののち恋慕のおもひいや増しぬわれはなべてにまつろはぬ者

いずれも「夜見」の章からの引用である。「夜見」は「黄泉」ともいわれ、黄泉は死後、魂が行くところ、死者が住むと信じられた国のことをいう。癌という病と再度の入院は、いやでも自分の死を意識することになる。しかし、建は作品を書き続ける。

一首目の歌は、書くことへの真摯な思いが表明されている。「純青」は「炉火純青」に由来し、炉の火が最高の温度に達した時、純青色になることから、学問、技能が最高の域に達することに喩えた言葉といわれる。しかし、歌の中の「純青」の意味は、癌になり余命を限られているなかにあって、まだまだ書き余したことや見残したことが山ほどたくさんある情況で、過ぎていく時を肯定するしかない、ということだろう。諦念というよりは理性的な自己確認である。それは次の歌の「書きあます」ことを「豊穣」ととらえるところにも明らかである。しかし、その視座に現れるのは真っ暗な黄泉の国の景色である。三首目は、井戸に落ちたのは昨夜の夢だったのか、目覚めたら素肌がすこし濡れていた、という歌で、現実には寝汗かもしれないが、黄泉の世界の井戸に落ちるという想像の世界が詠まれている。そして、入院中のベッドで目覚めたことを「夜見帰り」と黄泉の国から帰ったことに擬える。ベッドのそばで眠っている「汝」をみながら、自分が汝に見守られていたことに気付く。

五首目の歌の「時じくの香菓」（ときじくのかくのこのみ）は、いつも芳香を漂わせる木の実の意で、タチバナの実の古名という。「黄泉戸喫《よもつへぐひ》」は、広辞苑によれば〈「戸」は竈の意で、黄泉の国のかまどで煮焚きした物を食べること。これを食べると死者の国の者になり、再び現世には戻れないと信じられていた。〉とある。歌は喉の癌を、芳香を放つタチバナの実に喩え、黄泉の国で煮焚きした物を食べると現世に戻れないから、この物を齧り捨てなければならない、と詠われる。癌という病名を避け、現実の悲哀感を黄泉の国との往来の物語として提出する建の作歌意識の強さを思う。六首目の歌も、そんな黄泉の世界に向き合っている自分の精神を省みて「われはなべてにまつろはぬ者」という。黄泉という死後の世界を見た後も君を恋い慕う気持ちは増すばかりである。そういう自分は、すべてに対して従わない、服従しない者である、と強い自己認識である。癌という病を得てなおこのように詠えるのは、歌という表現が建にとって単なる自己表白やリアリズムではなく、仮構世界（筆者註＝建の言葉で言えば「造型した」世界）の表現としてあるからだと思う。

しかし、中咽頭癌は現実であり、二〇〇〇（平成十二）年の秋には上咽頭への転移が認められ、余命一年と告知され、免疫治療が開始される。現実に余命を告知された建の気持ちはいかほどか、推し量るすべもないが、翌年一月の秋田県の玉川温泉への湯治は一縷の望みでもあっただろう。「雪とラヂウム」「井泉」の章の作品がその時のものである。しかし、歌集には、どこにも湯治の場所は書かれていない。それも春日井建の仮構の意図を表している。

後に、建は、中部短歌創立八十周年記念「短歌」大会開催に合わせて『井泉』も上梓したことを紹介し、「『井泉』は私の実体験に近いところで発想され、作品化された一冊ではあるけれど、もとより事実そのものではない。先の温泉地にしても私はその固有名詞を使ってはいない。それはプルーストの『失われた時を求めて』における「バルベック海岸」が、現存しない地名であることと同じような場で作歌したからに他ならない。私が造型した井泉の光景が過ぎた私の日々の俤を映し、照り返しているようにと願っている。」と「春日井建と「短歌」八十周年」と題された文に書いている。建にとって、作品世界はあくまでも造型された自立した世界であることを語っている。

難民テントのごときテントに岩盤浴の一人となりてわれも臥すなり　「雪とラヂウム」
失ひて何程の身ぞさは思へいのちの乞食《こつじき》は岩盤に伏す
わがのどの痛みの炎癒やすべく湯の透過力を恃みてゐたる　「井泉」
忘れめやわれと汝との王領に他人《ひと》寄らしめぬ愛ありしこと

湯治での岩盤浴を詠んだ歌だが、「難民テントのごときテント」も事実かどうかわからない。日本の温泉地の風景と「難民テント」は似つかわしくない言葉である。また「難民」という言葉の持つ「戦禍や政治的混乱や迫害を避けて故国や居住地外に出た人。亡命者」という本来の意味と建の情況はまったく違うが、あえて「難民」という言葉を使うことで個人的な疎外感の表現を拡充している。また、二首目の「失ひて何程の身ぞ」という強がりが「さは思へ」という語で心の弱さへと転じて、「いのちの乞食」も人からの恵みで生きている乞食に喩えることで、命乞いのために岩盤に伏す者の心をよく表しているといえよう。三首目と合わせて読めば、一層、生と死の間で揺れる思いの大きさが伝わる。そんな中にも、四首目のような「われと汝」の愛の深さを忘れることはない、という歌もある。

かつて、建は歌集『青葦』の「ホモ・ファベル」の章で「われもまた工人として詩を書かな死なざりし悔に雪ふる無間《むけん》」「悲しみを言葉に組める工作人《ホモ・ファベル》狂へ狂へと雪ふりやまず」と書いた。言葉の工作人として詩を書く、という意識は、癌という病に罹っても変わらない。そしてその思想を根底で支えているのは、同じ『青葦』の「綺語ならぬ言葉はありやエディプスの峠路の章読みなづみつつ」という歌の「綺語ならぬ言葉はありや」であろう。言葉で表現されるものは、事実そのものではなく造型された世界である、という確たる思いだ。春日井建の歌の強さも弱さも逡巡も、美も、その言語表現の思想に支えられている。

冒頭にも記したが、ちょうどこの年の九月十一日、アメリカで同時多発テロが起き、ニューヨークの世界貿易センタービルが破壊され、アメリカ政府は、対テロ戦争を宣言しアフガニスタンへの軍事攻撃を開始した。アフガニスタンには、留学生だった建の友人がいる。

その土地にあらばあるひは銃をもつゲリラ山岳地を砂が舞ふ　「無花果と砂」
ハザーラ人は銃をもちゐし占拠せし町の砂塵の烟《けぶ》れるなかに
アフガンの友いかに在る呻吟に似て砂あらし吹きてゐるべし　「小熊座」
幾年を忘れゐしハザーラ山岳地に戦車を駈りてふいに現はる　「乳霧」

アメリカへ渡りしのちの友の日々乳霧のむかうつつがなくあれ

アメリカのアフガニスタンへの攻撃のニュースを知るにつけて、思われるのはアフガニスタン中央部の山岳地帯にすむハザーラ人の友人のこと。その友は、ゲリラになって山岳地帯にいるのだろうか、銃を構えるハザーラ人の映像を見ればアフガンの友のことが心配になる。苦しみ呻くように吹く砂あらしの中にいるのではなかろうか。ハザーラの山岳地帯に戦車が攻め込む映像に、幾年か忘れていた友人のことが思われる。その後、友はアメリカに渡ったと聞き、その日々が無事であれと願う歌で締めくくられる。友人がアフガンに帰国してから数年が経過し、自分も入院治療の生活の中にあって、突然のアメリカの同時多発テロのニュースである。驚きの感情とアフガンの友のことが心配される。歌は、身近な友人を介して詠まれるが、背景に世界の現況が置かれていることに建の関心の在り処も知ることができる。建が社会的情況を詠む歌は、いつももっとも身近なところに発想されている。

そしてもう一つ、建にとって大きな出来事は、十二月二十三日の母・政子の死である。享年九十四歳。突然の死に直面して、ここだけは素直な心情が吐露されている。建は、母に対してはどこまでも子なのである。

ボヘミアの古硝子ほどの水いろの空見ゆ母を想へば泣かゆ　「霜の日」

「朱唇」

うなだれゐし薔薇《さうび》二輪を水切りしいくばくもなく逝きたり母は

泣き疲れし冬のわらべと白《まう》すべく母を失くせし通夜の座にゐる

寒気も雪も天の応《いら》へと思ほえず逝きにしものはとはなる非在

冬の空は雲間が多い。その雲間にのぞく空の水いろは冷気に冴えざえとしている。一首目の歌の「ボヘミアの古硝子ほどの水いろ」は、ボヘミアグラスの硬質で透明度の高い細かいカットを施した美しいグラスの水色に似た空が見える日、母のことを想うと自然に泣けてきてしまうという。その母は、うなだれていた薔薇二輪の水切りをしてそのあとすぐに亡くなった。水切りされた二輪の薔薇は水を吸い上げてしっかり咲いていただろう。薔薇の花を見れば、母のやさしさが思われてまた涙があふれる。自分はまるで泣き疲れた子供のように母の通夜に座している。何歳になろうと、母と子は母と子である。最愛の母の死の悲しみは尽きることがない。冬の寒さも雪も、母を亡くしたこの気持ちに応えてくれるものではない。逝ってしまったものは、永遠に非ざるものになってしまうのだ。不在ではなく、非在という語が存在そのものを否定している。「さくら」の章にこんな歌がある。

時かけて母が毛布を掛けくるるを知りつつ椅子に眼を閉ぢてゐつ

眠っている自分に母が毛布を掛けてくれるのを知っていて、眠っているふりをしている。母のやさしさに甘えている子の気持ちは、建ならずとも誰でもどこかで経験していることだろう。

この素直な歌の世界も、書くという行為の上に置けば、実体験に近いところで発想されていても事実そのものではない、といえる。建にとって歌は、過ぎ去った日々を照り返す光として造型された世界なのである。

10 「虚構の自伝」としての歌の世界――第九歌集『朝の水』

『朝の水』（二〇〇四年五月十五日刊）が最後の歌集になるとは、私たちは誰も思っていなかった。建自身も歌集のあとがきに「目を離すこともできかねる病を見ながら、私は新しい歌空間を造型したい、と願っている。」と書いているように、病であっても歌への希求は尽きなかったのだといえる。

『朝の水』には、おおよそ二〇〇二（平成十四）年以降の作品が収録されている。この時期は、母を亡くしたあとの作品ということで、もっぱら病の加療の日々と重なっているが、その間には仙台におけるサッカーのＦＩＦＡワールドカップ、日本対トルコ戦を観に行ったり、二〇〇二年十一月には、中部短歌会創立八十周年記念「短歌」全国大会を開催。二〇〇三（平成十五）年十一月は、日本歌人クラブの第四回国際交流「日・タイ短歌大会」のためにタイ・バンコクを訪れ「三島由紀夫と私と短歌」という題で講演を行っている。

即事的な作品としては、サッカー観戦の歌がある。

風の脚が出し抜く競り合ひを切り抜ける走れスペースをただひた走れ　「宮城スタジアム即事」

球《ボール》あやつるすなはち時を小刻みにあやつるヒデが蹴るバックパス

観戦しているファンの熱烈な応援心理が「走れ」や「あやつる」の繰り返しで臨場感が表現されている。

また、病に関する歌を追っていくと、病状の変化と気持ちの在り処がわかり、様々な思いと重なる。

病院の一日ふはふはと過ぎてゆく微熱かサティを聴きゐるゆゑか　「サティとイルカ」

点滴棒につながれてゐる理《ことわり》の晦明いづれ一日が過ぎぬ　「光の嵩」

プロメテウス鎖につながれてありしこと想念はわれをいづくへ運ぶ

少しづつ味戻りきて珈琲をよろこぶ病後の舌と思へり　「橇」

薬剤がばさりと落とせし髪なれど変身はすこし愉しかりにき　「シャツ」
流動食といへども咽に障る日は茶をのみて足る日向の椅子に　「茶」
誰も誰も育くみてゐる死とは言へのみどの患が耳管に及ぶ　「耳浴」
患《や》めば痛むは当然のこと起きいでて暁闇の街を見放けてゐたり　「眠られぬ夜のために」
噴水のしぶきをくぐり翔ぶつばめ男がむせび泣くこともある　「燕」
のどは暴《あば》ける墓*とぞ嚥下できかぬる一句が夜のしじまをふかむ　*ロマ書
起きいでてまづ飲む朝のイオン水いかほどか身を養ひて来ぬ　「文鳥」
神託はつひに降《くだ》れり　日に三たび麻薬をのみて痛みを払へ　「タンタロス」
遊興にあらず痛みのために喫む麻薬と思へばいよよ悔しも

少し多いが十三首を引いた。一首目は、最初の章「サティとイルカ」の一連の中の歌。入院し点滴を受けている状態で、癌の治療のためであることは分かっているのだが、その状態の明暗を思うとき、ギリシャ神話のプロメテウスを連想している。プロメテウスは、天上の火を人間に与えたことでゼウスに罰せられて、カフカス山の岩に鎖で縛られ鷲に肝臓をついばまれるという責め苦にあった、とされる。自分の状態を鎖につながれたプロメテウスに準えてみるのは建らしい発想であるが、現実の苦痛や哀しみが、時をこえてギリシャ神話の世界へと架橋される。「少しづつ味戻りきて」の歌は、抗癌剤治療で失くしていた味覚が戻ってきた時の気持ちが詠われている。食事がスムースに進まないときにも、珈琲ゼリーは何とか食せるということを聞いていた。「薬剤が」の歌は、放射線治療や抗癌剤治療で髪がなくなってしまった時の歌である。「変身はすこし愉しかりにき」は強がりではない。現実を肯定しなければ生きていけない情況におかれたとき、選択は、そこから前を向くしかない。髪を失くした時の歌に「スキンヘッドに泣き笑ひする母が見ゆ笑へ常若《とこわか》の子の遊びゆゑ」という作品もあり、「変身」や「常若の遊び」という捉え方に、建の気持ちが推しはかられる。

流動食も咽を通らない日はお茶だけで過ごしている状態があり、咽の病変は耳管にまで及ぶようになって、病気の進行を思わざるを得ない。誰にとっても、生きていくことは死へ向かっている道程とも言えるだろうが、咽の苦痛が耳にまで及んだことにやるせない思いがわき上がる。「患《や》めば痛むは」の歌は「眠られぬ夜のために」の章にある。痛みの原因は納得していても痛み自体は容赦なく襲ってくるから、一睡もできない夜は、まだ明けやらぬ暗い街を見ているほかはない。そういう夜が何日あっただろうか。だれもそんな建の様子を知る由もない。自由に翔ぶ燕を見ながら、自分の現在の情況を思えば悔しさや哀しさや、様々な感情がこみあげてくる。「男がむせび泣くこともある」は、そんなぎりぎりの感情の限界を表していて、切なすぎる。

「のどは暴《あば》ける墓とぞ*」には「*ロマ書」と註がついている。これは、新約聖書の「ローマの信徒への手紙」の第三章13、14にある言葉で「彼らののどは開いた墓のようであり、／彼らは舌で人を欺き、／くちびるには蝮の毒があり、／口は、苦いのろいで満ちている。」（講談社学術文庫『新約聖書共同訳・全注』）というところからの引用である。耳にまで及ぶ咽の痛みに堪えかねる建の思いが、そんな聖書の言葉を思い出させたのか。しかし、その言葉を飲み下すことができないまま、納得できないまま夜の深みに身を置いている。「嚥下できかぬる一句」は、ロマ書の言葉が痛みを伴う現実の自分の咽の状態の比喩として使われていることにも注目したい。暗い闇の静寂のなかに一人、様々に思いめぐらす建がある。

夜は必ず明けるが、それはまた苦痛の時間と重なるほかない。とはいえ、朝は、まず水を飲むことから始まる。朝の水の大切さは、一日の始まりであり、命をつなぐ水であり、それは明日へとつながる水でもある。歌集名の『朝の水』の意味もこういうところにあるのだろう。

だが、現実は非情である。「神託はつひに降《くだ》れり」の歌のごとく、痛みを和らげるために、日に三回も麻薬を飲まねばならなくなった。建は、言っていた。「麻薬を処方してもらっているが、どんどん麻薬の量が増えていくのは困るから、処方されているものより少なく飲んでいる」と。しかし、それもかなわないほど、痛みが強くなっていたのだろう。どんなに我慢しても抗っても堪えきれない痛みに、処方される麻薬を飲まないではいられない状態になっていることを自覚して、「遊興にあらず」の歌が詠まれている。「悔しも」は、建の心を率直に映している。

そんな建を癒してくれる存在がいたことに少しほっとする。

「天使」

われは病み君はつばさを荷《にな》ひしと告ぐれば瞬《まばた》きそれより笑ふ
ガーゼのやうに羽毛のやうに風が吹くきみは介護士にして守護天使

われの背を撫づるやさしさ天使ならむ羽の感触に癒されてゐる

病む建に寄り添ってくれていた君の存在。「つばさを荷《にな》ひし」は、ジャン・コクトーの天使の絵に君を重ねて詠われているのだが、君は知る由もないから不思議な顔をする。ここにも建の造型の意志が働いている。「介護士にして守護天使」と書かれている君は、最後まで建に付き添っていたと聞く。

このように建の病状の進行と歌を重ねて読むと、誰もがそこに建の現実、日常の身辺が詠まれているると思うだろう。確かにそういう一面もあり、日録的な歌に建の歌の変化をいう人もある。

しかし、建の意図はもう少し違うところにあったことを記しておかねばならない。「デュラスへ」という章に次のような歌がある。

映像《イマージュ》の片々がくりかへし浮き沈む失ひし時・見出せる時

この歌の「失ひし時・見出せる時」は、マルセル・プルーストの長編小説『失われた時を求めて』の主人公・私が、イマージュの片々をつなぎ、「失われた時」を描いていく内容を意味し、「見出せる時」はその小説の最終第七篇の「見出された時」が意識されている。

『失われた時を求めて』について翻訳者である鈴木道彦は、この小説を虚構と実生活が複雑に深く絡み合う「虚構の自伝」と位置付ける。小説の冒頭から登場する「私」という一人称主人公の語り手の微妙な立場が、小説という虚構と知りつつプルーストの実人生と重ねて読ませる働きをする、と鈴木はいう。この主人公ははじめから文学志望の少年として描かれているが、絶望や失望の経験を経て最後に自分の文学の意味を見つけ出すのである。

その発見に至る直接のきっかけとなったのは、無意識的記憶によって、不在のはずの過去が、現在の印象や感覚のなかに蘇る体験であり、そこから始まって、人びとの生きた〈時〉を見出すという最後の経験であった。しかし、この作品では、もともとすべてがそのフィナーレに向かって進むように仕組まれていたのであり、作者は第一篇冒頭の眠れない夜の描写や、お茶にひたした「プチット・マドレーヌ」の歓喜を皮切りに、あらゆる挿話を積みあげて、徐々にこの大団円での〈時〉の発見に至るべく、作品を構築しているのである。

（鈴木道彦編訳『失われた時を求めて 下』解説、集英社）

お茶に浸したプチット・マドレーヌに呼び覚まされた記憶をきっかけに、次々に無意識的記憶が現前化して、積み重ねられていく物語の、主人公＝私は、最後に普遍的な〈時〉を見出す。プルーストのこの小説作法の虚構と実生活が複雑に深く絡み合う表現は、プルーストの実人生に重ねて読まれることが多いが、鈴木はこれはあくまで小説という虚構の世界なのだという。

それは、短歌の「私」が作者を指示しているように読めてしまうところと似ている。現在では、作中主体という言い方で、歌のなかの「私」は作者とイコールではないという理解が行き届いているが、作者と結び付けて解釈されることも多々ある。実人生に近いところからの発想や、母や友のこと、中咽頭癌という現実の病気や加療の日々を扱えば、春日井建の表現が変わった、と言われることもある。確かに、建が自己の生活圏を歌の材料として扱えば、日常詠と言われるだろう。しかし、私は、このプルーストの『失われた時を求めて』を読み、鈴木の解説を読み、建の歌を読み直すと、改めて建が短歌表現に掛けていた表象の思想の在り処を見るような思いがした。

春日井建は、中日新聞の夕刊〈春日井建さんに聞く――「中部の文芸」短歌担当を終えて〉の、「――自身にとって短歌とは？」という記者の質問に答えて、自己の作品について次のように語っている。

> 日録的ではなく自然に創作的な歌をつくるのですが、現実の中から作品の種を持っては来ても、事実そのままではなく、ずいぶんと虚をはらませて自分の世界を作ります。五七五七七にそぎ落としていくためにも、何が余分で何が大切かを見極める心の目を強く持ちたい。鍛えたいと言ってもいいかもしれない。日常生活すべて、そう過ごしたい。そういう生活はむしろシンプルで心地よいことです。
>
> （二〇〇四年三月三十日）

素材を現実の中にとっても、虚をはらませて作品化しているという建の短歌表現の思想は、プルーストの『失われた時を求めて』に通底するものがあるといってもいいだろう。『失われた時を求めて』を、鈴木は「虚構の自伝」といい、あくまでも「小説という虚構の世界なのだ」と言ったように、春日井建の歌も「虚構の自伝」として、「あくまでも歌という虚構の世界なのだ」と言えるのではないだろうか。

そう思うと腑に落ちるものがある。例えば、亡くなった母の歌。

母の椅子の先に置きある大鏡　つと入りゆきてつひに戻らぬ　「喪の明けるまで」

てのひらに常に握りてゐし雪が溶け去りしごと母を失ふ　「天蓋花」

告げ足りぬ言ひ足りぬこと羽閉ぢて冬の孔雀がうづくまりゐる　「喪の明けるまで」

母が亡くなって約一年後の歌である。母は、いつも掛けていた椅子の前にある大鏡の中に入って戻って来なかったように思われる。どこか「不思議の国のアリス」みたいでもあり、てのひらに握っていた雪が溶けてなくなったようだという表現も儚さと同時に、水になってしまった母というイメージはメルヘンでもある。そして羽を閉じている冬の孔雀も、建の寓喩のようでもあり、物語の世界と交差する。

また、ほぼ一年前のアメリカ同時多発テロが、忘れられない強い出来事として作品化されている。

苦しみはわがほかに在る言葉なく九月のニュースを映像に見つ「天蓋花」
あげつらふ差別僇し寒冷のグラウンド・ゼロを思ひゐるとき「シャツ」
被支配と支配との構図そのときもけふも変らずアラブを覆ふ「オートバイ」

アメリカの世界貿易センタービルが破壊され、多くの犠牲者が出たことに対して、「苦しみはわがほかに在る」と世界の状況へ思考は動く。そこに見ているのものは、破壊されたビルの影であり、その後のイスラム教徒やアラブ人への差別意識である。世界貿易センタービルの跡地は「グラウンド・ゼロ」と呼ばれているが、そこに建は映画「アラビアのロレンス」のアラブ独立闘争を重ねて支配や被支配について思いめぐらす。過ぎ去った出来事は繰り返しイメージを結び作品化される。

「岬にての断章――遥かなる三島由紀夫」の章には、一九七〇（昭和四十五）年十一月二十五日、自衛隊市ヶ谷駐屯地でクーデターを呼びかけ割腹自殺した三島由紀夫の歌もある。

顕示せし死の儀式はも夭折といはばいふべき齢《とし》四十五
露頭せしおもひ形となし終へてみづからに果つ五衰を待たず
速やかに日逝き月逝き転生を信ぜねばすでに非在の一人
寄せるいのち返す思想を波に聴く失はれしもの言葉とならず

この三島事件が起きたとき、三島は四十五歳だった。これを建は「死の儀式」の顕示と捉える。四十五歳は死にはまだ遠い年齢だから、夭折といえばそういえるかもしれないが、と思い返しての歌だろう。二首目は、三島の最後の小説『天人五衰』を素材にしている。三島の長編小説『豊饒の海』は「春の雪」「奔馬」「暁の寺」「天人五衰」の全四巻で構成される、輪廻転生をテーマにした小説であり、「天人五衰」は死の直前に完結されていたという。「五衰」は「天人が死ぬ前にその身体に現れるという五種の衰えの相」というが、自然の衰えを待たずに、「みづから果」てた三島に対して、上句の「露頭せしおもひ形となし終へて」は、三島に距離を取る冷静な他者の眼がある。その後、日月は過ぎ去り、転生など信じない私にとっては、すでに三島も非在の一人になってしまった、という。波の動態によせて、命と思想に思いを馳せる。失われたものは、もはや何も語らずなにも表さない。これらは、抒情を排し、とても冷静に三島を評価した歌である。春日井建の第一歌集『未青年』に序文を寄せた三島と建について、物語は実と虚を織り交ぜて拡がっているだろうが、長い年月を挟んで記憶の底から立ち上げられる歌の世界は、作り出された別の像や関係性の側面が見えてきて、ここにもプルーストの小説作法を重ねてみたくなる。

建は時々、フランスの小説家、マルグリット・デュラスの話をした。小説『ラマン（愛人）』や『北の愛人』や映画のこと、デュラスに関する歌もある。なぜ、デュラスなのか、よくわからないが、プルーストの翻訳者の鈴木道彦は、ブランショやデュラスも熱心なプルースト党だった、といっているから、建は、プルーストとデュラスと自己のなかに、同質性を見出していたのかも知れない。「デュラスへ」という章には次のような歌がある。

ことばにては語り得ざりし沈黙の深みのこころ陽画《ポジ》となすべし
今、歌を形となさむ意識野の箔ほどの片々が見えきたるゆゑ
追憶に残りてゐたる箔ほどの一片が形となりしわが歌

直接、デュラスの恋愛に関する歌もあるが、そういうデュラスを通して、ここにはもっとも建が言いたかったことが、詠われていると思う。一首目は、言葉では語ることができなかった、心の奥深くの思いを「陽画《ポジ》となすべし」は、それを表に表す、表現するという気持ちである。また二首目は、箔の片々ほどのわずかだが、自己自身を対象化する明晰な意識が自覚されたから、今、歌を詠む、表現しようという表現への意志表示でもある。そして三首目では、自分の歌は、追憶に残る一片が形をとって成ったものだという。こういう歌の成立過程をプルーストの『失われた時を求めて』の小説作法に照らしてみると、プルーストとの接点を思わざるを得ない。「デュラスへ」と題されているが、ここにはデュラスを媒介にして、建自身の歌の思想が述べられている。また「タンタロス」の章にある次の歌も、ギリシャ神話のタンタロス（ゼウスの子で、神々の怒りを買ったため地獄に落ち、永劫の飢渇に苦しんだ）に寄せて、建は自己の咽の病を詠いながら、今という時間と言葉について、表現についての建の思想が語られている。

前世来世見ることなからむわれなれば今をとことはとする言葉あれ

前世も来世もないという認識は、現在という今の時間しか意味を持たない。今という時間を永遠につなげることができるのは言葉しかない。そういう言葉、言語表現を求めている。これが建の歌の思想である、と私は思う。

昼かげろふゆらゆら揺るる日向にて今年も会はむ咲《ゑま》へる花に　「春祭」

歌集の最後に置かれた歌である。今年も春に咲く花に会うことを想っている。あとがきに「新しい歌空間を造型したい、と願っている。」と書かれているように、まだ春の花に会う時間が待たれていたのである。

歌集『朝の水』は春日井建の最後の歌集になってしまったが、そこには建の言語表現、短歌表現についての思想が語られており、何よりもプルーストの『失われた時を求めて』とおなじ表現方法をとって、「虚構の自伝」という世界が展開されていることに改めて思いを深くしている。

補遺1　〈今という時間〉と〈綺語〉の思想

歌人・春日井建が二〇〇四年五月二十二日に亡くなった。享年六十五歳は、まだ少し早いという思いが強い。彼の十七歳から二十歳までの作品を収録した第一歌集『未青年』（一九六〇年刊）には、三島由紀夫が序文を書いていて、「われわれは一人の若い定家を持つたのである。」と賛辞を寄せている。そのことはよく知られていることでもあり、『未青年』の若い愛読者も多い。そして、結社誌「短歌」（中部短歌会）の主宰者であり、私もそこに所属していた。「所属していた」と過去形で書くのは、春日井建が亡くなってから、私は中部短歌会を退会したからである。亡くなる前日、私は友人の新畑美代子さんと病院へお見舞いに行った。中咽頭癌のために声が出なくて筆談だったが、ギニョールが倒れていて、その上から別のギニョールがのぞいている絵を描いて、「すーっとどこかへ行きそうだから分身がのぞきこんでる。」と書かれた。それは、自己の精神と肉体の分離状態を表した絵でもあって、その意識の明晰さに私はどこかで安堵していた。コクトーの線描きの絵に似た筆致だった。「分身の方が可愛いだろ！」などとも書かれたりしていたので、翌日の訃報は信じがたいものだった。病室には出来上がったばかりの第九歌集『朝の水』があった。「帯の色を紺色に変えて、良くなったでしょう」という話などもした。その『朝の水』が最後の歌集になってしまった。
『朝の水』は、加療の日々を背景にした二〇〇二（平成十四）年以降の作品を主に収録している。

『朝の水』

薬剤がばさりと落とせし髪なれど変身はすこし愉しかりにき
誰も誰も育くみてゐる死とは言へのみどの患が耳管に及ぶ
ふたたびは泳がずあらむ患《や》みふかみ血のつく水の出づる耳なれば
コクトオの版画つばさをもつ天使ベッドゆ仰ぐ位置にかかげぬ
神託はつひに降《くだ》れり　日に三たび麻薬をのみて痛みを払へ

癌治療のための放射線で髪がなくなったり、咽の癌が耳管に及んで常に耳にガーゼを当てていなければならなかったり、これらの歌は私達が毎月の歌会に目にした様子だった。三月の中頃、春日井宅を訪れた時には、コクトーのつばさを持つ天使の絵を、ベッドから見える位置に掛けたと、部屋を見せて説明して下さったこと、四月に伺った時には、あまり体調がよくなかったことなど、つい現実と重ねて思いが深くなる。
そういう個人的な思いはそのこととして、この歌集が最後を意識して纏められたものでないことは、あとがきに「病気は現在の私の一つの属性に過ぎない。一方、イラクをはじめ世界の不穏な状況はさらに増加している。私一人の幸、不幸など小さなことに過ぎない。とはいえ、やはり目を離すこともできかねる病を見ながら、私は新しい歌空間を造型したい、と願っている。」と記されていることからも明らかだ。病状が進むなかで書きつがれた作品ではあるが、病の歌ばかりではない。

『朝の水』

ボール転々ゴールへ入りてゆくしじま天使が空を通過するとき
風の脚が出し抜く競り合ひを切り抜ける走れスペースをただひた走れ
球《ボール》あやつるすなはち時を小刻みにあやつるヒデが蹴るバックパス
もとより平和に国境などはあらざるをイマジン聴くを自粛せよとや
みづからが夜振りにゆらす火のやうな若者ら兵となることなかれ
被支配と支配との構図そのときもけふも変らずアラブを覆ふ

サッカーワールドカップ（日本対トルコ戦）の歌は実際に仙台の競技場まで観戦にでかけていて、作品からもボールを追う選手たちの様子が目に見えるようだ。二〇〇一（平成十三）年九月十一日のニューヨークの貿易センタービル爆破テロ直後、アメリカのラジオネットがジョン・レノンの「イマジン」を自粛曲にした事についての批判の歌がある。「若者ら兵となることなかれ」は、その後の米国のアフガニスタンへの軍事攻撃に対する批判でもある。これらはアフガンの友人を思う歌のなかにある。「被支配と支配との構図」の歌はアラビアのロレンスが素材になっている「オートバイ」という章にある歌だが、そこに現在のアラブの状況を見ている作者の視点がある。こういう時代的な世界情況、社会状況に対する視線、今現在に対する視線は、春日井の第一歌集『未青年』の中にもあるのだが、美学的な表現の背後にあって、あまり見えていなかった。
　社会派の作家というイメージからは程遠い春日井であり、自らもそれを願っていない。エロスと美学を追及するなら、そういう同時代の社会状況に関する作品は省いてもいいはずだ。単にその時々の事件を記載するのであれば、それぞれの事柄を直接語る、まとまった作品の量があってもいい。しかし、春日井の作品は、イデオロギーとは無縁の友人の歌や、アラビアのロレンスを歌った一連のなかに、今現在の状況に対する批判の歌が挟まれている。決して数も多くなく、その歌は主なるテーマの横にさりげなく置かれていながら、現実と切り結ぶ強い主張を持っている。こういう今という状況と接点を持つ歌が、春日井のどのような思想からうまれるのか、考えてみたいと思った。

◆『未青年』

春日井建の歌について語るとすれば、やはり第一歌集『未青年』からということになろうか。

大空の斬首ののちの静もりか没《お》ちし日輪がのこすむらさき
童貞のするどき指に房もげば葡萄のみどりしたたるばかり
ミケランジェロに暗く惹かれし少年期肉にひそまる修羅まだ知らず
『未青年』

火祭りの輪を抜けきたる青年は霊を吐きしか死顔をもてり
両の目に針射して魚を放ちやるきみを受刑に送るかたみに
男囚のはげしき胸に抱かれて鳩はしたたたる泥汗を吸ふ

これらは引用されることも多い『未青年』の代表的な作品である。「短歌ははじめぼくの免罪符でした。悪事や情事をあまりに早く知ってしまった生真面目な少年にとっては、それを正当化するための護符がぜひとも必要だったのです。」とあとがきに書かれている。ジュネやサドやバタイユの世界と相通じる、インパクトの強い悪の、異端の美学が展開されている。菱川善夫はそこに、悪の自覚、悪の信仰という反社会性が、思想化され、倫理化されていると評している。ただ、それまでほとんど短歌に関心がなかった私が『未青年』を読んだのは、中部短歌会に入会した一九八五（昭和六十）年頃で、すでに、悪や異端が大きな文学的価値として機能する時代ではなかった。私は、「斬首」「修羅」「死顔」「受刑」「男囚」という言葉にかけられた美学的な世界の構築を『未青年』に見ていた。それは春日井の短歌の特質でもあるのだが。

その歌集の最後に「洪水伝説」という章がある。これは『未青年』刊行の前年、一九五九（昭和三十四）年九月二十六日、東海地方を襲った伊勢湾台風の大惨事を素材にして、旧約聖書のノアの方舟に模した作品である。

方舟より呼びあふ声すわが名古屋ソドム市に〈生めよ増殖《ふや》せよ地に満てよ〉『未青年』
水没の闇にひしめけさはやかに光りて昨日の死者たちの眼は
腐蝕熱むなしき胸を抱くさまを機上より見おろすは首相閣僚

ここには台風による水死者たちの惨状を、機上から視察する首相や閣僚に対する作者の批判が、顔を覗かせている。「洪水伝説」という物語の世界に、さりげなく置かれていながら、社会批判の強い主張を持っている。これは、『朝の水』の「イマジン」や「被支配」の歌と同じである。実際『未青年』の悪とエロスの美学は衝撃的だった。春日井の歌はその領域で語られることが多く、一面では正しいと思う。しかし、その背後にもう一つ、初期作品から、現在の状況に対する視線があったことも見逃してはならないように思う。春日井の作家としての思想を考える時、現在の時代状況との接点、言葉による美学的な世界の構築、この二つは重要である。

◆歌の別れと再会

春日井は一九七〇（昭和四十五）年『行け帰ることなく』（深夜叢書社）を刊行した後、歌から離れる。（歌の制作は一九六四年で終わっている。）『行け帰ることなく』という歌集は、強烈な美学が抑えられていて、散文的な発想と表現が表れていること、連作による物語の仮構を提出していることによって、現在の表現の端緒が開かれていた、といえる。物語の仮構ということでは、「トヘトへ　トーレ／トヘヘロ　トーレ／鬼祭の囃子」を詞書に、鬼の物語が展開されている「鬼」の章が印象的だ。この作品に春日井は、歌との別れの意識を潜ませたというが、これはそのまま舞台で演じられてもいいくらい独立した空間を創造していると思う。

白木綿《しろもめん》きしきし腹に巻かむとし踊りのまへの皮膚は明るむ　『行け帰ることなく』
悲しみを問へ問へ問へと笛の音いつしかも鬼は舞ひ狂ひたり
この祭はかなしみ多し雪が疾《はし》り鬼が裸体であることなども
天然を鎮めるごとく鬼の子は雪のにほひのする尿をして

また、散文的な歌については、前掲の『未青年』の歌と次の歌を較べてみれば、その違いが分かるだろう。

われのまへのけぞるきみか散弾の降るごとく降る音に撃たれて　『行け帰ることなく』
杜鏡がつめたくうつす部屋のうち大人になれぬわれが混れる
香水が体臭にまじる朝の気に短篇ほどの眠りをねむる

『未青年』の作品がもつ緊密な美学的な世界に較べれば、これらは物足りない感じがするかも知れない。特殊で過激な世界ではなく、読者に身近で、一般的な世界に言葉が降りてきている。菱川善夫は「残念なことに、作品はやや風俗化し、反社会的な想像力が、十分濃密なイメージに結実したとは言いがたい。」と評しているが、私は作家の敏感な感受性が、少し先の時代の言語の位相を先取りしていた、という気がする。その後、八〇年代半ばから短歌の散文化、物語化は急速に加速したのだ。春日井が再び短歌に戻ってきたのは、父・春日井瀇の死がきっかけだった。彼はこの時「歌の別れ」から「再開」の経緯を『青葦』のあとがきで次のように書いている。

『行け帰ることなく』という歌集を編んだとき、私は再び歌を書くことなど金輪際ないと思っていた。行け帰ることなくとは、修辞ではなく、思想だった。

私の青春の歌との別れは、もとより書けなくなってやめた、というわけではない。一つの意志による選択だった。

どんな意志だったのか。理由はすべてそれまでに書いた私の短歌のなかで言いつくしている。

私の歌は、それを叙す作者に悠長な時間があってはならない種類のものだった。明日ではなく、昨日でもない。今の今、一瞬ごとに消え去る切迫した青春のひとときを写す宿命を荷っていた。私はそのことを知っており、そのこと自体を主題にして書きもした。

歌との別れを決定した、春日井の思想の根本は「今の今、一瞬ごとに消え去る切迫した青春のひとときを写す宿命を荷っていた」という、自分の歌に対する認識のように思われる。過去や未来という時間の幅で考えるのではなく「今の今、一瞬」という時間へのこだわり。それが春日井の作家としての思想だといえるのは、この〈今〉という時間へのこだわりが、短歌の再開に際しても、その後も、終生捨てられることがなかったものだからである。

◆〈今、一瞬〉へのこだわり

短歌との再会を果たした後の歌集『青葦』以後から春日井の思想としての〈今〉を探ってみる。

一瞬を捨つれば生涯を捨つること易からむ風に鳴る夜の河　『青葦』
今に今を重ぬるほかの生を知らず今わが視野の潮《うしほ》しろがね　『友の書』
青春は一刻にして永遠《とは》と思ふ大理石の皮膚老ゆるを知らず
ひとときののちも未来ぞ咲き闌けてさるすべりの小花散らむとはせず　『井泉』
一刻の長さ一日の短さを体感しつつ湯浴みしてゐる　『朝の水』

「この時期は私の壮年時代に相当するが、時間があらかじめ失われていたような歳月で、今に今を重ねる生き方には、常なる現在があるだけで未来も過去もないように思われた。」これは『友の書』のあとがきであるが、春日井の〈今、一瞬〉という時間へのこだわりはこの時期に限られたものではない。一瞬と生涯との対比において、一刻と一日の対比において、一瞬の重さ、一刻の長さが大きいのである。逆に未来は無限の時間ではなく「ひとときののち」に見られており、短い青春時代などという通念は否定されて「青春は一刻にして永遠《とは》」の時間に組み込まれる。このような一瞬、一刻という時間へのこだわりは、春日井の存在認識と深く関わっているように思う。

存在のいたしかたなし薄き陽に無碍なるものは気化しゆくなり　『水の蔵』
月代も水も器にしたがひてさらさらさら形を定む　『白雨』
失ふは失ひはてて涼しきを月のひかりに沐浴をなす　『井泉』
瓦解せしものらはさらに存在を濃くせりしじまに屹立をせり
寒気も雪も天の応《いら》へと思ほえず逝きにしものはとはなる非在

一首目の歌の無碍なるものは、前にある歌から斑雪のことなのであるが、その雪の気化に「存在のいたしかたなし」と詠む。月も水も器によって形が決定し、「逝きにしものはとはなる非在」という。雪も月も水も死者（人間）も同じ存在するものとして見られている。それらは定まり留まるものではなく、人間の意識など超越して失われゆくものである。逆に存在を屹立するのは、瓦解した物質の片々の方だ。とすれば、意識としては、失い果てるところまで求めて行くほかないだろう。外から失われゆくものとしての存在にとって、〈今、一瞬〉の確認は、計り知れなく大きくて重い。それは自己が在るということを確信する極点といえるものだろう。春日井の〈今〉へのこだわりは、こういう存在の思想に裏打ちされているように思う。

前世来世見ることなからむわれなれば今をとことはとする言葉あれ　『朝の水』

最後の歌集の歌である。病の進行とともに歌は身辺に近いところで歌われ、言葉はより今を意識するところで紡がれていくようになる。が、この〈今〉へのこだわりは、病を得たことに起因しているのではない。これまで見てきたように、歌の別れの思想でもあり、歌との再会後も変わることなく表現の根本に置かれていた春日井建という作家の思想であるといえる。

この〈今〉へのこだわりが、様々なかたちで時代状況を詠み込ませるのだと思うが、事件や状況の単なる記述や、事柄を直截に扱った作品がほとんどないのは、状況との接点が常に自分とのなんらかの関係においてのみ、考えられているからであろう。在るということの確信は自己と他者との関係性においてしか、確認できないからである。それが春日井の〈今〉へのこだわり方だと思う。現実の状況や事柄に対して、物語や仮構の形を取るのは、自他の関係性に対する、春日井なりの距離の取り方のように思う。前掲のワールドカップサッカー、九月十一日の貿易センター爆破テロ、伊勢湾台風を素材にした『未青年』の「洪水伝説」の章などの歌は一例にすぎないが、物語や仮構の形を取るのも、自分との関係においてのみ状況との接点を持つ歌を詠むのも、雪も月も水も死者（人間）も一律に存在するものとして見る春日井の、表現に対する倫理のように思われる。

◆綺語ならぬ言葉はありや

〈今という時間〉とともに、もう一つ、春日井建の作家としての思想を語るとき、重要なのは、言葉はすべて〈綺語〉という認識である。

綺語ならぬ言葉はありやエディプスの峠路の章讀みなづみつつ
われもまた工人として詩を書かな死なざりし悔に雪ふる無間《むけん》
悲しみを言葉に組める工作人《ホモ・ファベル》狂へ狂へと雪ふりやまず　『青葦』

『青葦』は再び短歌に戻ってきた時の歌集である。この「綺語ならぬ言葉はありや」の歌はかつて春日井が「春日井濵論」（『現代結社代表歌人選集』桜楓社・一九六九年）を書いた時、父・濵の歌「汝を亡くせし日の夕茜悔いしより狂言綺語になじまずなりぬ」を引き、「思えば、これはある意味では文学を捨てたことである。文学は、歌は、どこかで狂言綺語と結びあったものであるのに、彼はそれを遠ざけてしまったのである。／作品というものは、どんなに自分の実生活から生まれたものだろうと、実生活を超えた何ものかであるはずだからだ。（略）」と論じたことに対する、帰宅した息子の再びの意志表明でもあったと思う。

言葉によって書かれたものはすべて綺語である、短歌作品は言葉によって仮構された世界（物語）である、という考えは歌の別れと再会という時間を超えて、春日井建の変わらない短歌作品・言語表現に対する考えであった。作品はことばによって作られた虚構であるという、より強い確信をもって短歌に帰ってきた作者は「われもまた工人として詩を書かな」や「悲しみを言葉に組める工作人《ホモ・ファベル》」のように、自己を文字に言葉に従事する労働者や、悲しみの感情をことばという道具（物）で組み立て、仮構の世界を構築する工作人という見方をする。意識的な、自分と言葉との、この醒めた距離の取り方こそは、『青葦』という歌集の、短歌への帰宅、定着という穏やかさの裏に秘められた、春日井の再び歌に向かう姿勢であった。この言葉へのこだわり、作品世界の構築へのこだわりをよく表しているものを挙げよう。

水棲のものら吸ひ吐く音ひびけり暮れなづみたる青葦原に　　　　『青葦』

水靈と肌《はだへ》あはせて寝ねしかば鱗光のごとしその囁きの

青水窪《アヲミナクボ》ノワレラガ臥床トコシナヘナレ　カナシケレ

ワレヲ捨ツレバ愛トコトハニ青水沫《アヲミナワ》ナレ　カナシケレ

曳白の悲しみの日に知りしかな水の變化《へんげ》と媾《まぐは》ふ技も

「俤」の章のこれらの作品は完全に物語化されている。俤とは、作者が青春時代に邂逅した実在の相手のことだが、ここにはそのかけらもない。青葦原の水辺に、水棲動物の呼吸音が低く響き、そこに、水の霊と媾うものの妖しく幻想的な世界が描かれている。一字下げて書かれたカタカナ混じりの「青水窪ノワレラガ」の部分は、男女相愛の情をうたう、俗謡の都都逸の七・七・七・五の四句を重ねる、リズムの繰り返しが使用され、さながら呪文のようだ。この意識的なリズムの選択にも、作者のなみなみならぬ構成意識を知ることができると思う。

また、歌による「三島小論」とされた「春の餞」の章の最後は、『伊勢物語』の東下りの段を借りたパロディ「現代伊勢物語」がある。「男があった。その男、散るこそ花と自刃して果てた。年少の友とふたりして果てた。」で始められている。この「昔をとこ」の設定に春日井は三島由紀夫を登場させている。旅の者に、常世からの使いという水鳥が「死ぬか」と問う。それに答えて旅の者は「死ぬかと問はれ死ぬと含羞《はにか》み言はむ日の心の薄暮に慰まむとす」と詠う。すると水底から男の声とも聞こえる歌が返ってきた。「われに似る子よ肉體をのみ恃み生きる汝の悲運の強くあるべし」と。この「われに似る子よ」と「死ぬかと問はれ」という歌は、春日井の歌集『行け帰ることなく』から抄出されたものだ。第一歌集『未青年』の序を書いてくれた三島をパロディの主人公にするなら、咽頭の癌という病の自分をも物語として仮構する。

第八歌集『井泉』には「夜見」という作品がある。この章題の「夜見」は黄泉をも意味する。

いつくしき夜見のおもかげ追放《やら》はれし者らあまたは弥若《いやわか》にして
見守りてくれしはむしろ眠りゐる汝とぞ思ふ夜見帰りつつ
時じくの香菓の実われの咽に生《あ》れき黄泉戸喫《よもつへぐひ》に齧《かじ》り捨つべき
打ち合へる裸の昼より夜祭りへ移りて儺負人《なおひ》は闇に坐しゐる
神男あはれ放逐《やら》はれゆく背に桃の枝《え》を投げて祭りは果てぬ

『井泉』

「時じくの香菓の実」は古事記に書かれている、タチバナの古名で、夏に実り、秋冬になっても霜に堪え、香味がかわらない木の実のことである。「黄泉戸喫」は、黄泉の竈で煮焚きしたものを食べると死者の国の者になり、再び現世に戻れないという。古事記の記述を下敷きにして、咽の腫瘍を「時じくの香菓の実」になぞらえ、黄泉の国へ追放される永遠の少年の物語が仮構されている。物語は儺を負う祭りの神男の最後へと移っていく。儺を負う神男の背に、桃の枝を投げるのは、桃は邪気を払う力があるとされていた故事を踏まえている。病床の起き伏しを「夜見帰りつつ」と記す。ここには蘇るという意味がかけられているが、「蘇る」には黄泉から帰るという意味があり、言葉の機能を十全に活用して物語の世界が創出されているといえる。

このように、邂逅した相手を、三島を、癌の宣告を受けた自らを、物語化していく春日井の作家としての姿勢は、あの「綺語ならぬ言葉はありや」という歌に込められていた〈作品は言葉による仮構世界〉という強い意識によるものだといえる。

ことばにては語り得ざりし沈黙の深みのこころ陽画《ポジ》となすべし　『朝の水』

言葉で語れないこころが陽画《ポジ》なら、言葉で表現されたものは陰画《ネガ》ということになる。ネガは実物と明暗が逆になる。とすれば言語表現の世界はどこまでも虚構である。このように歌の別れ以前から、最後の歌集まで春日井の言語表現に対する態度は変わることがない。それはもう思想といってもよい。その作家としての思想は歌集『白雨』のなかに次のような歌を残している。

朔の月の繊きひかりが届けくる書けざるものなどなしといふ檄　『白雨』

＊

春日井建の作品は、エロスやダンディズムや美学というところで語られる。作品自体がそういう世界を創り出しているし、春日井自身もそれは否定しなかった。が、私は、そういう作品が生まれる根幹を見つけたいとずっと思っていた。今回、全ての歌集をまとめて読んで、二つのことを見つけた。それは〈今という時間〉と、言葉はすべて〈綺語〉であるという認識である。それは「今の今、一瞬」を生きるという存在の思想であり、書かれたものは、「実生活を超えたなにものかである」、すべて虚構（物語）であるという、文学の思想である。歌の出発から終生変わることのなかった、この二つの認識を最も基底において、春日井建の表現（作品）は生み出されている。少しだけ春日井の言葉に近づけたような気がしている。ここから、やっと一つ一つの歌集の分析に入っていけると思う。

古い日記をひっぱりだして読んでいたら、一九八七（昭和六十二）年十一月八日、中京大学での学生短歌会の後、参加者と雑談のなかの春日井建の言葉のメモがあった。「もう一度歌を手にしたときの短歌は、僕にとって自分の言葉で語れるフォルムだと思う。」

歌との再会後のこの言葉の意味を考えながら、『未青年』を、『行け帰ることなく』を、『青葦』以後を読み返してみる必要があると思っている。

最後の歌集になった『朝の水』を繰っていると、病床の自分を動けないあやつり人形に見立てた、あのギニョールの絵のことが浮かんでくる。地に力なく倒れ込んでいったあやつり人形は、一人で起き上がって空にいってしまった。「次のときちゃんとしたのあげる」そう書き残して。

補遺2　春日井建の〝失われた時〟とはなにか——その悌と死と愛と

春日井建が亡くなってすでに十五年が過ぎた。時間の流れの速さを思わないわけにはいかない。そろそろ春日井建の仕事について研究や論文が書かれてもいい頃ではないだろうか。私は現在、歌誌「井泉」に春日井建の詩について連載しているが、思うのは、生前にもっと詩の話や文学や映画の話を聞いておくべきだった、ということばかりである。毎月の歌会（中部短歌会）後の雑談に、マルセル・プルーストやマルグリット・デュラスの名前がよく出て来たが、それは話題として終わっていた。今、春日井建を思う時、プルーストやジュリアン・グラック、デュラスの名前が立ちあがってくる。奇しくも、最後の歌集になった『朝の水』には「デュラスへ」と「プルースト」という章がある。それらの歌を入り口にして、彼らの作品を媒介に春日井建の〝失われた時〟について考えてみたいと思う。

◆マルセル・プルースト――失われた時、死と俤

母と子が椅子にまむかひ掛けてゐし昨日《きのふ》一昨日《をととひ》一日のやうに
積みてある本を崩してまた積むはその一冊の一行のため
プルーストの方へ幾たび誘はれしか今宵は誰かサフランを煮る
プルーストの母の書簡をひろげたり凶事《まがごと》に似るその優しさを
失はれ消《け》ゆく断片コルクの部屋に咳こみながら彼はゐたりき

『朝の水』「プルースト」

プルーストは極端なマザー・コンプレックスだったと言われている。「昨日《きのふ》一昨日《をととひ》一日のやうに」は、母と子の間には永遠の時間が約束されているような思いが込められている。「その一冊の一行のため」の一冊の本は『失われた時を求めて』であろう。プルーストの方へ誘われるとは、どういう意味だろう。「サフランを煮る」が暗示するのは、サフランの香りをかぐと恋に落ちやすい、と言われることから、「恋」を指すのだろうか。プルーストと母の書簡集には、プルーストが十六歳から三十四歳までの手紙が集められているという。それについて、『失われた時を求めて』下（鈴木道彦編訳・集英社刊）の解説で、鈴木道彦は〈書簡集を開いても、立派なおとなになった彼に対してさえ、母親は「いとしい坊や」「わたしのかわいい坊や」と呼びかけ、子供の方からは「ぼくの大好きなお母さま」と話しかけて、甘えきった手紙のやり取りをしているのである。〉と記している。母の極端

な優しさは、不吉な出来事に似ていると詠まれることは、この解説からも推察されよう。だが、全否定ではない。最後の助詞「を」が母の優しさ、息子とのやりとりを深いところで肯定している。『失われた時を求めて』の執筆は、外部の音を遮断するコルク張りの部屋で進められたという。「咳きこみながら」はプルーストが喘息の発作を繰り返す虚弱体質だったことに加えて、死の前月から気管支炎を併発していたと言われていることを暗に示している。しかし、「プルースト」の章八首だけでは、春日井建が、プルーストの何に強くひかれたのか明確ではない。

プルーストの長大な小説『失われた時を求めて』をここで要約することはかなわないが、物語は、ある冬の日のお茶に浸した〈プチット・マドレーヌ〉という菓子の一切れを口に入れた時に感じた原因不明の快感が、語り手の「私」に巨大な思い出を蘇らせる。その生き生きと蘇った記憶を繋いで小説『失われた時を求めて』は書き継がれていく。お茶に浸したマドレーヌが呼び起こした「無意識的記憶」。それは、すっかり忘れてしまっている記憶のことだそうだが、存在の底辺を支えている強大な思い出の建物だという。鈴木道彦は、「プルーストの小説にたえずあらわれる夢と幻滅、不在と現存のテーマに、注目する必要があるだろう。」として、プルーストの小説には、この無意識的記憶がある瞬間に突然蘇り、様々な〈失われた時〉が書かれることによって、最後に〈時〉が見いだされるのだ、という。語り手は私で、プルーストの自伝的な背景があるが、それは小説であり虚構である。

春日井建の場合もまたプルーストと同じく不在と現存のテーマが、〈失われた時〉として大きなウエイトを占めていたのではないかと思われる。そう言えるのは、「失いし時」「失われし時」にいつも死がつきまとうからである。不在のはずの過去を歌という虚構の世界で呼び起こす。

歌集『青葦』のあとがきに「三つの死」の一つである、〈私が汝と呼び「わが生のまらうど」と叙した友〉について、「私はある俤と怖るべき邂逅をした。それなくして私の青春はなかった、とも断言できる体験であった。しかし今、俤は時経てさらに鮮かながら、あれはかつての私自身ではなかったか、と思われるほどに対象としての存在感を失って私の身近なものである。」と書かれている。その邂逅と、時のなかに失われてゆく存在をテーマにした詩「ペルソナ」があとがきに併記されている。

おまえの夭さは私を苦しくさせる
おまえの無疵は私を怖れさせる
失われた空を覆う俤よ

なんと潑溂と時は逝くものか
逝きながら精気の澄むものか
膝を折って抱く愛撫の
熱い水照りに喘ぎながら
恩寵が季節の影を扼殺する

羽搏く記憶の
喉首を締める

少年の唇が
夢の中で冷たくなる

（「ペルソナ」第三連の一部と第四連、第五連）

空を覆う少年の俤は過ぎゆく時の中に扼殺されるように、記憶のなかで失われてゆく。夢の中で少年はもう一度死ぬ。この「おまえ」と呼ばれる俤は、歌にイメージを結ぶ。

わが生のまらうどたりし友の訃を聞けり薄雪の降れるまひるま
われもまた工人として詩を書かな死なざりし悔に雪ふる無間《むけん》
悲しみを言葉に組める工作人《ホモ・ファベル》狂へ狂へと雪降りやまず
いつしかもしぐれて鏡なす路上かの少年の頰羞《やさ》しかる
投げだされし少年の四肢なぞりたる白墨の上をわが轍《わだち》過ぐ
白墨にて描かれゐたるひとがたの消えやらぬ路面往き戻りしつ

『青葦』「俤」

春日井建が「わが生のまらうど」と叙する少年はバイクの事故で亡くなる。一緒に死ななかった悔いの深さは無間地獄に落とされたようだ。「狂へ狂へと雪降りやまず」は通夜の夜の狂うほどの深い悲しみを表している。路面の白墨のひとがたは、忘れ得ぬ俤として心の奥深くに残る。少年の四肢をなぞった白墨の上を自分の自動車が踏みつけてゆく。歌は、時の過ぎゆきの無常と痛みを蘇らせる。春日井建にとって、失われた時は友の死と重なり、忘れ得ぬ俤として存在し、歌集『水の蔵』にも繰り返し詠われている。

失われた時と死の関係について、春日井建はジュリアン・グラックの作品にも意識的であった。グラックが出てくるのは歌集『友の書』と『白雨』である。

◆ジュリアン・グラック——死

『友の書』

「陰鬱なる美青年」とは死の喩とぞグラックの書に親しみてきつ
動じざる若き視線を追ふ始末われはまさしく死を愛したり
われもまた伴ふ友ありうらわかく陰鬱にかかげる額を持てる
球撞きていくたび戯《ざ》れて去《い》にしなり忘れざるべし白き俤
くろがねのマシン操り走りたり加速のたびに汝は近づく
今に今を重ぬるほかの生を知らず今わが視野の潮《うしほ》しろがね

澄みとほり容赦あらざる死を指して白皙の青年と呼びしグラック
ジュリアン・グラック読みて日を経つ白皙の彼をいつしか親友として
やすらけきねむりありしよ失ひし時のかなたの秋の寝台
『白雨』

そして、『友の書』のあとがきは次のように書かれている。

ジュリアン・グラックに『陰鬱なる美青年』という小説がある。この主人公は死の喩として登場し、冷静かつ正確、何ごとにも動じない絶対的な存在として描出された。私はグラックを通して随分と死と昵懇になった。

グラックの『陰鬱な美青年』は、夏の休暇を過ごしに海辺のホテルに来た客たちの中に、ある日アランという青年が現れる。彼は、男女の客たちの心をとらえ、彼らとの親しい関係を続けながら、謎多き存在として最初から死へ向かっている。アランは最後に毒の入ったコップを飲み干す。その時、アランが、見たのは最後の時間がドアを開けて彼の方にやってくるところだった。小説は、「ジェラールの日記」と題され、日記風に書かれているが、九月一日のホテルの仮装舞踏会の日から晩秋にかけては、アランの死までが断片的に描かれていく。この小説について、翻訳者の小佐井伸二はあとがきで「アランとは死である」と断じる。死が無い事のように、遠い不確かなことであるかのように生きているわれわれに、グラックは隠喩的な方法ではなく、私たちの前に死を現前させようとしたと述べている。

春日井建の歌は、その美青年・アランに重ねるように、「われ」は青年の動じない視線を追う。それは死を愛することに等しいと書かれるが、春日井建が「死の喩」として、そこに見ていたのは何だろうか。「われもまた伴ふ友あり」と詠まれた陰鬱な額を持てる友、とは誰か。ビリヤードをして遊び、何度も戯れにいなくなってしまった白き俤とは誰のことか。伴う友、白き俤の具体はない。自動車かオートバイか、マシンを加速させるたびに近づく汝は、死だ。

「今に今を重ぬるほかの生を知らず」は、春日井建の生きる時間に対する思想といってもいい。それは、歌に復帰した時の『青葦』（一九八四年刊）のあとがきに「（私の歌は）今の今、一瞬ごとに消え去る切迫した青春のひとときを写す宿命を荷っていた。」と書かれていたが、その後十五年の歳月が過ぎても（『白雨』と『友の書』は一九九九年刊）、変わっていないからである。

歌は、死を白皙（皮膚の色の白い）の青年と呼んだグラックの作品を読み継ぐうちに、白皙の青年と親友になってしまった、すなわち死と親友になってしまった、と詠まれている。「やすらけき」の歌の四首前に「ウイルスのなき寒冷地に住まはせたき友ありせんせんと早や秋の水」という歌があり、関連させて読めば、「失いし時」とは、寝台に眠っている友とわれとの過去の安らかだった時か。『友の書』と『白雨』は、ほぼ同時期の作品であり、免疫の病に罹患した友人がいて、白き俤はその友のこととも読める。春日井建は、グラックの『陰鬱な美青年』の死の喩としてのアランと白皙の彼を重ねて、死とま向かう。あとがきの「私はグラックを通して随分と死と昵懇になった。」とは、そういう意味なのだと思う。

春日井建にとってもう一人、マルグリット・デュラスも重要な作家であった。『白雨』にも詠われており、『朝の水』には「デュラスへ」という章もある。

◆マルグリット・デュラス――愛

看板を漢字に書けるチョロン地区『ラマン』の少女歩みをらずや
別れののちの放心のうちにゐるならむ泣き顔を晒し坐せり男は
希望といふ病さへ患《や》めず十五歳半の少女のならず者の恋
『白雨』

これらの歌は『白雨』の中にある。『ラマン』はデュラスの代表的な小説で、フランスの植民地時代のベトナムのチョロン地区が舞台になっている。裕福な中国人の男性と十五歳半の少女（私）の情事。娼婦のようにお金が介在する関係に徹する少女と、中国人の男性の少女への恋ごころが描かれる。デュラスの自伝的小説ともいわれているが、私小説とは一線を画した作品といわれる。歌はチョロン地区を訪れて『ラマン』の少女に思いを馳せ、少女との別れに悲しむ中国人の男性が描かれる。十五歳半の少女の性愛は「ならず者の恋」と書かれるが、それは「希望といふ病さへ患めず」と春日井建らしい逆説的な言い方に少女への同情や共感がある。これらは、小説『ラマン』の世界が意識された作品だ。しかし、最後の歌集『朝の水』の「デュラスへ」は、デュラスの作品を通して、デュラスを通して、春日井建の愛と表現への強い意志が表れている。

『朝の水』「デュラスへ」

映像《イマージュ》の片々がくりかへし浮き沈む失ひし時・見出せる時
ことばにては語り得ざりし沈黙の深みのこころ陽画《ポジ》となすべし
今、歌を形となさむ意識野の箔ほどの片々が見えきたるゆゑ
追憶に残りてゐたる箔ほどの一片が形となりしわが歌
年の差は三十八歳アンドレア・ヤンは相会ふ前よりの恋
言ひつのるデュラスを見つむる青年の困惑の面わがひとに似る
海ぞこの砂にうつれるわかものの揺らめく影を撫でて飽かざる
愛さるる愛する自由とこしなへ幸不幸他人《ひと》はあげつらふとも

『朝の水』は中咽頭癌を患い加療の日々を背景に持つ歌集であり、春日井建にとって最後の歌集になった。加療の日々を送りながら、めぐる思いはかつての時間「失ひし時」であり、「見出せる時」はプルーストの最後の出版本の題に重ねられている。プルーストが最後に〈時〉のなかに人間たちをテーマとして描こうと決意したことと同じ思いが込められている歌だ。だから、言葉で語れなかった

沈黙した内奥を「陽画《ポジ》となすべし」という決意のような文言が述べられる。プルーストは小説に、春日井建は、それを歌に意識的に表現しようとする。今、そのテーマが見えて来たからだという。追憶、思い出は決して失われた時間ではなく、その一片が形を成す歌は「見出せる時」でもあったと。アンドレア・ヤンは、一九八〇年にデュラスと出会い、三十八歳年上のデュラスと一緒に暮らす。齢の差を超えた恋は、出会う前からの必然だったと詠まれている。ヤンは、デュラスがアルコール中毒の激烈な症状を起こした時も献身的に付き添い、治療の経過を見守っていたことはよく知られていて、そのヤンの困惑の顔が、「わがひとに似る」と書かれている。この「わがひと」は免疫の病を得た友ではなく、『井泉』に「得がたくて失ひやすき時の間の微笑のやうなわかものに会ふ」と詠まれた若者であり、『朝の水』の「天使」の章の「われの背を撫づるやさしさ天使ならむ羽の感触に癒されてゐる」と天使になぞらえられている若者である。「海ぞこの砂にうつれる」の歌は、その若者への優しい限りない愛の表現でもあろう。人は幸、不幸をとやかくいうが、愛すること、愛されることの自由は永遠である、という。これは、春日井建の愛についての強い思想の表明ともいえるだろう。

月刊誌「短歌往来」（二〇〇〇年四月号）に、生前の春日井建への「編集長インタビュー」がある。その中で「好きなタイプ、それはいかがですか」という質問に答えている中に「それからちょっと文学的な言い方をすると、死を知ってる人が好きですね。すごく明るい人でもただ明るいだけじゃなくて、その人が死を知っているかどうか……」というところがある。「死を知っている」とは、死の残酷さを知ることだろう。死は時間を奪い、時間を止めて、存在を彼方に押しやる。愛が深ければ深いほど逝ったものと残されたものの埋めようのない距離を拡げてみせる。死の残酷さは時間が残されていない事である。時はいつも失われていく。だからこそ見出される、ともいえる。

春日井建が拘ったプルーストの『失われた時を求めて』は、青春時代のバイクの事故で亡くなった少年の俤を顕現し、グラックの『陰鬱な美青年』は、「死の喩」ともいえる存在に、身めぐりの友の病を想い、三島由紀夫や父や母や、様々な友人などの俤をひきながら、「失われた時」を意識下におく。そして、そこに浮き沈むイマージュの片々から時を見出し、語り得なかったものを歌の中に現前させる意志へと転化させた。その語り得なかったもののすべてに通底しているものこそ、愛だったといってもよいだろう。

愛は死と同心円とぞしかすがに日光月光ひとしくそそぐ　　『井泉』

愛と死は中心を共有するものであり、あまねく光は降りそそぐ。俤と死と愛と、意識野の箔ほどの片々こそ、春日井建の失われた時であり、見出せる時であった。

あとがき

春日井建との出会いは、中日文化センターの「短歌と詩」の講座であった。講座に参加して間もなく第四歌集『青葦』（一九八四年十一月）が発刊された。同じ十一月には、「中の会」主催「'84現代短歌シンポジウム（名古屋）――短歌vs.劇」が開催されて、それに参加したあと、私は中部短歌会に入会した。春日井建は、翌一九八五年四月から愛知女子短期大学の教授になられて文化センターの講師はやめられたので、それに伴って「短歌と詩」の講座も終了した。だから、私がこの講座に在籍した期間はごく限られた短い期間だった。そのあとは、私の家が名古屋市の名東区一社にあったことから、毎月の歌会の場所になっていた春日井邸に、自転車で通っていた。歌会のあと近くの喫茶店で建を含めて会員の方たちとの談笑も楽しい時間だった。また、「中の会」にも参加させていただき、短歌について様々なことを学ばせていただいた。

春日井建の病と逝去は、やはり大きな出来事であった。逝去の翌年、竹村紀年子、新畑美代子、岡嶋憲治らと井泉短歌会を設立、歌誌「井泉」を創刊して、あたらしい活動が始まった。

本誌の「春日井建論」は、「井泉」誌に連載した「春日井建の詩について」と「春日井建の歌について」を、再構成して纏めたものである。

「春日井建の詩について」は、春日井建没後十年目に発行された、春日井建の詩集『風景』（二〇一四年五月二十二日刊）をきっかけに連載を始めた。詩について調べていくと、高校時代の向陽高校文芸同好会の雑誌「裸樹」に発表された詩をはじめ、いくつもの作品が書かれていることが分かった。が、まとまった詩集も論もなく、私の分かる限りでまとめておいてもいいのではないか、という思いが湧いた。何も資料を持たない私は、春日井建の御令妹・森久仁子様にお願いして、お手元にあった月刊情報誌「旅路」（国鉄・現ＪＲのＰＲ誌）や、「いきいき中部」（建設省・現国土交通省の中部地方建設局ＰＲ誌）をコピーさせて頂き整理した。また、春日井建の蔵書や遺品が収蔵されている名古屋の「文化のみち二葉館」を何度か訪れ、高校時代からの資料と詩が掲載されている雑誌などを閲覧、コピーさせていただいた。それらの資料をもとに「春日井建の詩について」の論を、「井泉」二〇一六年一月号（No. 67）から書き始め、連載は二十一回に及んだ。

そのあと、「春日井建の歌について」の連載を始めたのは、春日井建の歌集を私なりにもう一度読み直しておくいい機会だと思われたからである。

第一歌集『未青年』は、「悪」や「反逆」、「エロス」、「性愛」という側面が強くあらわれていて、春日井建の定型観と美意識による論も多く書かれているが、一九八五年ころに中部短歌会に入会した私は『未青年』の中の「洪水伝説」の章の作品や、『行け帰ることなく』という歌集の歌に、より惹かれた。春日井建の美意識とは少し異なった言葉の世界に興味があった。そこから春日井建の歌について、悪や独自の美意識の世界とは別の側面や、言語表現者としての思想を読み解くことができたら、という思いもあった。

綺語ならぬ言葉はありやエディプスの峠路の章読みなづみつつ
悲しみを言葉に組める工作人《ホモ・ファベル》狂へ狂へと雪ふりやまず　（二首とも『青葦』）

これらの歌に見られるように、言語表現とは事実や真実そのままではない、綺語であり、工作人のように言葉を扱うという認識や、建の話に出てきた「虚実皮膜」や「造型された世界」という言葉から、そこに春日井建の言語表現に対する思想が存在するように思った。

また、マルグリット・デュラスやマルセル・プルーストの『失われた時を求めて』についても時々言及されていたが、建がデュラスやプルーストのどこに興味を持っていたのか、ずっと疑問だった。プルーストについては、『失われた時を求めて』の翻訳者・鈴木道彦氏の〈虚構の自伝〉という方法に多くを教えられた。これを春日井建の短歌表現の上にかさねて考えてみたいと思った。それは春日井建が『朝の水』のあとがきに「私は新しい歌空間を造型したい、と願っている。」と書いているように、短歌作品において「造型」ということに拘っていたからである。

歌の別れから再び歌の世界に戻ったときから、建の表現の思想は、プルーストの〈虚構の自伝〉という方法へ向けられていたと考えてもいいのではないか。そう考えれば、春日井建の晩年、身辺に近いところで発想されている作品も決して事実そのままではない、造型された世界として理解されるのではなかろうか。プルーストが時を追い続けたように、春日井建もまた時を求めて、自分の過ぎ去った時間を素材に、自我の再創造の世界を構築しようとしていたのではないか、と。

最後の歌集『朝の水』まで筆を進めて、最終的にどこまで春日井建の表現の思想に迫ることができたか、心もとない限りである。が、ちょうど春日井建没後二十年目に評論集として刊行出来ることは、こころから嬉しいことである。

最後に春日井建の資料について大変お世話になりました御令妹・森久仁子様、文化のみち二葉館・館長の緒方綾子様、発刊に際して短歌研究社・編集長の國兼秀二様、最初から最後まで、細部にわたる編集とご助言を賜りました短歌研究社・編集部の菊池洋美様、装幀の間村俊一様、そして、「井泉」誌連載時、随時原稿に目を通して助言いただいた会友の江村彩様、連載に際し励ましてくださいました井泉短歌会代表だった竹村紀年子様に心より厚くお礼申し上げます。

二〇二四年五月一日

彦坂美喜子

＊補遺1・2については、本文と内容が重複している部分が多々あるが、あえて発表時のままの形で補遺として残すことにした。

〈初出一覧〉

Ⅰ　春日井建の詩の世界　「井泉」二〇一六年一月号～二〇一九年五月号　No. 67 ～ No. 87
（「春日井建の詩について」として連載　二十一回分）

Ⅱ　春日井建の短歌の世界　「井泉」二〇二〇年三月号～二〇二四年七月号　No. 92 ～ No. 108
（「春日井建の歌について」として連載　十七回分）

補遺1　〈今という時間〉と〈綺語〉の思想
「イリプス」14号（二〇〇四年十月二十五日刊）

補遺2　春日井建の〝失われた時〟とはなにか――その俤と死と愛と
「短歌往来」二〇一九年二月号（ながらみ書房）

彦坂 美喜子（ひこさか　みきこ）

1947年愛知県生まれ。1985年、春日井建主宰の中部短歌会入会。春日井建逝去により中部短歌会退会。2005年1月、名古屋で井泉短歌会を竹村紀年子らと設立。短歌誌「井泉」創刊。2022年より「井泉」編集発行人。短歌誌「鱧と水仙」同人。詩誌「イリプス」同人。

歌集『白のトライアングル』、詩集『子実体日記』、共著『塚本邦雄論集』等。

春日井建論——詩と短歌について

二〇二四年六月二十四日　印刷発行

著者——彦坂《ひこさか》美《み》喜《き》子《こ》

発行者——國兼秀二

発行所——短歌研究社

東京都文京区音羽一—一七—一四　音羽ＹＫビル　郵便番号一一二—〇〇一三

電話　〇三—三九四四—四八二二・四八三三　振替　〇〇一九〇—九—二四三七五番

印刷者——ＫＰＳプロダクツ

製本者——牧製本

定価——本体二五〇〇円（税別）

検印省略

ISBN978-4-86272-775-6 C0095 ¥2500E